CW00405011

Der Roman »08/15 in der Kaserne«
ist der erste Teil von Hans Hellmut Kirsts
»08/15«-Trilogie.

Teil 2: 08/15 im Krieg. Roman 3498
Teil 3: 08/15 bis zum Ende. Roman 3499

Von Hans Hellmut Kirst liegen außerdem vor:

08/15 heute. Roman 1345
Die Nacht der Generale. Roman 3538
Glück läßt sich nicht kaufen. Roman 3711

Hans Hellmut Kirst

08/15 IN DER KASERNE

Roman

Wilhelm Goldmann Verlag

1. Auflage Juli 1961 · 1.– 20. Tsd.
2. Auflage September 1963 · 21.– 40. Tsd.
3. Auflage März 1968 · 41.– 50. Tsd.
4. Auflage September 1970 · 51.– 60. Tsd.
5. Auflage Januar 1973 · 61.– 70. Tsd.
6. Auflage November 1974 · 71.– 80. Tsd.
7. Auflage August 1976 · 81.– 95. Tsd.
8. Auflage Oktober 1977 · 96.–110. Tsd.
9. Auflage Oktober 1977 · 111.–120. Tsd.
10. Auflage Dezember 1977 · 121.–130. Tsd.
11. Auflage Januar 1979 · 131.–145. Tsd.
12. Auflage Juli 1979 · 146.–170. Tsd.

Made in Germany 1979
© 1954/1977 C. Bertelsmann Verlag GmbH, München
Umschlagentwurf: Atelier Adolf & Angelika Bachmann, München
Umschlagfoto: Deutsches Institut für Filmkunde, Wiesbaden
Gesamtherstellung: Mohndruck Reinhard Mohn GmbH, Gütersloh
Verlagsnummer: 3497
Lektorat: Martin Vosseler · Herstellung: Lothar Hofmann/He
ISBN 3-442-03497-3

Das sogenannte Unglück des Kanoniers Vierbein, aus dem sich
die abenteuerliche Revolte des Gefreiten Asch entwickeln
sollte, begann an einem strahlenden Samstagnachmittag
in den ersten Tagen des Monats August 1938.
Innerhalb einer Woche war alles erledigt.

»Eingeteilte links 'raus!« rief Hauptwachtmeister Schulz, allgemein nur »der Spieß« genannt. Seine Stimme dröhnte über den Appellplatz und flakkerte von den Wänden der Kasernenbauten wider. Es war eine mächtige, satte, selbstzufriedene Stimme; Bierdunst und Zigarrenrauch hatten sie eingeölt und angerauht. Schulz hörte sie gerne.

Die Eingeteilten trabten zufrieden nach links; die Nichteingeteilten schlossen mechanisch rechts auf. Der Kanonier Vierbein geriet kurz ins Gedränge, versuchte vorsichtig seine Ellenbogen zu gebrauchen, gab dann nach, stand still; wie ein Pfahl.

»Wie die Denkmäler!« rief der Spieß zufrieden. »Wie die Ölgötzen! Kein Schwanz rührt sich.« Und er blinzelte kurz hinüber zu den Fenstern seiner Dienstwohnung, die weit geöffnet waren, und er bemerkte seine Frau Lore hinter den Gardinen und war überzeugt davon, daß sie ihn bewundere.

Die Funktionsunteroffiziere, die sich hinter ihrem Spieß versammelt hatten, bemühten sich, nicht zu grinsen. Es gelang ihnen gut, denn sie hatten viel Gelegenheit gehabt, das zu üben.

Der Kanonier Vierbein starrte geradeaus. Er visierte ein Fensterkreuz im Kasernengebäude an. Sein Blick klammerte sich an dem Holz fest. Dort wurde der Kopf von Lore Schulz sichtbar, aber der Kanonier zwang sich dazu, nur Holz zu sehen. Der Hauptwachtmeister schob sich an ihm vorbei, und es war, als rollte er vorüber wie auf einem Fließband. Er geriet kurz in das Blickfeld des Kanoniers hinein, gleich einem Fremdkörper, der in das Scheinwerferlicht eines Autos hineingerät, schwebte dann wieder hinaus, andere Blickfelder durchkreuzend.

Der Hauptwachtmeister stellte sich vor seinen Untergebenen im Mannschaftsrang breitbeinig auf. Er war ein Mann wie ein Schrank, der auf Säulen ruhte. »Dann wollen wir mal!« rief er dröhnend.

Jeden Samstagnachmittag verzeichnete der Dienstplan »Revierreinigen« und sah dafür eine Zeit von drei Stunden vor, die Schulz, wenn er dazu Lust hatte, mühelos auf fünf Stunden auszudehnen vermochte. Meistens hatte er Lust dazu.

Jeden Samstagnachmittag beherrschte er die Kaserne. Hauptmann Derna, der Chef, anläßlich des Anschlusses von Österreich großmütig der Großdeutschen Wehrmacht zur Verfügung gestellt, widmete sich seiner werdenden Familie; Leutnant Wedelmann, der Batterieoffizier, seiner jeweiligen Braut. Selbst »Knollengesicht« Luschke, Major und Abteilungskommandeur, pflegte das Wochenende zu heiligen.

»Rührt euch!« rief der Hauptwachtmeister. Die Soldaten in den Drillichanzügen setzten automatisch den linken Fuß weg. Der Spieß lauerte kurz darauf, ob es einer wagen würde, zu sprechen, denn bei ihm war »Rührt euch« nicht gleichbedeutend mit Sprecherlaubnis, die er stets gesondert zu erteilen pflegte. Keiner sprach.

»Es darf gesprochen werden«, rief er gönnerhaft.

Die Soldaten zogen es vor, zu schweigen. Einige grinsten lautlos und ausgedehnt; einige sahen den Spieß dienstbereit an. Nur der Gefreite Asch, der mitten unter den Eingeteilten stand, schob den Gefreiten Wagner, Richard mit Vornamen, kräftig zur Seite und sagte: »Mach dich nicht so breit, du Armleuchter!«

»Brüllen Sie hier nicht, Asch!« rief der Spieß sofort. »Wenn hier einer brüllt, bin ich das.«

»Jawohl, Herr Hauptwachtmeister!« trompetete Asch zustimmend.

Hauptwachtmeister Schulz beschloß in einer Anwandlung von Großmut, sich nicht herausgefordert zu fühlen. Er rief die Funktionsunteroffiziere an seine Seite und übergab ihnen die Eingeteilten, die sofort eilig verschwanden, um auf Kammern und in Schuppen die Zeit totzuschlagen. Der Gefreite Asch bezog im Altmännertempo seinen Stammplatz auf der Bekleidungskammer, wo er gewöhnlich mit Wachtmeister Werktreu, dem zuständigen Funktionsunteroffizier, »Siebzehnundvier« zu spielen pflegte und sich dabei Mühe gab, nicht sonderlich zu gewinnen.

Der stattliche Rest aber, als »Nichteingeteilte« bezeichnet, reinigte das Revier, vom Boden bis zum Keller, von der Schreibstube bis zum Waschraum. Der Kanonier Vierbein befand sich inmitten des Haufens, der die untere Latrine reinigen sollte. Er fand das ganz in Ordnung; er hatte nichts anderes erwartet. Latrinen reinigen war eine Spezialität von ihm; solange er bei dieser Batterie war, wurde er regelmäßig dazu eingeteilt.

Ergeben, fast teilnahmslos, stand Vierbein da; in automatischer Bereitschaft, zusammenzufahren und Haltung anzunehmen, wenn abschließend »Stillgestanden« ertönen würde, hierauf »Wegtreten!« Worauf sie, die Nichteingeteilten, auf ihre Stuben sausten, Besen, Eimer und Lappen ergriffen und sich unverzüglich in der Nähe des zu reinigenden Objektes einfanden. Hier pflegte dann bereits ein jüngerer Unteroffizier oder ein älterer, für vertrauenswürdig gehaltener Gefreiter auf sie zu warten.

Während sich Vierbein auf diesen normalen Ablauf vorbereitete, bemerkte er, wie des Hauptwachtmeisters Blick nachdenklich auf ihm ruhte. Und Vierbein erschrak, als er gelindes Wohlwollen zu wittern glaubte, wußte er doch aus Erfahrung, daß es nie gut zu enden pflegte, wenn sich Vorgesetzte allzu intensiv mit ihren Untergebenen beschäftigen. Wie ein strapazierter, ausgebleichter Film zogen alle sich hieraus eventuell ergeben könnenden Möglichkeiten an ihm vorüber: Ausdehnung des Revierreinigens bis in die späten Abendstunden hinein; Zorn der Ungerechten; Entzug des heutigen Sonntagsurlaubsscheines; Aufzeichnung seines Namens im Spießbuch, mit Unterstreichungen, was automatisch Urlaubssperre bedeutete. Und alles das hieß: Ingrid nicht sehen!

»Vierbein – ganz links 'raus!« rief der Spieß. Und Vierbein lief an das linke Ende, setzte sich ab und stand verlassen da.

Hauptwachtmeister Schulz fegte mit einem Kommandowort den Appellplatz leer. Nagelschuhe prasselten über das Pflaster. Im Kasernenblock rauschten kurz danach hundert Schuhe über die Korridore und Treppen. Einsam stand Vierbein auf dem zementierten Platz.

Schulz drehte sich langsam um und schaukelte sich verheißungsvoll auf ihn zu. »Vierbein«, sagte er, und er hatte seine kräftige Stimme mit Wohlwollen eingefettet, »wollen Sie mir einen Gefallen tun?«

Vierbein glaubte zu erblassen. »Jawohl, Herr Hauptwachtmeister!« rief er mutig.

»Sie brauchen nicht, wenn Sie nicht wollen. Das ist kein Befehl, Vierbein. Ich kann das nicht befehlen. Wenn Sie keine Lust haben, sagen Sie es mir ruhig. Dann gehen Sie eben Latrinen reinigen. Wollen Sie?«

»Jawohl, Herr Hauptwachtmeister.«

»Was? Latrinen reinigen?«

»Was Herr Hauptwachtmeister befehlen!«

»Na schön«, sagte der Spieß zufrieden. »Ich habe es auch nicht anders erwartet. Melden Sie sich bei meiner Frau zum Teppichklopfen.«

Der Hauptwachtmeister Schulz wanderte durch die Korridore des Batterieblocks; und wo er hinkam, nahm der Arbeitseifer sichtlich zu. Das bereitete ihm gelinde Genugtuung, obwohl er im Grunde seiner Kasernenhofseele eine derartige Reaktion als selbstverständlich empfand. Ungewöhnlich nur, wenn sie ausbliebe.

Für Dreck in jeder Form hatte er einen sechsten Sinn. Er sah auf zehn Meter Entfernung, ob die Rillen der Fliesen schmutzfrei waren. Waren sie es nicht, pflegte er mit dem Daumennagel prüfend in sie hineinzufahren und das so zusammengescharrte Häuflein Dreck dem nachlässigen Soldaten unter die Nase zu reiben, was dann natürlich auch eine Notiz in seinem Merkbuch, dem »Kohlenkasten«, zur Folge hatte.

So also schritt er, mit gelindem Genuß Unruhe verbreitend, durch sein Batterierevier. Aber tiefe Freude empfand er diesmal dabei nicht, obwohl es ihm doch nahezu spielend gelungen war, bereits in kurzer Zeit ein volles dutzendmal sogenannte »grobe Nachlässigkeit« festzustellen. Damit sollte es, für diesen Tag, genug sein. Klug, wie er war, hatte er in nur sieben Dienstjahren erkannt, daß ein Übermaß an Strafe, und somit eine zu hohe Zahl an Bestraften, lediglich abstumpft. Die feine Dosierung war das Geheimnis des Erfolges!

Er blieb in der Nähe des Schwarzen Brettes stehen, bewunderte kurz seine schwungvolle Unterschrift, die einen dort aushängenden Batteriebefehl zierte – gezeichnet: Derna, Hauptmann und Batteriechef; für die Richtigkeit: Schulz (sehr kühn, sehr energisch, kurvenreich und doch markig), Hauptwachtmeister. Er löste sich fast mühelos von diesem Anblick, zog sein Notizbuch hervor, schlug es auf und zählte noch einmal, sicherheitshalber, die Zahl der aufgeschriebenen, also aufgefallenen Soldaten nach. Es waren elf Mann; mithin also einer weniger als vorgesehen. Genau, geradezu peinlich genau, wie er nun einmal veranlagt war und wie das auch sein Amt von ihm forderte, zählte er abermals nach. Aber er hatte sich, was ja auch selbstverständlich war, nicht verzählt.

Ein wenig unzufrieden klappte er sein Notizbuch wieder zu und überlegte, ohne sich sonderlich dabei anzustrengen, welche Örtlichkeit wohl in Frage käme, um den fehlenden zwölften Mann aufzuspüren. Er beschloß, auf die Latrine zu gehen und also das Angenehme mit dem Nützlichen zu verbinden.

Er wußte sich respektiert, aber dennoch war er nicht restlos glücklich. Im Dienst war er eine Eiche, unerschütterlich; aber privat – privat hatte er seine Sorgen. Nicht etwa, daß sein Konto beim Kantinenpächter, das unnormal hoch war, ihn besorgt machte. Der durfte sich glücklich schätzen, daß der Spieß der 3. Batterie überhaupt bei ihm trank und so durch sein persönliches Erscheinen das Ansehen von Kantine und Pächter förderte, was sich gewiß im Umsatz bemerkbar machte.

Was sein Glück beeinträchtigte, und zwar erheblich, war das Verhalten seiner Frau. Er hatte doch Lore, die früher Blumen verkaufte, und zwar am Friedhofseingang, zu sich emporgehoben. Das geschah vor fast zwei Jahren, und er war damals noch Wachtmeister gewesen. Im Anfang war alles bestens in Ordnung: wie die Tauben! Aber seitdem er hier Hauptwachtmeister wurde, die Dienstwohnung im Batterieblock zugewiesen erhielt, war immer dicke Luft im Stall! Warum eigentlich?

»Ziehen Sie gefälligst Ihre Säbelbeine ein, wenn ich Ihren Weg kreuze«, rief er einem Soldaten zu, der kniend das Wasser im Korridor auftrocknete.

Das mit Lore war einfach nicht zu verstehen. Richtig kalt war die in der letzten Zeit; kalt wie jenes Eis, mit dem in der Kantine Bier gekühlt wird. Früher war das anders gewesen; er besann sich noch genau. Aber das hatte in letzter Zeit stark nachgelassen. Und er mußte sich betrübt fragen, wie es wohl kam, daß er, der sich doch allgemeiner Wertschätzung erfreute, von seiner eigenen Frau am allerwenigsten respektiert wurde.

Schulz stieß die Tür zur Latrine auf und sah sich prüfend um. Der Kanonier Hermann schrubbte eine Lokusbrille. Sofort wußte der Spieß, daß das sein Mann war. Hermann war seit fast drei Wochen überhaupt nicht mehr aufgeschrieben worden: er war also fällig.

»Na, Sie Wurzelsau!« rief der Spieß betont munter. Dachte: Das werden wir gleich haben! Und er streckte den Zeigefinger seiner rechten Hand aus und fuhr mit ihm auf der hellgrün gekachelten Rinne entlang. Er lächelte. Seine Demonstration war überzeugend. Hermann wußte, was es geschlagen hatte.

»Haben Sie Sonntagsurlaub eingereicht?«

»Jawohl, Herr Hauptwachtmeister.«

»Aber Ihren Urlaubsschein haben Sie noch nicht, was?«

»Nein, Herr Hauptwachtmeister.«

»Eben«, sagte der Spieß, klappte sein Buch auf, schrieb einen Namen hinein und entfernte sich wieder.

Früher hatte ihm das alles reine Freude bereitet, jetzt tat er nur noch seine Pflicht. Er erfüllte sein Pensum. Und zwischendurch dachte er an seine Frau, speziell daran, daß sie ihn nicht verstand. Sie war offenbar nicht einmal dazu fähig, ihm ein Kind, einen strammen Knaben, zu schenken. Und er hatte sie sogar im Verdacht, daß sie ihn – ihn! – betrog.

Und nicht nur das! Wenn sie es tat, was er ihr nach Lage der Dinge, Erfahrung und Menschenkenntnis glatt zutraute, dann tat sie es vermutlich sogar mit Angehörigen seiner Batterie. Und nicht nur mit Unteroffizieren, was immerhin noch einigermaßen standesgemäß gewesen wäre, sondern möglicherweise sogar mit Untergebenen. Und das, dachte Schulz, geschüttelt von Empörung, wirft selbst den stärksten Mann um!

Er hatte ihr bisher nichts beweisen können, aber er glaubte seiner Sache absolut sicher zu sein. Da war einmal ihre aufregende Gleichgültigkeit bei der Erfüllung der primitivsten ehelichen Obliegenheiten. Das war mehr als verdächtig. So was konnte man einem Droschkenkutscher bieten, aber doch nicht ihm, einem verdienstvollen Hauptwachtmeister der deutschen Wehrmacht.

Vor zwei Wochen, als er vorzeitig vom Kegeln zurückkam, hat er diese seine ihm angetraute Ehefrau – »du sollst deinem Manne untertan sein!« – mit dem Wachtmeister Werktreu erwischt, seinem Kameraden und sogenannten Freund; sie saßen auf dem Sofa, eng nebeneinander, um elf Uhr abends. Und Werktreu stotterte etwas von wegen vorzeitiger Bestandsaufnahme. Hätte er nicht dringend von Werktreus Bekleidungskammer drei neue Garnituren Unterwäsche gebraucht, er hätte ihn nach allen Regeln der Kunst »fertiggemacht wie einen nassen Sack« – so nannte er das –, ja, wie den letzten Dreck, wie den jüngsten Rekruten.

Und vorige Woche mußte er erleben, wie ein Gefreiter, den er seiner Frau zum Fensterputzen zugeteilt hatte, den offensichtlich von ihr geduldeten Versuch unternahm, ihr die Hand in die Bluse zu schieben. Er hatte ihr kräftig ein paar 'runtergehauen, trat dann den Kerl in den Hintern, sperrte ihm jeglichen Urlaub und sorgte dafür, daß er nach Schafsnase versetzt wurde, dem langweiligen Übungsplatz der Artillerie: eine schäbige Kaserne mit Baracken, ein noch schäbigeres Dorf, so drei bis fünf weibliche Wesen und regelmäßig sechs- bis siebenhundert Soldaten.

Das sind so seine Probleme; unter anderem. Und so was muß ausgerechnet ihm passieren, der in seinen Glanzzeiten vier Bräute kurz nacheinander glücklich gemacht hatte, was ihm sogar schriftlich bestätigt worden war. Als er dann heiratete, wurden serienweise Taschentücher naß, und sogar ein Selbstmordversuch lag in der Luft. Lore sollte sich glücklich schätzen, ihn bekommen zu haben. Er ist doch wer! Was, zum Teufel, denkt sich dieses Weib eigentlich! Sie hat einen strebsamen und angesehenen Soldaten geheiratet, an dessen Leistungen selbst Major Luschke, das Knollengesicht, nichts auszusetzen fand – also, warum war sie dann nicht glücklich und zufrieden? Ihr fehlte wohl der Sinn für das Höhere!

Wachtmeister Platzek, der Schleifer-Platzek, anerkannt erfolgreichster Rekrutenausbilder des Regiments, überquerte elastisch den Korridor, fertig zum Ausgang. Er trug weiße Handschuhe und hatte sich sogar einen neuen Kragen umgelegt; er grüßte freundlich. – »Na?« fragte der Spieß, »wohin heute?«

Platzek grinste unternehmungslustig. »Kommst du abends nach Bismarckshöh? Heute wieder großer Ringelpietz! Du warst schon volle zwei Wochen nicht mehr in unserem Stammlokal.«

»Habe Lust«, sagte der Spieß.

»Wer nicht Lust hat, ist kein Kerl«, stellte Platzek mit dem ihm eigenen Humor fest, grüßte und entfernte sich mit forschen Schritten.

Schulz sah ihm nach. So ist das Leben, dachte er ein wenig verbittert. Der ist nicht verheiratet, der kann machen, was er will. Aber ich bin verheiratet, und ich mache auch, was ich will, denn ich bin doch ein Kerl, ein ganzer Kerl.

Im Augenblick, so folgerte er nicht ohne Genugtuung, bestand für seine persönliche Ehre keine sonderliche Gefahr. Übel erkennen, heißt schon, sie beseitigen. Bei Lore ist jetzt der Kanonier Vierbein, und Vierbein ist ein Armleuchter ... Ein Milchknabe, mit Angst in den Hosen. Ein Muttersöhnchen. Der läßt sich lieber die Eselsohren abreißen, als daß er ein Auge auf Lore riskiert.

Also, folgerte Schulz weiter, konnte er es sich jetzt leisten, nachdem er sein Tagespensum erfüllt, also zwölf Eierköpfe namentlich erfaßt hatte, mit Wachtmeister Werktreu auf der Bekleidungskammer ein paar Runden Siebzehnundvier zu spielen; falls er gewann, auch noch ein paar Runden mehr.

Der Gefreite Herbert Asch war durch nichts mehr zu erschüttern; jedenfalls glaubte er das. Er tat nur noch das, was sich unter keinen Umständen vermeiden ließ. Er liebte den Schweiß nicht; und er hatte so ziemlich genau herausgefunden, was geschehen mußte, um eine vergleichsweise ruhige Kugel zu schieben.

Die Kasernenweisheit des Gefreiten Asch lautete: Vermeide jedes Risiko.

Volkstümlich ausgedrückt: Gehe nicht zu deinem Fürscht, wenn du nicht gerufen würscht! Es darf aber sogar gesagt werden, daß es die Fürsten waren, die zum Gefreiten Asch kamen.

Denn Asch hatte einen bemerkenswerten Vater, und der besaß ein »Restaurant-Café«, und dort pflegte das Unteroffizierkorps der I. Abteilung des Artillerieregiments zu verkehren. Vater Asch war als großzügig bekannt, und sein Sohn, der Gefreite, schien ihm nacheifern zu wollen: Wenn er, was stillschweigend geduldet wurde, an betriebsamen Abenden im väterlichen Restaurant den Rock, den feldgrauen, auszog und in die weiße Kellnerjacke schlüpfte und Bier abzapfte, dann sorgte er verläßlich dafür, daß die Gläser für die Unteroffiziere seiner Batterie prima gefüllt waren, was Wohlwollen erregte. Hinzu kam, daß Asch Extraschnäpse ohne jedes Aufheben spendierte, gern Kredit gewährte und sogar Geld auslieh, das mit hoher Diskretion, unter strenger Einhaltung der von Untergebenen jederzeit und in jeder Situation zu erwartenden Dienstbereitschaft und Disziplin.

Zu seinen besonders bevorzugten Kunden gehörte auch der Wachtmeister Werktreu, der Kammerbulle. Der revanchierte sich für die ihm laufend bewiesene Großzügigkeit dadurch, daß er den Gefreiten Asch regelmäßig beim Arbeitsdienst für die Bekleidungskammer anforderte. Beide pflegten sich dann einzuschließen und wochentags während der offiziellen Dienstzeit leicht zu arbeiten oder schwer zu schlafen. An Samstagen spielten sie zumeist, auf Werktreus Drängen, Siebzehnundvier.

Hierbei mogelte der Gefreite Asch schamlos. Er nannte falsche Zahlen, addierte schnell und fehlerhaft, schob sich fette Karten unter und hätte, wenn er nur gewollt hätte, Werktreu an den Rand des Ruins bringen können. Das wollte er aber nicht. Denn nicht selten kam es vor, daß er sogar zugunsten des Wachtmeisters mogelte: er hielt ihn kunstvoll in Stimmung. Bevor sie zu spielen begannen, pflegte sich der Gefreite Asch zu überlegen, wie hoch er den Gewinn anzusetzen habe, den er dem Wachtmeister zukommen lassen wollte. Der lag dann, je nach der Anzahl der ruhigen Stunden, die Werktreu dem Asch in der soeben vergangenen Woche besorgt hatte, zwischen zwei und fünf Mark.

Wachtmeister Werktreu wäre nie in seinem Leben auf die Idee gekommen, daß jemand, noch dazu ein Untergebener, versuchen würde, ihn beim Kartenspiel zu betrügen. Denn, erstens, hielt er sich für einen unvergleichlichen Beherrscher aller Finten, die das beliebte Siebzehnundvier aufzuweisen hatte, was ja schon allein dadurch bewiesen wurde, daß er fast regelmäßig gewann. Ferner, zweitens, war er fest davon überzeugt, ein Glückspilz zu sein; seine militärische Laufbahn, die ihn nahezu ohne Umwege bis zum König der Bekleidungskammer hinaufgeführt hatte, mußte als außerordentlich erfolgreich bezeichnet werden. Darüber hinaus aber, drittens, betrog er selbst. Ebenfalls reichlich schamlos und nicht einmal sonderlich geschickt.

Der Gefreite Asch duldete das mit gelindem Grinsen. Er reichte Werktreu eine vierte Karte hinüber und wußte genau, welche Karte das war. Nach seinen Berechnungen mußte jetzt der Wachtmeister mehr als einundzwanzig haben, genau: fünfundzwanzig; und damit war das Spiel für ihn verloren.

Wachtmeister Werktreu bekam kleine Augen. Er zog den Inhalt seiner Nase geräuschvoll hoch und spuckte ihn sodann im hohen Bogen und ziemlich zielsicher in den drei Meter entfernt stehenden Kasten mit Feuersand. Er überlegte angestrengt, ob er das Spiel einfach aufgeben oder ob er eine Karte verschwinden lassen sollte.

Der Gefreite Asch ließ seine Zigarette aufglühen und betrachtete angeregt eins der üblichen Schilder, auf denen geschrieben stand: Rauchen verboten. Er ließ dem Wachtmeister Zeit. Und als er merkte, daß der eine Karte verschwinden lassen wollte, fragte er freundlich: »Brauchen Herr Wachtmeister mehr als vier Karten?«

Werktreu wurde sofort klar, daß der Gefreite die ausgegebenen Karten gezählt hatte; das ärgerte ihn mächtig, aber er konnte es sich nicht leisten, das offen zu zeigen. Er fahndete angestrengt nach anderen Betrugsmöglichkeiten, fand aber im Augenblick keine. Einfach zugeben, daß er das Spiel verloren hatte, wollte er immer noch nicht.

Da polterte es heftig an der blechbeschlagenen Tür.

Werktreu benutzte die Gelegenheit, alle Karten unkontrollierbar auf einen Haufen zusammenzuwerfen. »Wer ist da?« rief er. »Ich habe jetzt keine Zeit. Ich bin mitten in der Arbeit!«

»Mach auf!«

Der Gefreite erkannte sofort die Stimme des Hauptwachtmeisters, aber er dachte nicht daran, Werktreu darauf aufmerksam zu machen. »Wer gibt das nächste Spiel?« fragte er geschäftig.

»Mensch, mach doch auf!« brüllte der Spieß.

Wachtmeister Werktreu beeilte sich, nachdem er ebenfalls die Stimme von Schulz vornehmlich an ihrer Lautstärke erkannt hatte, diesem Gebrüll ein Ende zu machen. »Komm doch herein!« sagte er kameradschaftlich und schloß auf. »Wir sortieren gerade Socken.«

Spieß Schulz nickte verständnisinnig. Er blickte überlegen auf den Gefreiten Asch hinunter, der die Karten in die Tasche gesteckt hatte und sämtliches Geld dazu, und der jetzt tatsächlich Socken zu sortieren schien. »Na«, fragte er, »und wer gewinnt dabei?«

»Ich natürlich«, erklärte Werktreu stolz, ohne zu zögern.

»Ein Spielchen«, sagte der Spieß gönnerhaft, »könnte ich mitmachen.« Und er setzte sich auf einen Stapel Mäntel, dicht neben dem Gefreiten Asch und rieb sich unternehmungslustig die Hände.

Der Wachtmeister schloß die Tür wieder ab, der Gefreite zog die Karten aus der Tasche, und der Hauptwachtmeister begann das Spiel. »Wenn Sie mich bescheißen, Asch«, sagte er dabei gemütlich, »dann sind wir die längste Zeit Freunde gewesen.«

»Jawohl, Herr Hauptwachtmeister!« sagte der Gefreite. Er war wenig erfreut über diesen Besuch und machte sich klar, daß ihn dieses verdächtig lautstarke Wohlwollen des Spießes etwa zwei Mark kosten würde; mindestens zwei Mark.

Der Hauptwachtmeister gewann das erste Spiel und auch das zweite Spiel. Nach dem fünften Spiel hatte er bereits vier Mark gewonnen. Sein Wohlwollen nahm bedrückenderweise immer mehr zu. Beim sechsten Spiel verlor er, nachdem Asch zwei Karten ausgetauscht hatte, auf Anhieb drei Mark. Im Handumdrehen war er wieder ein normaler Vorgesetzter.

»Mein lieber Asch«, fragte er mit sanfter Drohung, »haben Sie schon Ihren Sonntagsurlaubsschein?«

»Nein, Herr Hauptwachtmeister«, sagte der bemerkenswert korrekt und ließ Schulz schleunigst zwei Mark gewinnen.

»Was macht deine Frau?« fragte Wachtmeister Werktreu den Spieß. Er war böse geworden, weil er nicht mehr richtig zum Zug kam. Schulz machte Spiel um Spiel. Werktreu war entschlossen, sich an dieser Glückssträhne zu beteiligen, und unerfahren genug, zu glauben, das erreichen zu können, indem er das Gespräch auf die Frau des Hauptwachtmeisters brachte.

Der Spieß Schulz gab das Spiel nicht aus der Hand. Aber er überhörte auch die Anspielung des Wachtmeisters Werktreu nicht. Mein lieber Freund und Kupferstecher, dachte er grimmig und maßlos überlegen zugleich, meine Frau geht dich doch einen Dreck an; daß du scharf auf sie bist, weiß ich, aber in meine Schußlinie wirst du nicht kommen: ich werde mein holdes Weib einfach isolieren. Und wenn ich das Luder einsperren muß! Ich kann es mir nicht leisten, daß mir jemand Hörner aufsetzt; schon gar keiner aus meiner Batterie, und erst recht kein Untergebener.

Er fluchte laut vor sich hin, denn er hatte soeben zwei Mark verspielt. Er beschloß, eine kleine Atempause einzulegen, aber das Spiel gab er immer noch nicht aus der Hand. »Sagen Sie mal, Asch, dieser Vierbein, dieser Säugling, der ist doch in Ihrer Korporalschaft?«

»Jawohl, Herr Hauptwachtmeister.« Der Gefreite blickte neugierig auf. Die Zusammenhänge, die zu dieser Frage geführt hatten, waren ihm nicht ganz klar. Wie wohl, wollte er gerne wissen, kommt der Mann vom Kartenspiel auf seine Frau und von seiner Frau auf den Kanonier Vierbein?

»Ein Muttersöhnchen, was? Ein armseliger Milchknabe, wie? Ob er wohl schon ahnt, was Liebe ist?« Und ganz überzeugt, tief aus der Fülle seiner Erfahrungen schöpfend, sagte der Spieß: »Wetten, daß der noch nicht einmal weiß, daß es zweierlei Geschlechter gibt? Der glaubt noch an den Storch, vermute ich.«

Wachtmeister Werktreu wieherte freudig und mit Ausdauer; es war, als habe er soeben einen köstlichen Witz gehört. Auch der Gefreite Asch zog es vor, zu lachen. Der Spieß gefiel sich in seiner Rolle als Spaßmacher sehr.

»Nehmen wir einmal an«, sagte er genußvoll, »ich lege ein leichtbekleidetes Mädchen neben ihn. Was wird er wohl mit ihr anfangen? Na? Zudecken wird er sie!«

»Ich weiß nicht«, sagte der Gefreite vorsichtig, »ich glaube, der ist ganz normal.« Er beschloß, den Kanonier Vierbein ein wenig in Schutz zu nehmen. Der tat ihm leid. Der war im Grunde ein armes Schwein und offenbar überzeugt davon, eines Tages abgeschlachtet zu werden. Und der Gefreite Asch kannte seine Pappenheimer; er wußte genau, worauf sie reagierten; ihm war bekannt, was ihnen imponierte: das, was sie Männlichkeit nannten!

Also legte er behutsam los: »Dieser Vierbein ist bestimmt kein unbeschriebenes Blatt. Stilles Wasser, aber tief. Der hat es faustdick hinter den Ohren. Der macht das auf die sanfte Tour, das gefällt den Weibern!«

Der Spieß legte langsam seine Karten weg. Er war zunächst nur verwundert; dann jedoch begann er, Folgerungen aus dem soeben Gehörten zu ziehen, Folgerungen, die ihn stark verstimmten. »Sie schneiden auf, Asch«, sagte er vage und ohne die für ihn typische Lautstärke. »Sie saugen sich das aus Ihren dreckigen Pfoten, Sie Wurzelsau.«

Der Gefreite überhörte die »dreckigen Pfoten« und die »Wurzelsau« automatisch. Er war nicht zu beleidigen, weil er grundsätzlich beschlossen hatte, sich nicht beleidigen zu lassen. Er fühlte nur das Bedürfnis, den Kanonier Vierbein, das arme Schwein, herauszustreichen. Er schnitt daher unbedenklich auf und ließ sich pikante Geschichten einfallen, kurz: er ließ eine der pikanten ordinären Kasernenhofplaudereien vom Stapel.

Er erzählte: »Wozu der Kanonier Wagner, unser rassereiner germanisch-arischer Heldensohn, volle drei Wochen brauchte, das schaffte Vierbein in knapp drei Stunden: er eroberte sich die Dame im Handstreich. Tatsache. Wir haben zugesehen, durch das Schlüsselloch, denn es handelte sich um eine Wette.« Wachtmeister Werktreu nickte nicht ohne Anerkennung. Aber Spieß Schulz war bemerkenswert unruhig geworden. Den Gefreiten wunderte diese durchschlagende Wirkung seiner frei erfundenen Erzählung sehr, aber er kam nicht dazu, seine Verwunderung auszukosten.

Der Hauptwachtmeister erhob sich entschlossen. »Ich muß mal schnell«, sagte er, »in meine Wohnung!«

Der Kanonier Vierbein war weder ein Trottel noch ein »armes Schwein«; er war ein ganz normaler Mensch mit kleinen Eigenheiten. Er hatte sogar etwas von dem, was gewöhnlich gesunder Menschenverstand genannt wird, und auch seine körperlichen Kräfte waren dem Wehrdienst gewachsen. Was ihm zu schaffen machte, war sein Gemüt.

Sein Vater, primitiv und gutmütig, ein verläßlicher Polizeibeamter, hatte das kommen sehen. Sohn Johannes Vierbein war aus der Art geschlagen; zwar nur ein wenig, aber doch unverkennbar. Denn: Er las Bücher! Und Vater Vierbein entsann sich nicht, jemals in seiner Familie oder in der seiner Frau ein Buch gesehen zu haben, es sei denn, es habe sich um Bibel, Gesangbuch oder Flottenkalender gehandelt.

Ansonsten war Sohn Johannes Vierbein ein durchaus vielversprechender Knabe gewesen: stets fleißig und fast immer diszipliniert; er half der Mutter bei der Wäsche und trug seinem Deutsch-Lehrer, den er liebte, die Aktentasche nach Hause. Allzeit ritterlich war auch sein Benehmen weiblichen Wesen gegenüber, wobei er niemals Unterschiede in den Altersstufen machte. Er prügelte sich mit seinen Schulkameraden, war im Rechnen schwach und in Religion mittelmäßig, Singen bereitete ihm Qual, Sport ungetrübtes Vergnügen, und in Deutsch war und blieb er allzeit mit Abstand der Beste der Klasse. Das war es, was seine Umgebung leicht beunruhigte: Vierbein, Johannes leistete sich den Luxus, ureigene Gedanken zu haben.

Beim Kommiß, auch Barras genannt, begriff er innerhalb vierundzwanzig Stunden, daß das, was er bisher gelernt hatte, »ein Dreck« war. Jetzt aber hieß es, werde er endlich »ein Mensch« werden. Er hatte Verstand genug, sich über eine derartig primitive Erziehungstheorie für erwachsene menschliche Wesen vorsichtig zu amüsieren, und sein kräftiger Körper erlaubte ihm diese Großzügigkeit auch. Aber bald erlag er einem mechanisch funktionierenden System, dem Kasernenhofgeist; und zwar hellwach, bei vollem Verstand.

Er erkannte schnell: Sich unterordnen brachte Vorteile mit sich, körperliche zumeist nur. Er erkannte aber auch: Ordnung war notwendig, wenn eine Masse Menschen auf einen geringen Raum zusammengepreßt wurde. Worunter er litt, war der Zwang, der zumeist sinnlos erscheinende Zwang, der abgezirkeltes Grüßen durchsetzte, einheitliche Kleidung, gleichmäßiges Gehen, gemeinsame Lieder, geschraubte Sprache. Er, der Schiller seitenlang auswendig zitieren konnte, war fürwahr ein glühender Idealist, aber er wollte diesen Idealismus mit freiem Willen verströmen, aber ihn nicht stupide aus sich herauspressen lassen.

So wurde Johannes Vierbein ein zwar jederzeit williger, aber doch niemals glücklicher Soldat. Er war gehorsam. Er tat, was von ihm verlangt wurde; nicht mehr, nicht weniger. Er war bemüht, nicht aufzufallen. Er hatte viele Kameraden, aber keinen Freund; und es war nur einer da, den er hätte zum Freund haben wollen: der Gefreite Asch. Denn der Gefreite Asch hatte eine Schwester, und die gefiel ihm sehr. Sie hieß Ingrid.

Er klopfte den Teppich der Frau Schulz, deren Mann der Hauptwachtmeister seiner Batterie war. Er tat das mit mechanischer Gründlichkeit. Er führte auch hier einen Befehl aus. Sein Drillichrock war ihm zu groß und schlotterte heftig. Die Hose war ihm ein wenig zu eng und saß dicht auf seiner Haut. Er transpirierte, und sein junges, leicht gerötetes, betont ernstes Gesicht glänzte.

Lore Schulz lag im Fenster der Dienstwohnung und sah ihm zu. Sie hatte ein leichtes Waschkleid an und so gut wie nichts darunter; denn ihr war heiß. Schuld daran war der Hochsommer oder die viele Arbeit, die sie hatte, oder ihr überhitztes Blut oder wer weiß was. Vielleicht war sie auch nur sparsam und wollte ihre Wäsche schonen.

»Es ist gut!« rief sie dem Kanonier Vierbein zu. »Bringen Sie jetzt den Teppich herein.«

»Jawohl«, sagte Vierbein – Befehl ist Befehl! –, zog den Teppich von der Stange und rollte ihn zusammen. Er war tätig; still, zäh, pausenlos, immer unter dem Motto: Nur nicht auffallen! Und hier, auf dem Rasen vor dem Batterieblock, starrte ein halbes Hundert Fenster auf ihn, und hinter jeder Fensterscheibe konnte ein Vorgesetzter stehen – es muß nicht sein, aber es könnte doch sein! Irgendeiner. Möglicherweise sogar Knollengesicht, der Major, der dafür berühmt war, daß er Überraschungen liebte.

Johannes Vierbein legte sich den Teppich über die Schulter und ging mit ruhigen, nicht zu langsamen, nicht zu schnellen Schritten auf den Eingang des Batterieblocks zu, in denselben hinein und gedachte, auf der unteren Treppenstufe eine kleine Verschnaufpause einzulegen. Aber Lore Schulz stand in der offenen Tür ihrer Wohnung und wartete dort auf ihn.

Er überquerte den kurzen Korridor, betrat das Wohnzimmer und ließ hier umständlich den Teppich zur Erde gleiten.

»Helfen Sie mir«, sagte Lore Schulz, »ihn aufzurollen.« Sie kniete sich dicht vor ihm nieder, und er konnte tief in das Kleid hineinsehen.

»Jawohl«, sagte er und kniete sich neben sie hin.

Lore Schulz war nicht entgangen, wo er hingesehen hatte; und da sie genau wußte, daß sie viel besaß, das sich sehen lassen konnte, hatte sie nichts dagegen. Von Männern angestarrt zu werden, war ihr nichts Neues. Es bereitete ihr Vergnügen; ein seltsames, heimliches, prickelndes Vergnügen. Nicht selten forderte sie das bewußt heraus. Sie zog sich sorgfältig an und verließ dann, wenn die Batterie draußen angetreten war, den Block und ging, mit leicht wiegendem Schritt, an der versammelten Mannschaft vorbei. Aber neuerdings war ihr das von ihrem Mann, dem Hauptwachtmeister, verboten worden; früher war er stolz auf sie, jetzt versuchte er, sie zu verstecken.

Lore war wesentlich anders, als sie aussah. Sie war im Grunde ihres Wesens ein kleines Mädchen mit großer Sehnsucht. Sie hatte sieben Geschwister gehabt, und mit zwei von ihnen schlief sie zehn Jahre lang im gleichen Bett. Dann wurde sie Verkäuferin in einem Blumenladen, dicht neben dem Eingang zum Friedhof. Sie liebte Filme und Führerreden. Und immer hatte sie Sehnsucht nach einer Italienreise, nach einem Mann mit einem Auto, nach einer eigenen Wohnung. Sie las sogar den Frauenteil in der Zeitung und lieh sich Modehefte aus.

Der Mann Schulz, damals noch Wachtmeister, brach ihr das kleine Herz am ersten Abend. Er war einfach unwiderstehlich, und er preßte sie beim Tanz an sich, daß sie vergaß, an Italien und das Auto zu denken. Natürlich war er nicht der erste Mann in ihrem Leben; aber so rückhaltlos war sie noch in keinen verliebt gewesen, Schulz wußte das zu schätzen. Er liebte sie sehr und besonders das Vergnügen, das sie ihm bereitete. Er heiratete sie und wurde Hauptwachtmeister. Und sie bekam ihre eigene Wohnung.

Es war ihm aber nicht gegeben, ihre Sehnsüchte vergessen zu machen oder zu befriedigen. Doch seine Befriedigung schien ihm zu genügen. Bald schien er sie auswendig zu kennen wie ein Geschütz, und da er ein Mann mit Ehrgeiz war, wollte er, wie er es nannte, nicht ewig nur Geschützführer bleiben. Er war eben eine vitale Natur und offenbar daran gewöhnt, Menschen auszubilden und sie dann abzuschieben ... Und so suchte er fast automatisch nach »neuem Übungsgelände«. Denn schließlich war er doch, wie er oft und gerne bekanntgab, ein ganzer Kerl!

Ihre heimlichen Sehnsüchte aber blühten erneut auf. Italien und Auto waren gleichbedeutend mit Liebe und Erfüllung. Sie suchte sie in Romanen und fand sie nicht. Sie versuchte dann, ihren Mann vorsichtig mit einigen Unteroffizieren seiner Batterie zu betrügen und fand sie alle eilig, gierig und gefühlsarm. In ihrer Uniform ähnelten sie einander wie Geschosse des gleichen Kalibers.

Aber wenn sie junge Menschen wie diesen Kanonier Vierbein ansah, packte sie Wehmut, die nicht ohne Sentimentalität war. Auch ich, dachte sie, war jung wie er jetzt; vor zwei, drei Jahren war ich noch genauso jung wie er; jetzt bin ich eine verheiratete Frau, fast verbraucht, ohne Frische. Mein Körper hat keine Spannkraft mehr; meine Lippen sind nicht mehr weich und voll, meine Haut wird schlaff, jetzt schon. Schon jetzt.

»Wie heißen Sie?« fragte sie mit leiser Stimme und näherte sich dem jungen Mann im Drillichanzug.

»Vierbein«, sagte der vorsichtig. »Kanonier Vierbein.«

Lore rückte noch ein wenig näher. Sie knieten jetzt dicht nebeneinander auf dem Teppich. Er konnte deutlich die Konturen ihres Körpers sehen. Und sie stellte fest, daß sein Drillichanzug nach Kernseife roch.

»Sie sind anders«, sagte sie mit fast kindlicher Verwunderung. »Ihr Haar ist anders, viel weicher. Und Ihre Hände sind schmaler, zarter. Zeigen Sie mir Ihre Hände.«

Johannes zögerte. Er sah aufmerksam in ihre Augen, die sanft glänzten, die klein waren und traurig aussahen. Dann reichte er ihr seine Hand hinüber und sagte behutsam: »Sie halten mich von der Arbeit ab.«

Lore lächelte zaghaft. »Ist das so schlimm?« fragte sie.

»Eigentlich nicht«, sagte er. Und er fügte, automatisch fast, hinzu: »Wenn Sie das verantworten wollen.«

Sie dachte nach, was sie darauf sagen sollte. Sie fand nicht die rechten Worte. Sie wollte sagen: Verantwortung – für wen? Wozu Verantwortung? Was haben Sie denn zu verantworten und wem gegenüber? Aber sie sprach kein Wort. Sie betrachtete sein blutjunges Gesicht, seine hellen, guten Augen, die Stirn, die ohne Falten war, und das Kinn, das keine Brutalität verriet.

Lore ließ seine Hand los, setzte sich auf den Teppich, streckte die Beine aus und dehnte ihren Oberkörper. »Haben Sie eine Braut?« fragte sie.

Das verwirrte Johannes Vierbein. Sein Gesicht rötete sich ein wenig, und er dachte an Ingrid, an die Schwester des Gefreiten Asch. Und sofort wurde ihm klar, daß er so, in diesem Zusammenhang, nicht an sie denken dürfe. Er sagte entschieden: »Nein.«

Lore Schulz schien diese Antwort zu gefallen. Sie hatte die Lippen leicht geöffnet, und zwischen ihren ein wenig großen, aber sehr gesunden Zähnen erschien neugierig eine rote Zunge. Sie wollte lachen, aber sie lachte nicht. Denn die Tür hatte sich geöffnet, und Hauptwachtmeister Schulz stand auf der Schwelle.

»Vierbein«, sagte der Spieß, und seine Stimme klang beängstigend leise. »Sie verschwinden hier sofort und melden sich bei Unteroffizier Lindenberg zum Reinigen der Latrine im unteren Korridor.«

»Jawohl, Herr Hauptwachtmeister«, sagte der und erhob sich gehorsam.

»Hauen Sie ab!« sagte Schulz rauh. »Wir sprechen uns noch!«

Unteroffizier Lindenberg, Führer der 2. Korporalschaft, zu der auch der Gefreite Asch und der Kanonier Vierbein gehörten, war ein Mann mit Energie und Ehrgeiz und daher mit Zukunft. Dieser Ehrgeiz jedoch war durchaus nicht gewöhnlicher, also zivilistischer Natur, sondern hatte nahezu historisches Format: Lindenberg war fest entschlossen, Vaterlandsverteidiger zu produzieren! Und das sprach er offen aus, was selbst wohlwollende Vorgesetzte mit einem vorsichtigen Kopfschütteln quittierten.

Lindenberg, vierundzwanzig Jahre alt, mit schwarzem, seidigem, gewelltem Haar ausgestattet, nicht sonderlich groß, nicht auffallend breit, aber drahtig und voller Energie, dieser Lindenberg lebte genau das vor, was er verlangte. Er war der erste beim ersten Antreten und der letzte beim letzten Dienst; sein Anzug war stets tadellos, sämtliche Vorschriften kannte er auswendig; er putzte – auf dem Korridor, demonstrativ vor aller Augen – seine Stiefel selbst, und deren Glanz war einzigartig.

Aber Lindenberg war nicht nur eiserner Vorgesetzter, er war auch hartnäckiger Kamerad zugleich. Höchste Korrektheit fand er erstrebenswert. Dienst war ihm Lebenselixier. Es gab nichts, wozu er sich nicht freiwillig meldete. Und er erwartete, verlangte und forderte, daß diesem seinem Beispiel von »seinen« Soldaten nachgeeifert werde. Er war sogar bereit, sich übertreffen zu lassen und das mit Würde zu tragen, wozu es natürlich nie kam. Denn er sprang ein Meter fünfzig hoch, konnte fünfunddreißig Kilometer mit vollem Gepäck marschieren, ohne auch nur im geringsten an Stimmkraft einzubüßen, war Divisionsmeister im Brustschwimmen und der zweitbeste Schütze des Regiments. Und an Bierabenden pflegte er, auf einem Stuhl stehend, das »Wolgalied« zu singen, in Richard-Tauber-Manier, mit einer Tenorstimme, die jedem mittleren Stadttheater zur Ehre gereicht haben würde.

Daß Lindenberg einmal Offizier werden würde, stand einwandfrei fest. Seine hohen Qualitäten waren nicht zu übersehen. Und seine nie ermüdende Dienstbereitschaft wurde dann auch weidlich, zumeist unter Anrufung der Kameradschaft, ausgenutzt. Da er zudem kein ausgesprochenes Verlangen nach weiblichen Reizen verspürte, nach Alkohol natürlich auch nicht, sich Filme nur dann ansah, wenn ihm versichert wurde, es handle sich dabei einwandfrei um heldenhaftes Durchhalten mit anschließend heroisch-glücklichem Ende, war er jederzeit bereit, in dringenden Fällen seine Unteroffizierskameraden auch über das Wochenende zu vertreten.

Er war ein Unteroffizier vom Dienst, wie ihn sich keine auch noch so ausgeklügelte Vorschrift vollkommener hätte ausdenken können. Ihm waren wirkliche Befehle heilig. Er führte sie aus nach bestem Wissen und Gewissen; sein militärisches Wissen aber war groß, und das, was er sein soldatisches Gewissen nannte, ausgeprägt. Er war stets peinlich genau und allzeit fest entschlossen, fragwürdige Wesen in anständige Soldaten zu verwandeln, streng im Sinne von Volk, Führer und Reich. Aber er vergaß auch nie, an das zu denken, was er sich unter Ehre vorstellte.

Als sich der Kanonier Vierbein bei ihm befehlsmäßig zum Reinigen der Latrine im unteren Korridor meldete, musterte ihn Lindenberg, selbst in tadelloser Haltung, zunächst nur vom Kopf bis zu den Fußspitzen. Er hatte nicht sonderlich viel auszusetzen; war zwar kurz bereit, zu rügen, daß die Haare nicht sorgfältig genug durchgekämmt waren, unterließ das aber, da ihm sein ausgeprägtes Gerechtigkeitsgefühl gebot, zu bedenken, daß der Kanonier soeben eine Arbeit beendet hatte.

»Was haben Sie bisher getan, Kanonier?«

»Teppiche geklopft, Herr Unteroffizier. Für Herrn Hauptwachtmeister.«

Der Unteroffizier verriet mit keinem Wimperzucken, daß er diese Tätigkeit mißbilligte, zumindest sich zugestand, nicht genau zu wissen, wo hier der allein erstrebenswerte tiefere Sinn zu suchen sei. Aber korrekt, wie er nun einmal war, dachte er nicht im entferntesten daran, seine Mißbilligung zu zeigen, geschweige denn auszusprechen. Vorgesetzte, sagte er sich, unterstehen nicht meiner Kritik; und geradezu Untergrabung der Disziplin wäre es, selbst noch so berechtigte Kritik in Gegenwart von Untergebenen auszusprechen. Ganz genau betrachtet, wäre das nämlich eine indirekte Aufforderung zur Meuterei, woran ein guter Soldat nicht einmal im Traum zu denken wagt.

Er ging voran, in die Latrine hinein, sah sich dort um. Der vielbenutzte Raum glänzte vor Sauberkeit. Der Zutritt war während des Revierreinigens für jedermann, mit Ausnahme der Unteroffiziere, versteht sich, gesperrt. Nur solche mit überaus dringendem Bedürfnis mußten, laut Batteriebefehl 104/38, eingelassen werden. Denn leichtfertige, undisziplinierte, trotz eingehender Nachforschungen nicht zu ermittelnde Batterieangehörige hatten, wohl aus unsoldatischem Protest, an einem Samstagnachmittag einen großen Haufen vor die Bekleidungskammer gepflanzt, in welcher sich zur gleichen Zeit der Hauptwachtmeister aus Anlaß eines Zählappells aufhielt.

Unteroffizier Lindenberg jedenfalls bemerkte mit Genugtuung Sauberkeit. Er überprüfte mit sachverständigen Griffen Fenster, Lokusbrillen, Abzugkanal und den Hahn des Wasserbeckens. Letzterer glänzte nur matt, und so befahl er dem Kanonier Vierbein, »selbigen auf Hochglanz« zu bringen.

Er selbst begab sich zurück in das Zimmer, das dem Unteroffizier vom Dienst zur Verfügung stand. Dort wartete der Gefreite Asch auf ihn und brachte eine derartig vorschriftsmäßige Ehrenbezeigung an, daß Lindenberg nur noch zufrieden nicken konnte, sich dann zusammenriß und die Ehrenbezeigung straff erwiderte.

Asch wußte haargenau, wie Unteroffizier Lindenberg zu behandeln war. Er rief laut: »Bitte um die Erlaubnis, Herrn Unteroffizier sprechen zu dürffen.« – »Bitte«, sagte Lindenberg korrekt.

Der Gefreite Asch betrachtete die vorbildlich einexerzierten Reaktionen seines unmittelbaren Vorgesetzten, ohne die geringste Verwunderung zu zeigen. Er hatte sich völlig abgewöhnt, erstaunt zu sein. Er hatte feierlich beschlossen: Es wird und kann sich nichts ereignen, das mich aus der Fassung zu bringen vermag! Seine Worte klangen kräftig, kernig und befehls-empfangsbereit zugleich, abgehackt: »Bitte Herrn Unteroffizier fragen zu dürfen, ob ich Herrn Unteroffizier um meinen Sonntagsurlaubsschein bitten darf!«

»Sind Sie mit Ihrer Arbeit fertig, Gefreiter Asch?«

»Jawohl, Herr Unteroffizier. Herr Wachtmeister Werktreu hat mich entlassen.«

Der Unteroffizier nahm das zur Kenntnis. »Und Ihre Sachen, Gefreiter Asch? Ihre Schrankordnung? Ihr Karabiner? Ihr Koppelzeug?«

»Bitte Herrn Unteroffizier melden zu dürfen: Alles in Ordnung!« Der Gefreite Asch log unbekümmert seinen Vorgesetzten an. Er wußte genau, daß nichts in Ordnung war, jedenfalls nicht so in Ordnung, als daß es vor den unbestechlichen Augen Lindenbergs Gnade gefunden hätte. Er wußte aber auch, daß der Unteroffizier zur Zeit hier unabkömmlich war und es sich rein zeitlich gar nicht leisten konnte, bei jedem, der einen Urlaubsschein haben wollte, einen Schrankappell mit der ihm eigenen Gründlichkeit durchzuführen.

Der Unteroffizier schien, in gerader Haltung, nachzudenken. Das beunruhigte den Gefreiten Asch nicht wenig. Und er beschloß, sofort wirksam nachzustoßen. »Bitte Herrn Unteroffizier darauf aufmerksam machen zu dürfen«, sagte er mit scheinbarer Begeisterung, »daß heute die Auswahlmannschaft unseres Regiments gegen den Sportklub Hansa antritt!«

Das stimmte keineswegs. Das Handballspiel war erst in vierzehn Tagen. Aber er rechnete damit, daß Lindenberg, dem diese Sportart wenig lag, das nicht genau wissen würde. Würde der das aber trotzdem wissen, konnte immer noch gesagt werden, man habe sich geirrt.

Aber Lindenberg wußte das nicht. Er nickte zustimmend, mit einer kurzen, straffen Bewegung. Er sagte: »Ausgezeichnet, Gefreiter Asch. Ich schätze Anteilnahme an sportlichen Ereignissen. Sport ist eine gesunde Voraussetzung für den Dienst mit der Waffe. Außerdem fördert die allgemeine Begeisterung den Kampfeswillen. Und ich hoffe, wir sind den Zivilisten auch auf diesem Gebiet überlegen.«

»Bestimmt, Herr Unteroffizier!«

Lindenberg setzte sich und schlug das Sonntagsurlaubsbuch auf. Er entnahm ihm die Urlaubsscheine und begann sie durchzublättern. Als das Telefon klingelte, nahm er, ohne seine Haltung zu verändern, die einwandfrei wie immer war, den Hörer ab. Er meldete sich: »3. Batterie. Unteroffizier vom Dienst. Unteroffizier Lindenberg.«

Der Gefreite Asch betrachtete seinen superstrammen Unteroffizier gönnerhaft. Er knickte leicht in den Knien ein und stand bequem da, aber es sah aus, als stehe er nach wie vor prachtvoll stramm. Der Gefreite konnte stundenlang so stehen, ohne zu ermüden. Das gehörte zu seinen Tricks, die er sich nach und nach ausgedacht hatte.

»Jawohl, Herr Hauptwachtmeister«, sagte der Unteroffizier in den Hörer hinein. »Herr Hauptwachtmeister befinden sich in der Kantine, jawohl! Ich komme sofort, Herr Hauptwachtmeister, mit dem Urlaubsbuch!« Er legte den Hörer ab und durchblätterte, mit erhöhter Schnelligkeit, den Stoß Urlaubsscheine.

»Bitte Herrn Unteroffizier«, sagte der Gefreite stramm, einer Eingebung folgend, »auch um den Urlaubsschein des Kanoniers Vierbein.« Und als er merkte, daß Lindenberg zögerte, fügte er hinzu: »Bitte Herrn Unteroffizier melden zu dürfen, daß es der Kanonier Vierbein war, der mich auf das Handballspiel aufmerksam gemacht hat.«

»So?« fragte der Unteroffizier Lindenberg erstaunt; und er vermied es nicht, sein Erstaunen zu zeigen. »Der Kanonier Vierbein hat Sie darauf aufmerksam gemacht? Das freut mich. Ich habe dem Kanonier Vierbein derartige Interessen nicht zugetraut. Also gut, Sie sollen auch seinen Urlaubsschein haben.«

»Ich danke Herrn Unteroffizier!« rief der Gefreite spontan aus. Und kaum hatte er das gesagt, merkte er auch schon, daß er sich hier, impulsiv und daher unbedacht, vermutlich einen nicht ungefährlichen Fehler geleistet hatte.

Und Lindenberg sah ihn, wie zu erwarten gewesen war, tierisch ernst und tadelnd an. »Gefreiter Asch«, sagte er mit seiner unpersönlichen, gleichmäßig starken, immer reserviert klingenden Stimme. »Sie haben mir nicht zu danken. Ich tue hier nur meine Pflicht. Und das ist selbstverständlich.«

Doch dann übergab er, wider Erwarten, dem Gefreiten Asch die beiden erbetenen Urlaubsscheine, kassierte sachlich zwanzig Pfennig dafür ein und sagte abschließend kühl: »Sie können abtreten! Und ich erwarte, daß Sie heute beim Wettkampf als Uniformträger den Zivilisten ein gutes Beispiel geben.«

Der Kantinenpächter Bandurski war selbst Zwölfender gewesen. Er hatte noch in der Reichswehr gedient und kannte die Unteroffiziere genau. Er liebte sie daher nicht sonderlich, obwohl er selbst einmal die Unteroffizierstressen getragen hatte. Jetzt jedenfalls war er nur noch Geschäftsmann; und gleich in den ersten Wochen hatte er erkannt, daß die besten Geschäfte mit den Mannschaften zu machen waren.

Im Anfang war er noch kurzsichtig genug, den Unteroffizieren deutlich zu verstehen zu geben, wie gering das Interesse war, das er an ihnen hatte. Sie spielten Karten, führten große Reden, soffen Bier und machten Schulden. Die Masse der Mannschaften aber kaufte ein, und ihr ganzer Sold ging dabei drauf. Das Verhältnis der Reingewinne bei Mannschaften und Unteroffizieren stand fünf zu eins.

Bandurski hatte aber ganz schnell gemerkt, daß es für seine Bilanz gefährlich werden konnte, wenn die Unteroffiziere sein Geschäft planmäßig und heimlich sabotierten. Der Erfinder derartig hinterhältiger Kampfmethoden war Hauptwachtmeister Schulz gewesen; Bandurski hatte das bald herausgefunden, und der Spieß der 3., unter Alkohol gesetzt, leugnete das nicht einmal. Er arbeitete nach folgendem höchst primitiven, aber gefährlich wirksamen Prinzip: Er forderte mit Strenge Einheitlichkeit auch in der persönlichen Ausrüstung; und er verstand es, deutlich zu machen, daß der Kantinenpächter Bandurski nicht fähig sei, diese unbedingt notwendige Einheitlichkeit zu garantieren. Also schickte er Aufkäufer in das Städtchen, worüber sich die einheimische Kaufmannschaft ehrlich freute. Die anderen Batterien eiferten der Methode Schulz nach, und nicht viel fehlte, und er, Bandurski, hätte seinen Konkurs anmelden können.

Die Erfahrung, die er so gewonnen hatte, ließ er sich einiges kosten. Er gab einen Versöhnungs-Bierabend mit Eisbeinessen für das gesamte Unteroffizierskorps, was ihn nahe an den Rand des Ruins brachte. Aber von da an blühte sein Geschäft auf. Fortan waren die Unteroffiziere seine bevorzugten Gäste. Er richtete ihnen einen stattlichen Extraraum ein und sorgte für höchst attraktive weibliche Bedienung. Hauptwachtmeister Schulz wurde – was den Konsum anbelangte, nicht die Bezahlung – sein weitaus bester Gast.

Kantinenpächter Bandurski konnte Schulz nie vergessen, was der ihm einstmals angetan hatte. Aber er behandelte ihn bevorzugt und zögerte nie, ihm, je nach Stimmung, Freibier oder geistigen Zuspruch in ausreichendem Maße zukommen zu lassen. Auch Elisabeth, die Kellnerin für die Unteroffizierskantine, hatte entsprechende Weisungen, die sie zwar getreulich, aber doch nicht sonderlich begeistert, befolgte.

»Was trinken Sie, Herr Hauptwachtmeister?« fragte sie sachlich. »Herr Bandurski wird sich freuen, wenn Sie sein Gast sind.«

Schulz betrachtete sie wohlwollend. Diese Elisabeth war größer als seine Frau Lore, auch schlanker, mit nicht sonderlich ausgeprägten Konturen, was aber auch seine Reize hatte. Busen war nicht unbedingt Mode, höchstens noch auf Postkarten von der großen deutschen Kunstausstellung. Viele vom BDM waren platt wie die Bretter und stolz darauf, daß sie mit Knaben verwechselt werden konnten. Oder irrt er sich da? Aber das alles ist doch Quatsch! Was heißt denn hier schon Schönheitsideal! Auf die günstige Gelegenheit kommt es an. Und ein echter Mann ist kein Einsiedler – schon gar nicht, wenn er Soldat ist. Kämpfen und erobern, besonders letzteres . . .

Und was seine Frau anbelangt, diese Lore, dieses Luder, wer weiß, was in die gefahren sein mag, dachte Schulz mißmutig. Kein Standesbewußtsein hat das Mensch, keinen Korpsgeist; mit einem schäbigen Kanonier wälzt die sich auf dem Teppich. Mit einem Kanonier! Wenn sich das herumspricht, bin ich moralisch erledigt, sagte sich Schulz verärgert. Ob wohl dieser traurige Kuhfladen noch so viel Ehrgefühl im Leib hat, daß er die Schnauze hält? Möglich. Wahrscheinlich. Und der wird, beschloß Schulz, schon noch merken, was ich von ihm erwarte!

»Also, was wollen Sie trinken, Herr Hauptwachtmeister?« fragte Elisabeth und sah ihn mit ihren jetzt grünlich schimmernden Augen lächelnd an.

Kein übles Frauenzimmer, dachte Schulz. Ob die wohl Temperament hat? Bestimmt. Sie hat eine ganz helle Hautfarbe, und diese Sorte soll unter Umständen wahre Ringkämpfe aufführen. Das hat er gelesen, in einem Roman, den der Chef bei der letzten Spindkontrolle bei einem Landser beschlagnahmt hat. Ein Schweinekerl! Der hatte so was im Spind! Einbuchten hätte ihn der Chef sollen.

»Bringen Sie mir«, sagte er, »einen Weißen, aber Dänischen, doppelt. Und dann ein Bier, Starkbier, ein großes Glas!«

Elisabeth brachte es ihm. Und er weidete sich an ihren breiten, vollen Schultern, an ihren festen Hüften, an den langen, gutgewachsenen Beinen. Lore, dachte er, meine Frau Lore, ist kleiner, gedrungener, griffiger; heute nachmittag, wo sie so leicht bekleidet war und es sich leistete, mitten auf dem Teppich, seinem Teppich, mit diesem Kanonier ...

Er erhob sich eilig. »Ich muß mal telefonieren«, sagte er. »Ich komme gleich wieder zurück.« Und dann ließ er sich mit dem Unteroffizier vom Dienst seiner Batterie verbinden.

Elisabeth Freitag füllte inzwischen die leeren Gläser nach. Sie hatte ihre eigenen Gedanken über die Männer; und diese Gedanken waren weder gut noch schlecht. Sie wußte genau um Unterschiede. Um Unterschiede, die es überall gab; überall, selbstverständlich auch dort noch, wo nicht ohne Erfolg versucht wurde, Menschen körperlich und geistig zu uniformieren.

Das wußte sie, weil sie den Gefreiten Asch kannte. Herbert Asch war ihr aufgefallen, oder besser wohl: er hatte dafür gesorgt, daß er ihr auffiel. Er war anders als viele, wesentlich anders, er war kein Durchschnitt, keine Nummer, besaß kein Einheitsgesicht, auch unter der Feldmütze nicht. Er hatte einen intakten Verstand und gebrauchte ihn auch. Sie hatte ihn oft und mit stiller Freude beobachtet, und ihr war aufgefallen, daß er kaum jemals das sagte, was er wirklich meinte, und dennoch fast immer genau das erreichte, was er erreichen wollte.

Hauptwachtmeister Schulz hatte sein Telefongespräch beendet und setzte sich wieder an seinen Tisch, betrachtete die nachgefüllten Gläser mit Wohlwollen und dann Elisabeth mit verwandten Gefühlen.

»Was machen Sie eigentlich heute abend?« fragte er sie.

»Warum? Wollen Sie mit mir ausgehen?«

»Warum nicht?« Schulz fand nichts dabei. »Wie wär's?«

»Und Ihre Frau?« erkundigte sich Elisabeth erwartungsvoll.

Schulz winkte ab. »Die braucht dringend Ruhe. Die schließe ich zu Hause ein.«

Elisabeth verzog den Mund, und es sah fast so aus, als wollte sie lachen. Aber sie lachte nicht. Sie sagte nur: »Ich bin für heute abend schon verabredet. Im Lokal Bismarckshöh.«

Hauptwachtmeister Schulz wollte ihr gerne erklären, daß es durchaus möglich sei, daß sie sich dort treffen könnten. Bismarckshöh war das Verkehrslokal für die I. Abteilung des Artillerieregiments. Zwar dominierten dort die älteren Mannschaftsdienstgrade, die Gefreiten und die Obergefreiten, aber in den Morgenstunden fanden sich dort auch viele Unteroffiziere ein, sogar vereinzelte Offiziere in Zivil. Denn Bismarckshöh lag dicht vor der Kaserne, und wer auf dem Heimweg war, aber den Kanal noch nicht restlos voll hatte, der kehrte dort ein.

Schulz wollte also erklären: Vielleicht treffen wir uns in Bismarckshöh! Aber er kam nicht dazu. Unteroffizier Lindenberg pflanzte sich vor ihm auf, gereckt, knallte die Hacken zusammen und sagte: »Unteroffizier Lindenberg wie befohlen zur Stelle.«

Der Spieß kannte Lindenberg genau und liebte ihn nicht. Der, meinte er, stinkt geradezu vor Korrektheit. Aber er respektierte ihn, wenn auch nur widerwillig. Er wußte, daß mit diesem uniformierten Eisberg jedes privatähnliche Gespräch völlig sinnlos war. Er kam daher, ohne jede Umschweife, sofort zum Kern seines Anliegens. »Haben Sie bereits Urlaubsscheine ausgegeben?«

»Jawohl, Herr Hauptwachtmeister. Siebzehn Stück.«

»Etwa auch an den Saukerl Vierbein?«

Lindenberg zeigte keinerlei persönliche Anteilnahme. »Kanonier Vierbein«, sagte er, und selbst die Ablösung von »Saukerl« durch »Kanonier« geschah, ohne daß auch nur der geringste Vorwurf hörbar gewesen wäre – hörbar, wohlgemerkt; denn spürbar war der Vorwurf schon, und selbst Schulz, dessen dickes Fell eine gewisse Berühmtheit besaß, war das nicht entgangen –, »Kanonier Vierbein hat seinen Urlaubsschein über den Gefreiten Asch erhalten.«

Der Hauptwachtmeister hatte Mühe, nicht loszubrüllen. Aber er wußte, daß das bei Unteroffizier Lindenberg völlig sinnlos war. Dem mußte man anders, ganz anders kommen. »Ich denke«, sagte er und gab sich erstaunt, »der Kanonier Vierbein reinigt die untere Toilette.«

»Er ist damit fertig, Herr Hauptwachtmeister«, berichtete Lindenberg ungerührt. »Da keine anderen Befehle oder Weisungen vorlagen, sah ich keinen Grund, dem Kanonier Vierbein den Urlaubsschein nicht auszuhändigen. Um so weniger, da Kanonier Vierbein das Handballspiel zwischen der Auswahlmannschaft des Regimentes und dem Sportklub Hansa besuchen will.«

»Aber das ist doch erst in vierzehn Tagen!« rief der Spieß triumphierend aus; er war genau im Bilde, denn er hatte gerade heute vormittag einen Regimentsbefehl darüber gelesen. »Sie haben sich übers Ohr hauen lassen, Lindenberg! Der Bengel hat Sie auf den Arm genommen. Ausgerechnet Sie, Lindenberg. Wie den dümmsten Rekruten!«

Der Unteroffizier stand da wie aus Erz. Unbeweglich. Sein Gesicht war knallrot, hatte fast die Farbe von reifen Tomaten. »Was befehlen Herr Hauptwachtmeister?« fragte er mit gepreßter Stimme.

Der Spieß fühlte sich grenzenlos überlegen. Die offizielle Blamage seines Musterknaben Lindenberg, den die Unteroffiziere den »ewigen Soldaten« nannten, tat ihm gut.

Er schlug mit der Faust auf den Tisch und schien, soweit das bei ihm zu erkennen war, glücklich zu sein.

»Wann«, fragte er dann, »haben Sie die Urlaubsscheine ausgegeben?«

»Soeben, Herr Hauptwachtmeister ... Vor etwa fünf Minuten.«

»Waren die Saukerle schon im Ausgehanzug?«

»Nein, Herr Hauptwachtmeister. Im Drillichzeug. Der Kanonier Vierbein hat sogar vor drei Minuten erst seinen Arbeitsplatz in der Latrine verlassen dürfen.«

»Na schön, Lindenberg.« Der Spieß erhob sich unternehmungslustig. »Sie haben da zwar großen Bockmist fabriziert, aber ich werde die Sauerei wieder bereinigen. Überlassen Sie alles andere mir. Sonst machen Sie nur noch mehr Dummheiten. Ich halte einfach Parade ab.«

Hauptwachtmeister Schulz begab sich unverzüglich zu seinem »Paradeplatz«. Das war eine Bank, die unmittelbar neben dem einzigen Ein- und Ausgang des Batterieblocks stand: Jeder, der die Unterkunft verlassen wollte, mußte hier an ihm vorüber. Es führte kein anderer direkter Weg zum Kasernentor.

Der Spieß setzte sich breit hin, legte sein Notizbuch neben sich und begann erwartungsvoll nach dem Schützen Vierbein Ausschau zu halten. Inzwischen vertrieb er sich die Zeit damit, die ausgehfertigen Soldaten zu kontrollieren, und zwar nach allen Regeln der Kunst: Sauberkeit der Fingernägel, der Socken, des Hemdes, der Ohren, der Füße.

Diese Arbeiten erledigte er mit sichtlichem Genuß, und es bereitete ihm einiges Vergnügen, so zu tun, als hätte er nicht bemerkt, wie große Teile der Mannschaft hinter den Fensterscheiben hervorlugten, um sich an seiner Tätigkeit, die er mit schlechthin großartigen Einfällen zu variieren verstand, zu weiden.

Aber wer nicht kam, waren der Gefreite Asch und der Kanonier Vierbein. Langsam wurde Schulz ungeduldig. Schließlich wurde er sichtlich nervös. Dann ließ er den Gefreiten Asch und den Kanonier Vierbein suchen. Aber beide waren im Batterierevier nicht aufzufinden.

Beide hätten, so wurde ihm schließlich gemeldet, bereits die Kaserne verlassen. Der Hauptwachtmeister Schulz fragte sich hoch verwundert und nahezu bebend vor Empörung, auf welchem Wege das wohl geschehen sein könnte. Denn den normalen Weg, der an ihm vorbeiführte, den konnten sie doch unmöglich benutzt haben!

Sie hatten, und zwar am hellen Tage, genau das getan, was sonst nur während der Nacht gewagt wird: Sie stiegen über den Zaun. Auf Anraten von Asch, der immer auf alles gefaßt war und gelernt hatte, nur die Wege des geringsten Widerstandes zu gehen, stiegen sie durch ein Kellerfenster der rückwärtigen Hauswand in den schmalen Garten; und von hier aus schwangen sie sich auf die Mauer.

Als sie oben waren und die Straße übersehen konnten, bemerkten sie erschrocken einen Unteroffizier einer anderen Batterie, der gemächlich seines Weges ging und der Stadt zustrebte. Er sah sie sofort. Aber er wollte sie nicht sehen! Er drehte ihnen eilig seinen breiten Rücken zu und schien angeregt die spärliche Landschaft zu bewundern, die die Artilleriekaserne gelangweilt umstand. Ein Obergefreiter, der sich in der Nähe befand, sprang eifrig hinzu und gab ihnen Hilfestellung.

Sie bedankten sich und luden den Obergefreiten zu einem Bier ein, was dieser nicht abschlug. Sie grüßten besonders stramm, als der Unteroffizier, der die Besteigung der Kasernenhofmauer am hellen Tag nicht hatte sehen wollen, an ihnen vorüberging. Der grinste mächtig, und das tat ihnen wohl.

Sie strebten dem Hause Asch zu, denn dort waren sie zum Kaffee eingeladen, und zwar auf besonderen, vorsichtig geäußerten Wunsch des Kanoniers Vierbein. Er hielt den Gefreiten für seinen Freund, als dieser die ersehnte Einladung verschaffte. Aber Asch war innerlich davon überzeugt, daß es sich hier gar nicht um einen Freundschaftsdienst handelte, denn er hielt nicht sonderlich viel von seiner Familie; und seine Schwester Ingrid, derentwegen Vierbein kam, paßte prächtig in diese Familie hinein.

»Mir wird nie klarwerden«, sagte der Gefreite Asch kopfschüttelnd, »was du an meiner Schwester findest. Sie ist ein kleines Naziweib. So was liebt und verehrt man doch nicht: mit dieser Sorte betreibt man höchstens rassische Aufzüchtung.«

»Du übertreibst«, sagte Vierbein eifrig und wußte doch genau, daß Asch nicht ganz unrecht hatte. »Was kümmert mich die politische Gesinnung deiner Schwester, oder vielmehr: Ich finde sie ganz in Ordnung! In dieser Zeit, in der wir jetzt leben . . .«

»Heil Hitler!« rief der Gefreite Asch und grüßte einen Baum betont stramm.

Das amüsierte Vierbein; er kam auf die Idee, daraus zu folgern, daß sein Freund, der Gefreite, ausgezeichneter Stimmung sein müsse. Er versprach sich daher eine angenehme Kaffeestunde am späten Nachmittag, mit Ingrid, den Freund zur Seite, den Vater gegenüber, im engsten Familienkreis also. Hochoffiziell sozusagen!

»Deine Schwester«, sagte Vierbein aufrichtig, ehrlich bemüht, nur Gutes über Ingrid zu sagen, »hat dieselbe aufrechte Gesinnung wie dein Vater. Ich finde das fabelhaft.«

»Ich finde das idiotisch«, sagte Asch freundlich. »Der Herr bewahre uns vor der Gesinnung unserer Väter! Ich liebe meinen Alten, verstehst du, aber nicht mit eingetrocknetem Hirn. Wer den nämlich aufmerksam beobachtet, kriegt bald heraus, daß der nur ein Geschäftsmann ist, nichts weiter; und seine sogenannte politische Überzeugung ist lediglich eine Spielart seiner Geschäftsmethoden.«

Vierbein fühlte sich veranlaßt, den Kameraden Asch behutsam und sehr freundlich zu rügen. »Du solltest nicht so von deinem Vater sprechen!«

Herbert Asch winkte ab. »Dir fehlt das Gefühl für die Zeit«, sagte er ungekränkt. »Was ich da soeben über meinen Vater sagte, war ein indirektes Lob. Ich glaube, der Alte hat genau erkannt, was hier eigentlich gespielt wird: Gesinnung als großes Geschäft – er will nicht einsehen, warum er nicht auch daran verdienen soll!«

»Deine Schwester denkt bestimmt nicht so!«

»Ganz bestimmt nicht!« Asch nickte zustimmend. »Die ist viel gefährlicher. Die glaubt noch an jede Dummheit, die verzapft wird. Sie wandelt auf dem schmalen Pfad der Pseudo-Idealisten und Voll-Idioten. Sie kommt sich dabei heroisch vor; ihre Kurzsichtigkeit macht sie dazu.«

Der Kanonier Vierbein grüßte stramm einen Feldwebel der Infanterie, der ihnen entgegenkam. Der Gefreite Asch hatte ihn, im Eifer seiner bewußt übersteigerten Ausführungen, übersehen. Er kam automatisch und sehr lässig seiner Grußpflicht mit erheblicher Verspätung nach; und als er die Hand hob, war es, als winkte er uninteressiert ab.

Der Feldwebel der Infanterie, den eine Art Braut begleitete, erfaßte die Situation nicht sofort. Es dauerte geraume Zeit, sechs bis acht Sekunden etwa, ehe er sich klar darüber wurde, daß er, wenn überhaupt, soeben höchst mangelhaft – unvorschriftsmäßig – gegrüßt worden war. Er war eine »gute Haut«, seine Rekruten, meinte er, könnten das jederzeit bezeugen; aber Respektlosigkeit, zumal solche in der Öffentlichkeit, durfte er nicht durchgehen lassen. Er hatte sich zu fragen, was wohl seine Vorgesetzten dazu sagen würden, was die Zivilisten und was seine Braut, die ihn, doch wahrlich nicht zu unrecht, für einen bedeutenden Mann hielt. Er grüßte jederzeit vorbildlich, und er mußte und durfte verlangen, daß auch er jederzeit vorbildlich gegrüßt wurde.

Er stand mitten auf der verkehrsreichen Goethestraße entschlossen da und rief: »Heh!«

Einige Passanten blieben stehen. Die beiden Soldaten gingen weiter. Wohl versuchte der Kanonier Vierbein, Asch zu bewegen, anzuhalten; aber der sah keine Veranlassung dazu. Auch erklärte er, daß er nicht »Heh!« heiße und sich durch das Kasernenhofgebrüll in seinem Rücken nicht angesprochen fühle. Er wußte aus Erfahrung, daß nur sehr wenige Unteroffiziere das Verlangen spürten, ihre Exerzierplatzgelüste auf der Straße fortzusetzen. Meistens erfolgten Reaktionen wie diese ganz spontan. Sie regten sich automatisch auf, und es kam nur darauf an, ihnen reichlich Gelegenheit zu geben, sich wieder abzuregen. Nur die ganz Hartnäckigen bestanden dann noch auf einer Fortsetzung.

Der Feldwebel der Infanterie gehörte zu diesen ganz besonders Hartnäckigen. Er ließ seine Braut stehen und eilte den beiden Soldaten mit langen Schritten nach. Er überholte sie und pflanzte sich vor ihnen auf.

Der Kanonier Vierbein erschrak mächtig. Der Gefreite Asch war durch nichts mehr zu überraschen. Auch diese Situation war ihm nicht neu. Und er kannte genau die Methode, die jetzt angewendet werden mußte, um den Karren aus dem Dreck zu ziehen.

Der Feldwebel wies auf den Gefreiten. »Warum haben Sie nicht gegrüßt?« fragte er streng.

Der Gefreite Asch spielte das allseits beliebte Spiel mit Meisterschaft: Er stand stramm wie auf dem Kasernenhof, seine Stimme klang ergeben und kernig zugleich; stolz, treu und bieder blickten seine Augen in die des Vorgesetzten. »Bitte Herrn Feldwebel melden zu dürfen«, rief er markig, »daß ich Herrn Feldwebel gegrüßt habe!« Und er winkelte den rechten Arm ein, legte die flache, leicht durchgedrückte Hand an den Mützenrand und produzierte so eine Ehrenbezeigung, die selbst dem gestrengsten Ausbilder, dem Unteroffizier Lindenberg etwa, ein anerkennendes Lächeln abgezwungen hätte.

Der Feldwebel war mehr als nur erstaunt, er war verblüfft – und er war unsicher geworden. Seine reichhaltigen Erfahrungen sagten ihm, daß er es hier zweifellos mit einem ganz vorzüglichen Soldaten zu tun habe, mit einem Musterexemplar sozusagen. Aber er wußte doch genau – mit eigenen Augen hatte er es gesehen! –, daß er nicht vorschriftsmäßig gegrüßt worden war, von einem dieser beiden. Und er hätte einen Eid darauf ablegen können, daß es bestimmt der Gefreite war.

Asch spürte deutlich, wie vorzüglich sich seine Methode auszuwirken begann. Er hatte es auch nicht anders erwartet; es machte nie sonderliche Mühe, diesen staatlich organisierten Zwangserziehungsklub mit seinen eigenen Waffen zu schlagen. Nun gut, mit der Dummheit des Feldwebels hatte er gerechnet, mit dessen Gemeinheit, die er Verantwortungsbewußtsein nannte, nicht.

Denn der Feldwebel sagte sich: Der Gefreite war es also nicht, soviel steht fest, denn der ist ein ganz ausgezeichneter Soldat, aber einer von beiden war es bestimmt; und wenn das nicht der Gefreite war, dann war das eben der Kanonier. Also wandte er sich an Vierbein und fragte mit Schärfe und nicht ohne Ungeduld: »Warum haben Sie nicht vorschriftsmäßig gegrüßt? Was denken Sie sich eigentlich, Sie krummer Kerl! Wie heißen Sie?«

»Kanonier Vierbein«, sagte er gehorsam und völlig überrascht. Er vermochte kaum zu denken. Er vermochte nicht einmal, wie sonst immer, sich darüber den Bruchteil einer Sekunde lang zu amüsieren, daß irgendein lächerlicher Befehl ihn dazu zwang, anzugeben, er heiße »Kanonier«. Wie kann ein normaler Mensch Kanonier heißen! Aber daran dachte er jetzt nicht. Er kam sich vor wie überfahren.

Das hatte der Gefreite Asch natürlich nicht beabsichtigt; nicht einmal er hatte das kommen sehen können. Nicht, daß ihm Vierbein sonderlich leid tat, nicht, daß er den Feldwebel übermäßig verachtete – die ganze Angelegenheit war ihm einfach zu dumm geworden. Und er sagte, weit weniger stramm als vorher: »Der Kanonier hat vor mir gegrüßt, das kann ich bezeugen. Ich selbst kam ein wenig nach.«

Die Passanten, die sie umstanden, wurden unruhig. Einige scharten sich um den Feldwebel, es war die Mehrheit; und sie sahen zumeist so aus, als hätten sie erfolgreich gedient oder seien doch prädestiniert dafür, erfolgreich zu dienen. Die anderen, die Minderheit, begannen erheblich laut zu werden. Eine Frau sagte böse: »Was sind das für Schikanen! Lassen Sie die Jungens doch laufen!« Auch die Braut des Feldwebels hatte sich zögernd genähert und sagte jetzt: »Komm doch schon!«

Der Feldwebel spürte deutlich, daß es gut wäre, schnell Schluß zu machen. Er verspürte nicht die geringste Lust, schäbige Zivilisten über dienstliche Belange aufzuklären. Aber er wußte auch, daß er nicht weichen durfte, ohne nicht wenigstens einen sichtbaren, unverkennbaren Erfolg zu zeitigen. Und so fragte er: »Wie heißen Sie?«

Der Gefreite Asch erfaßte sofort, daß es der Feldwebel jetzt eilig hatte. Und unbekümmert gab er Auskunft: »Gefreiter Kasprowitz, 1. Batterie, Artillerieregiment.«

Der Feldwebel nickte grimmig und schrieb sich das auf. Er sah keinen Grund, das Soldbuch zu verlangen; er hatte auch keine Zeit mehr dazu. »Wir sprechen uns noch!« sagte er und ging.

»Das könnte dir so passen!« rief Asch unterdrückt und sah ihm freundlich grinsend nach.

Asch senior war Restaurateur und als solcher von Beruf aus duldsam. Er schenkte Schnäpse aus; aus welchem Grunde sie getrunken wurden, war ihm gleich. Er sah gleichmütig auf Liebende und Leidtragende, auf Politisierende und Pädagogen, auf Menschen, die aus Gewohnheit tranken und solche, die das für eine Art gesellschaftliche Verpflichtung hielten.

Asch senior war prinzipiell für die Wehrmacht, denn dadurch erhöhte sich automatisch sein Umsatz; er hatte nichts gegen die Partei, denn die störte ihn in seinen Geschäften nicht. Er war sogar ausgesprochen parteifreundlich, denn allein der Initiative des Kreisleiters war es doch zu verdanken, daß dieses Nest hier Garnisonsstadt wurde. Zuerst wurde die Kaserne gebaut; die Architekten verkehrten bei ihm im Lokal, und für die Arbeiter lieferte er Getränke an die Baustelle. Dann zogen das Infanteriebataillon und die Artillerieabteilung hier ein. Die Errichtung von Kantinen grämte ihn sehr; aber als es ihm gelang, Teile des Unteroffizierskorps in sein Lokal zu ziehen, versöhnte er sich wieder.

Er duldete alles, was nicht gegen die zur Zeit gültigen Gesetze verstieß. Ihm war völlig gleichgültig, ob in seinem Lokal in fortgeschrittener Stimmung »Morgenrot« gesungen wurde oder das Horst-Wessel-Lied oder »Ich weiß nicht, was soll es bedeuten«. Er wußte sogar, daß der Text des letzten Liedes von Heinrich Heine war; aber offiziell wußte er das nicht. Ihm war alles gleich; die Hauptsache: der Konsum hielt an!

Aber Asch senior war zäh und erfolgreich bemüht, seinen Geschäftsbetrieb von seinem Privatleben ganz eindeutig zu trennen. In den oberen Räumen, in seiner Wohnung, herrschte eine gemütliche, gutbürgerliche Atmosphäre: die Möbel waren gediegen und sahen immer leicht verstaubt aus, obwohl peinliche Sauberkeit herrschte. Ein Ölbild, die vor langen Jahren verstorbene Frau Asch darstellend, hing im Wohnzimmer, und wenn es der alte Asch betrachtete, zeigte er Wohlwollen und einen Hauch gediegener Trauer. Doch meistens setzte er sich so, daß seine Frau in seinem Rücken hing.

»Warum«, fragte er seinen Sohn Herbert, »hast du deine Uniform nicht anbehalten?«

Sie saßen am Kaffeetisch. Die Schwester von Asch senior bediente. Sie führte ihrem Bruder den Haushalt, und sie führte ihn gut und mit verbissenem Arbeitseifer, denn Restaurateur Asch drohte regelmäßig einmal im Monat, zumeist um den fünften herum, sie an die frische Luft zu setzen; das war zwar nie ernsthaft gemeint, erwies sich aber immer als sehr wirkungsvoll. Asch gegenüber saß Ingrid; zu seiner Rechten hatte der Kanonier Vierbein Platz genommen, zu seiner Linken der Sohn. Und der Sohn hatte seinen Uniformrock abgelegt und fühlte sich in aufgekrempelten Hemdsärmeln sichtlich wohl.

»Lieber Vater«, erkundigte sich Asch gemütlich, »hast du schon mal in deinem Leben eine Uniform getragen?«

»Natürlich«, sagte der. »Schließlich bin ich Deutscher. Paß auf: Vor 1914 gehörte ich zur Kaiser-Wilhelm-Jugend. Dann wurde ich Soldat; mein Dienstleistungszeugnis hängt, wie du weißt, neben der Theke.«

Herbert Asch bestätigte das: »Ich weiß – du hast es 1933 dort hingehängt.«

Asch senior überhörte diese freundliche Anspielung. »1920«, sagte er, »wurde ich Mitglied im Verein Kyffhäuser, und mein Restaurant war Vereinslokal. Dann ließ ich mich für den ›Stahlhelm, Bund deutscher Frontsoldaten‹ anwerben.«

»Ich denke, du warst im Krieg Kasinoordonnanz?«

Diese Verleumdung empörte Vater Asch sehr. »Natürlich war ich *auch* Kasinoordonnanz, aber doch erst, nachdem ich verwundet wurde. Zweimal! Vorher lag ich sogar an der Westfront, Verdun und so!«

»Du bist ein Held, Vater!« sagte Herbert Asch, und das klang fast so, als meinte er es ehrlich. »Ein Heldenvater!«

Asch senior wußte nicht recht, was hierauf zu erwidern war. Er zog es vor, anzunehmen, ihm sei soeben eine Huldigung dargebracht worden. Und er berichtete weiter von seinen Uniformen:

»Das war also der Stahlhelm! Dann sollte ich in die SA eintreten.«

Herbert Asch nickte. »Ich weiß. Aber das war wohl nicht nötig, denn die SA verkehrte bereits in deinem Lokal.«

»Klar«, sagte Asch senior nicht ohne Stolz, und er blinzelte seinem Sohn verständnisinnig zu. »Schließlich bin ich ja kein Idiot!«

»Und ich bin eben dein Sohn«, sagte Herbert.

»Ihr solltet euch schämen!« Ingrid Asch war hell empört. Sie hatte mit wachsender Erregung zugehört und ganz vergessen, sich ihrem Gast, nein, nicht ihrem Gast, dem Gast ihres Bruders, zu widmen. Der starrte sie voll Begeisterung an und fand sie hinreißend schön.

»Ihr solltet euch schämen!« rief sie abermals. »Ihr vergeßt, in welcher Zeit wir leben.«

»Eben nicht!« sagte Herbert Asch, ohne auch nur im geringsten ungemütlich zu werden.

»Wenn der Führer nicht wäre«, sagte Ingrid überzeugt, »hätten wir nicht das Saargebiet befreit, auch Österreich nicht. Wir wären ein kleines Volk geblieben.«

»Ja, ja«, sagte der alte Asch zustimmend. »Das ist nicht unrichtig. Ich sehe das an meinen Umsätzen. Seit 33 werden die Reingewinne von Jahr zu Jahr größer. Heute verdiene ich nahezu das Vierfache.«

Ingrid ereiferte sich immer mehr. »Und die Jugend! Wir werden ernst genommen und sind ein wichtiger Teil des Staates. Die Arbeiter verreisen mit KdF nach Norwegen und Italien.«

»Das ist nicht unbedingt nötig«, gab der alte Asch zu bedenken, »sie können ihren Lohn auch hier versaufen.«

»Und ohne den Führer«, sagte Ingrid mit unvermindertem Eifer, »hätten wir auch keine Wehrmacht. Das stimmt doch, Herr Vierbein.«

»Ja«, sagte der. »Das stimmt. Sie haben recht.« Er war begeistert, aber diese Begeisterung galt alleine dem Mädchen Ingrid; sie hätte sagen können, was sie wollte, er hätte nie gezögert, dem zuzustimmen. Denn was sie im einzelnen sagte, wurde ihm nicht klar, er hörte einfach nicht zu; er sah sie immer nur an.

»Dumme Gans!« sagte Herbert Asch überzeugt und warf die Serviette auf den Tisch.

Vater Asch entzog sich weiteren Diskussionen. »Ich muß ins Lokal«, sagte er. »Heute ist dort Hochbetrieb. Am Nachmittag trifft sich die Frauenschaft bei mir, und abends werden die Unteroffiziere kommen. Der Samstag ist für mich der anstrengendste Tag der Woche.«

Er verabschiedete sich von Vierbein. »Kommen Sie ruhig wieder, wenn es Ihnen bei uns gefallen hat«, sagte er. Und er betrachtete dabei mit sorgenvoller Miene seine Kinder, die so befremdend wenig Verständnis für seinen gesunden Geschäftsgeist zeigten. Dann ging er.

Johannes Vierbein blieb mit den Geschwistern Asch zurück; er kam sich hilflos vor, fast überflüssig. Die Atmosphäre war unbehaglich; die Luft im Raum schien heiß und drückend zu sein. Ingrid saß wie unbeweglich auf ihrem Stuhl; sie war schwer gekränkt worden, und das zeigte sie deutlich. Herbert Asch kümmerte sich nicht darum; er konfiszierte eine von seines Vaters Renommierzigarren und setzte sie umständlich in Brand.

»Kommen Sie«, sagte Ingrid zu Johannes, »ich zeige Ihnen einige Fotos. Wollen Sie sie sehen?«

»Sehr gerne!« sagte Johannes Vierbein bereitwillig. »Sehr gerne!«

»Paß auf!« rief Herbert Asch warnend. »Sie wird dir Bilder vom BDM-Lager zeigen. Diese Hyänen machen in Wehrertüchtigung mit der gleichen Begeisterung, wie die Rotzkinder Räuber und Gendarm spielen!«

Ingrid würdigte ihren mißratenen Bruder keines Blickes. Sie zog Johannes auf das Sofa in der Ecke des Wohnzimmers und griff nach einem Album, das dort lag. Sie schlug es auf. Die Bilder zeigten Mädchen, »Mädels«, beim Turnen, Wandern, Kartoffelschälen, am Lagerfeuer, beim Rundgang und während des Volkstanzes.

»Das Lager«, sagte Ingrid, »stand unter dem Motto: Gesunder Körper – gesunder Geist.«

Johannes Vierbein betrachtete die Masse Weiblichkeit mit steigender Verwunderung. Viele sahen nett aus, sehr nett sogar; aber Ingrid war die Schönste von allen. Wie unvergleichlich schön sie war, zeigte vor allem ein Bild besonders deutlich, auf dem gesehen werden konnte, wie sie im Badeanzug aus dem Wasser stieg. Er beschloß, dieses Bild in günstiger Stunde von ihr zu erbitten; aber er verwarf diesen Entschluß sofort wieder, denn er war überzeugt, sie würde es ihm nicht geben. Dann dachte er: Ich nehme es mir einfach; wenn sie nicht zusieht, stecke ich es mir in die Tasche, denn ich möchte dieses Bild doch so gerne haben!

»Wie gefällt es Ihnen?« fragte Ingrid neugierig. »Wie gefällt Ihnen mein Album?«

Vierbein war sich klar darüber, daß sie begierig war, seine Zustimmung zu hören, und er war auch entschlossen, sich begeistert zu äußern. Aber dennoch fragte er, sehr vorsichtig: »Sagen Sie, Fräulein Ingrid, hat Ihnen das viel Freude gemacht, ich meine: waren Sie glücklich dabei?«

»Glücklich?« fragte sie verwundert zurück; und sie sah nicht, daß sich ihr

Bruder erwartungsvoll vorbeugte. »Aber darauf kommt es doch gar nicht an!« sagte sie sodann. »Es geht doch um die Gemeinschaft, um das gemeinsame Erlebnis!«

»Ich verstehe das«, sagte Johannes eifrig. »Ich verstehe das sehr gut. Das gemeinsame Erleben! Auch ich finde das wunderbar!«

Herbert Asch lachte schallend auf. »Ich weiß genau, alter Freund, was du unter ›gemeinsames Erleben‹ verstehst! Werde nur nicht rot. In diesem Punkt sind unsere Ansichten gleich. Was zwei Menschen gemeinsam erleben, kann sehr schön sein. Auch Freunde können gemeinsame Erlebnisse haben, auch eine Familie. Was aber mein holdes Schwesterchen meint, das ist etwas anderes. Das ist die Uniformierung der Weiber!«

»Sprich nicht so darüber!« rief Ingrid wütend. »Du hast kein Recht, so darüber zu sprechen!«

»Wer will mir das verbieten?« fragte Herbert robust. »Ich will ein Mädchen, das mir gefällt, ein ganz besonderes Mädchen, aber doch nicht eine von der Stange! Uniformierte Mädchen, du lieber Himmel! Das gleiche Schrittmaß, ähnliche Haartracht, nackte überanstrengte Gesichter, gleiche Röcke, gleiche Blusen, und in allen Köpfen dieselben Gedanken! Der Herr beschütze mich vor dieser großdeutschen Einheitsware!«

Die schönen Augen von Ingrid waren weit aufgerissen. Sie schimmerten feucht. Langsam rollten ihr ein paar Tränen über das gerötete Gesicht. Sie sagte nichts. Sie weinte lautlos.

Herbert Asch betrachtete seine Schwester ungerührt. Er liebte sie sehr, aber er sah nicht die geringste Veranlassung, es ihr zu zeigen. Ich werde sie schon aufrütteln, dachte er grimmig; ich werde ihr diese Lagerfeuerromantik schon austreiben. Sie müßte einen Mann haben – keinen Kerl und auch keinen Schwächling –, einen richtigen Mann, der sie in die Arme nimmt und sie an sich preßt, daß sie endlich das Gefühl hat: Nur noch zwei Menschen gibt es auf dieser Welt – er und ich! Und dieser Mann müßte die Kraft haben, sie zu halten, ein ganzes Leben lang.

»Bitte, nicht weinen«, sagte Johannes zart und recht unbeholfen. Er war furchtbar verlegen und wußte nicht, was er tun sollte, tun durfte, tun mußte.

Herbert Asch schüttelte langsam den Kopf. Nein, dachte er betrübt, dieser Johannes Vierbein ist wohl nicht der Mann, den ich meine. Der ist noch kein Mann. Der ist ein Knabe, den sie mit Gewalt erwachsen machen wollen. Er ist zu weich. Es fehlt nicht viel, und er heult mit. Der ist wie Wachs, und ehe er sich versieht, werden sie ihn zu einem Spielzeugsoldaten zurechtgeknetet haben.

»Bitte, weinen Sie nicht«, sagte Johannes leise. Und noch leiser, kaum vernehmbar, fügte er hinzu: »Sie sind doch ein besonderes Mädchen. Bestimmt. Ein ganz besonderes Mädchen!«

Der Leutnant Wedelmann, Rekrutenoffizier der 3. Batterie, stand kurz vor seiner Beförderung zum Oberleutnant. Er war Berufsoffizier, kam irgendwoher aus Süddeutschland und diente bereits sechs Jahre.

Wedelmann hatte ursprünglich Jurist werden wollen, aber er war aktiver Offizier geworden, da der Vater ihn gebeten hatte, das aus finanziellen Gründen in Erwägung zu ziehen, weil der Ausbildungsgang kürzer und billiger war. Außerdem schien Vater Wedelmann nicht abgeneigt, dermaleinst den Sohn als General in Bronze auf einem Sockel in seiner Heimatstadt stehen zu sehen.

Der Leutnant hatte von Anfang an vom gepriesenen Soldatenleben instinktiv nicht sonderlich viel erwartet, und also konnte er auch kaum enttäuscht werden. Seine guten körperlichen Qualitäten wurden mit Wohlgefallen registriert, sein hellwacher Verstand störte nicht sonderlich. Am ersten Tag war er noch restlos begeistert. In der ersten Woche bereits fiel er haltlos aus dem Himmel des Ruhmes, des Glanzes und der Unsterblichkeit, in den bekanntlich die markantesten Helden stolzer Nationen hineingelangen und von dem die Unreifen in aller Herren Länder frühzeitig und ausgedehnt zu träumen pflegen. Sechs Jahre später besaß er einen leisen, fast vornehm zu nennenden Zynismus, weshalb ihn seine Umgebung für geistreich hielt.

Wedelmann hatte frühzeitig das vertikale System entdeckt: Auf sieben Soldaten ein Unteroffizier, auf sieben Unteroffiziere ein Offizier, auf sieben Offiziere ein Kommandeur, auf sieben Kommandeure ein General. Diese Zahlen waren nicht überall die gleichen, sie wechselten auch laufend, aber das war das ungefähre Prinzip. Die Pyramide der Disziplin. Und Vorgesetzter sein hieß, dafür zu sorgen, daß sieben andere ständig »unter Druck« waren. Dann lief die Maschine. Dann war das standfeste Gebilde der Mathematik und der Menschheit nicht so leicht umzuwerfen.

Was Wedelmann ebenfalls frühzeitig entdeckte, war das: Die Mannschaft war das Schwungrad; und die Unteroffiziere setzten es in Bewegung. Ein General konnte es sich mühelos leisten, leutselig zu allen zu sein, außer vielleicht zu seinen Kommandeuren. Offiziere taten gut daran, die Unteroffiziere ein wenig kurz zu halten; sich bei den Mannschaften beliebt zu machen, war empfehlenswert, praktisch erprobt und eine Kleinigkeit. Derartig bewährte Methoden gingen zwar zumeist auf Kosten der Unteroffiziere, waren aber immer außerordentlich wirkungsvoll. Die Dümmsten jedenfalls waren die Unteroffiziere: sie mußten immer wieder 'ran! Das taten sie denn zumeist auch in wünschenswerter Weise. Und daher wurden sie von den Oberen das Rückgrat, von den Unteren das verlängerte Rückgrat der Armee genannt.

Da also der Leutnant erkannt hatte, daß sein Dienst vorwiegend darin bestand, Öl in die Maschine zu träufeln, damit sie lief, kam er zu folgendem Ergebnis: Nichts tun, was das Schwungrad bremst; gelegentlich einiges tun, um es zu beschleunigen – das heißt schon Vorgesetzter sein.

Es dauerte nicht übermäßig lange und ihm wurde klar, daß ein derartiger Dienstbetrieb für einen Mann, der nicht gerade auf den Kopf gefallen war, mancherlei Möglichkeiten zum Ausspannen bot. Er war bereit, sie auszunutzen; aber die verhältnismäßig kleine Garnisonstadt war kein rechter Tummelplatz für flotte Freizeitgestaltung. Im Kasino sah er stets die gleichen Gesichter, und die meisten davon gehörten Vorgesetzten. In der Stadt gab es höchstens zwei Dutzend Familien, in denen er standesgemäß verkehren konnte; er war dort auch willkommen, als »Herr Leutnant«, als Aushängeschild, als besserer Gigolo für ältere Semester oder als Heiratskandidat für vornehme Gänse mit blanken Augen.

Das behagte dem Leutnant nicht; zu sagen, daß er es »zum Kotzen« fand, wäre leicht übertrieben. Es blieben ihm immerhin noch einige Möglichkeiten: Er konnte über das Wochenende in die Gau- und Landeshauptstadt fahren; aber eine einzige dieser Reisen kostete fast das ganze Monatsgehalt. Er konnte im Kasino mit gleichfalls sich langweilenden Offizierskameraden Skat oder Billard spielen und danach trachten, sich zu besaufen; aber das ödete ihn an. Er konnte seine Langeweile durch dienstliche Eskapaden, durch Wachkontrollen, Schrankrevisionen, improvisierte Besichtigungen, jederzeit bekämpfen; aber er war selbst einfacher Soldat gewesen und hatte immer noch nicht, in den ganzen sechs Jahren nicht, vergessen, wie ihm damals zumute gewesen war. Er hielt das für selbstverständlich und wußte nicht, daß ein derartiges Gedächtnis, ein solch ungetrübtes Erinnerungsvermögen beim Militär geradezu als phänomenal bezeichnet werden mußte.

Auch an jenem Samstagnachmittag tat er das, was er jeden Samstagnachmittag tat: er schlief zunächst einmal; dann zog er sich seinen keinesfalls elegant zu nennenden Zivilanzug an und begann zu bummeln. Er suchte ein Mädchen, aber er fand keins. Seit drei Jahren ging ihm das so. Dabei sah er doch recht gut aus, fast wie ein erster Verkäufer in einem renommierten Geschäft, der eifrig Sport treibt. Aber irgend etwas stimmte bei ihm nicht, und die meisten Mädchen spürten das sofort. Sie witterten die Uniform! Und diejenigen, die Uniformen nicht liebten, liebten ihn dann auch nicht; die anderen aber, die Uniformen schätzten, hätten ihn auch in Uniform sehen wollen, und das konnte er sich natürlich nicht leisten.

So trank er in der Konditorei Liedtke Kaffee und ging dann in ein Kino, wo es den angeblich erhebenden Film »Reitet für Deutschland« zu sehen gab. Der dort als Offizier auftretende Schauspieler erregte sein gelindes Mißfallen; Offiziere wie dieser waren eigentlich nur bei Kasinofestlichkeiten zu gebrauchen. Er roch nach Puder und Parfüm, nicht nach Schweiß und Leder. Und das Mädchen war doch höchstens ein Ausstellungsstück; nie könnte er sich in deren Gegenwart die Stiefel ausziehen und seine durchgelaufenen Socken betrachten. Doch als der Film zu Ende war und es wieder hell wurde, spürte er, wie sehr die Besucher mit ihren Offizieren zufrieden waren, und das tat ihm wohl; es wäre ihm sogar recht gewesen, wenn er in diesem Augenblick seine Uniform angehabt hätte.

Langsam schlenderte er zum Weinhaus Zehner, bestellte sich ein umfangreiches Abendessen und eine Flasche Bodenheimer. Er ließ sich viel Zeit, blätterte einige Zeitungen durch, die alle die gleichen Meldungen im gleichen Wortlaut brachten, betrachtete gelangweilt die Wandbemalung und vertiefte sich in einen dort stehenden Spruch, der da lautete: Deutsches Essen, deutscher Wein – gibt's in der Welt bei uns allein! Warum nicht, dachte der Leutnant und gähnte herzhaft. Dann ließ er sich seine Rechnung bringen, unterschrieb sie und erklärte beiläufig, sie am Ersten bezahlen zu wollen, was der Kellner, der ihn kannte, völlig in Ordnung fand; erstaunt wäre er nur gewesen, wenn der Leutnant bezahlt hätte.

Bargeldlos war der Leutnant Wedelmann nicht. Er hatte nur keine Lust, sich frühzeitig zu verausgaben, denn das vor ihm liegende Wochenende war lang; und unklar war immer noch, wie er es verbringen würde. Außerdem hatte er beschlossen, zunächst einmal in die Excelsior-Bar zu gehen. Und dort bekam er keinen Kredit, obwohl er mit Inge, die in dieser Prunkbude hinter der Theke stand, vor noch nicht allzu langer Zeit sehr intim befreundet gewesen war. Jetzt war Inge böse auf ihn und verlangte Barzahlung.

Das »Excelsior« war so ziemlich das einzige Unternehmen am Ort, das barähnlichen Charakter trug. Inge und Erika bedienten, und Paul, der Inhaber, kassierte. Paul stand in dem Verdacht, homosexuell zu sein; aber das minderte seinen Umsatz nicht im geringsten. Die Männer, die in seinem Lokal verkehrten, kamen zumeist wegen Inge oder Erika; und sie fanden es wohltuend bei ihren fast immer erfolgreichen Bemühungen, nicht mit seiner Eifersucht rechnen zu müssen.

Für den Leutnant Wedelmann hatte Paul eine besondere Schwäche, womit zart angedeutet werden soll, daß der ihm sympathisch war. Paulchen näherte sich seinem lieben Gast erfreut und gab sich kameradschaftlich; denn auch er hatte gedient, war ein brauchbarer Soldat gewesen und behauptete oft und gerne, sich sehr wohl dabei gefühlt zu haben.

Wedelmann übersah den öligen Schleicher und setzte sich vor Inge auf einen Barhocker.

»Na, mein kleiner Leutnant«, sagte die, »läßt dich auch mal wieder bei mir sehen?«

»Nikolaschka«, forderte der, »mach mir einen Nikolaschka zurecht.«

»Auf meine Kosten, bitte«, warf Paul geschmeidig ein. »Ich freue mich, wenn Sie sich hier wohl fühlen, Herr Leutnant.«

Wedelmann fixierte Paul kühl, aber der grinste überaus freundlich. Inge lächelte spöttisch.

Und der Leutnant schüttelte sich ein wenig; dieser Bursche von der anderen Fakultät war ihm reichlich zuwider.

Er beugte sich über den Bartisch und fragte Inge, und zwar so laut, daß Paul es hören mußte: »Wie ist es mit uns beiden heute nacht?«

Wedelmann sah, daß selbst Inge derartig massive Deutlichkeiten mit unverkennbarem Erstaunen zur Kenntnis nahm. Auch er wunderte sich über eine so unmißverständliche Konversationsführung, die ihm sonst wahrlich nicht lag. Aber er fühlte sich durch diesen schleimigen Kerl herausgefordert. Und es bereitete ihm Genugtuung zu sehen, wie sich Paulchen konsterniert zurückzog.

Inge musterte den Leutnant unfreundlich. »Was ist mit dir los?« fragte sie. »Hast du den Kasernenhofkoller? Warum schaffst du dir nicht ein Mädchen an, das immer für dich da ist, wenn du vor lauter Kraft nicht mehr laufen kannst? Ich bin heute abend besetzt. Und außerdem habe ich keine Lust, mich wie ein Freudenmädchen von dir behandeln zu lassen. Du bist schließlich nicht der einzige Mann in diesem Nest – und Uniform tragen viele.«

Wedelmann trank seinen Nikolaschka aus und bestellte sich einen neuen. »Was willst du eigentlich?« fragte er. »Willst du geheiratet werden?«

»Aber doch nicht von einem Leutnant! Unter einem Major mache ich es nicht.«

Wedelmann winkte angewidert ab. »Schon gut«, sagte er, »schon gut!« Der Kopf war ihm schwer geworden, und er fühlte das dringende Bedürfnis nach frischer Luft. Er zahlte und ging.

Er ging durch die kühle Nacht und wußte nicht wohin. Er war müde geworden, gleichgültig, kam sich vor wie ausgepreßt. Er hatte keine Freunde, er hatte nur Kameraden, und die wieder bestanden aus Untergebenen und Vorgesetzten. Er hatte kein Mädchen; denn die, die er kannte, waren entweder langweilig und wollten geheiratet werden, oder sie hatten Temperament und waren teuer. Aber Liebe? Wer liebt schon einen Leutnant! Entweder sie lieben die Uniform mit, und das will er nicht, oder sie lieben die Uniform nicht, und dann können sie ihn auch nicht lieben.

Langsam schlenderte er auf die Artilleriekaserne zu. In einer Stehkneipe machte er Station, trank ein Bier und einen Korn in sich hinein. Er sah sich wie hilfesuchend um; aber niemand beachtete ihn. Er warf Geld auf den Tisch und ging weiter. Er erwog, sich eine Flasche Schnaps zu kaufen und sie zu Hause auszusaufen, bis er steif und leblos wie ein Brett in sein Bett fiel. Er zog auch in Erwägung, noch einen Blick in das Kasino zu werfen. Aber alles das befriedigte ihn nicht, denn er wollte nicht allein sein; und er wollte auch nicht mit Vorgesetzten zusammen sein, die dann automatisch zu bestimmen pflegten, was und wann er trinken durfte, und was und wann nicht.

Das Lokal »Bismarckshöh«, an dem er vorbeikam, war hell erleuchtet. Tanzmusik klang durch die Nacht, und laute, lärmende Stimmen verkündeten, daß sich die Gäste sauwohl fühlten. Irgendwo lachte ein Mädchen hellauf. Eine kräftige Stimme rief »Prost«. Dann verstummte die Musik und das Geschleife der Tanzenden, Applaus setzte ein, heftig und fordernd. Sofort spielte die Musik weiter, und noch einmal von der Schwalbe, die nach Helgoland fliegt, um der Liebsten einen Gruß zu bringen.

Kurz entschlossen ging der Leutnant Wedelmann auf das Lokal zu und betrat es neugierig. Er wurde, obwohl er in Zivil war, von dem Wirt, dessen Stammtisch sich in der Nähe des Eingangs befand, sofort erkannt. Der Wirt begrüßte ihn freundlich; aber er ließ geschickt durchblicken, daß er die Anwesenheit von Offizieren nicht gerade als stimmungsfördernd betrachtete. Er lud den Leutnant ein, an seinem Stammtisch Platz zu nehmen, wo bereits einige höhere Dienstgrade, unter ihnen Hauptwachtmeister Schulz, auf Kosten des Hauses tranken.

Wedelmann lehnte verbindlich ab. Er ging durch das Vorzimmer hindurch und betrat den Saal. Er sah in das rhythmische Gewoge der Tanzenden und spürte laue Zufriedenheit in sich aufkommen. Er blickte um sich und suchte einen Platz. Und dabei sah er den Gefreiten Asch allein an einem Tisch sitzen und den Tanzenden zuschauen.

Er ging auf den Gefreiten zu. »Ist hier noch ein Platz frei, Asch?« fragte er und gab sich Mühe, diese Frage mit großer Freundlichkeit zu stellen, was ihm fast mühelos gelang.

Asch sah zu ihm hoch, musterte kurz den Zivilanzug seines Vorgesetzten und schien zu überlegen, wie er sich zu verhalten habe. Dann sagte er sich, daß es das richtige sei, einfach sitzen zu bleiben und den vor ihm stehenden Mann in Zivil wie einen Zivilisten zu behandeln.

»Es ist Platz genug vorhanden«, sagte der Gefreite Asch und nahm einen kräftigen Schluck aus seinem Bierglas.

Das Restaurant »Bismarckshöh«, mit Kaffeegarten und Tanzsaal, war das anerkannte Verkehrslokal der I. Abteilung des Artillerieregiments. Es hatte mehrere Vorzüge, darunter einige rein örtlicher Natur: Es lag am Rande der kleinen Stadt, dort, wo die Hauptstraße zu Ende ging; es lag etwa vierhundert Meter vom Tor der Artilleriekaserne entfernt. Wer in der Stadt gewesen war und wieder in die Kaserne zurück wollte, mußte automatisch am Restaurant »Bismarckshöh« vorbei. Dieses Restaurant beherrschten die höheren Mannschaftsdienstgrade, die Gefreiten und die Obergefreiten. Kanoniere wurden wohlwollend geduldet, auch die Unteroffiziere durften sich hier ungestört aufhalten; beide Gruppen jedoch nur dann, wenn sie spürbar bestrebt waren, die Kreise der verdienstvollen Gefreiten und Obergefreiten nicht zu stören. Brachen sie dieses Gewohnheitsrecht, flogen sie unbarmherzig hinaus. Bei den Kanonieren besorgten das die Gefreiten und Obergefreiten handgreiflich. Bei störenden Unteroffizieren wurde der Wirt beauftragt, sie zu entfernen; und er zögerte nie, diesen Auftrag unverzüglich auszuführen. Er gab ihn an Emil, seinen Rausschmeißer, weiter; und Emil wurde mit jedem fertig, denn er war Preisringer von Beruf und immer froh, wenn er trainieren durfte.

Doch Zwischenfälle dieser Art waren verhältnismäßig selten, kaum mehr als zwei oder drei ereigneten sich an einem Abend. Nur am Samstag war erhöhter Betrieb und damit automatisch erhöhte Alarmbereitschaft, denn am Samstag wurde getanzt; Mädchen strömten aus allen Himmelsrichtungen herbei, Männer folgten ihnen, die lange Nacht lockte, und das Bewußtsein, am nächsten Tag keinen Dienst zu haben, machte unternehmungslustig. An diesen Samstagen hatten die Gefreiten und die Obergefreiten alle Hände voll zu tun, um ihre Position zu wahren: denn sie hatten nicht nur auf die niederen und höheren Dienstgrade zu achten, sondern auch auf das Benehmen der allerdings zumeist recht lahmen Zivilisten, und vor allem: auf das Verhalten Angehöriger fremder Truppenteile, hier Infanterie.

Die Gefreiten und Obergefreiten standen auf dem Standpunkt, daß ihnen ihr Stammlokal in gewisser Weise heilig sei. Sie waren gar nicht einmal organisiert, sie handelten hier ganz instinktiv. Sie kannten sich kaum, sie konnten sich zumeist nicht sonderlich leiden, aber wenn es darum ging, sich ihr Lokal zu sichern, hielten sie eisern zusammen. Sie fanden das ganz selbstverständlich: Die Offiziere hatten ihr Kasino, die Unteroffiziere verkehrten im Café Asch, und ihnen gehörte »Bismarckshöh«! Der Wirt hatte das zu respektieren, und der zögerte auch nicht eine Sekunde, auch die speziellsten Wünsche seiner Stammgäste zu erfüllen.

An jenem Samstag lag eine wüste Keilerei in der Luft, denn Infanterie in nicht unerheblicher Anzahl war in den Wirkungsbereich der Artilleristen eingesickert. Der Obergefreite Kowalski, der berühmteste Schläger des Standortes, durchkreuzte unruhig die Räume; er hatte seine derzeitige Braut unter Bewachung an seinem Tisch zurückgelassen und sammelte Kampfgenossen.

»Los, Asch«, sagte er, »mach dich fertig. Einige müssen an die frische Luft!«

Asch nickte nur. Er saß mit Elisabeth und mit Johannes Vierbein an einem Seitentisch. Elisabeth, dieselbe Elisabeth, die gewöhnlich in der Unteroffizierskantine bediente, hatte ihren freien Abend. Vierbein begleitete nur seinen Freund, den Gefreiten Asch. Und immer, wenn Herbert Asch mit Elisabeth tanzte, bewachte er die Biergläser; er war ganz zufrieden dabei und kümmerte sich nicht um die vielen Mädchen, die gekommen waren, um einen flotten Abend zu verleben. Er sah sie kaum; er dachte an Ingrid. Und wenn Elisabeth und Herbert tanzten und sich weit genug von ihm bewegten, dann holte er jenes Bild hervor, das er Ingrid entwendet, das er sich von Ingrid ausgeliehen hatte: ein graziöses Mädchen steigt im Badeanzug aus dem Wasser; es dehnt sich und legt eine Hand in den Nacken.

Nachdem sich Kowalski, der schlagkräftige Obergefreite, entfernt hatte, fragte Johannes Vierbein interessiert: »Was wollte er von dir?«

Elisabeth, ein wenig erhitzt vom Tanzen, mit großen, strahlenden Augen, lachte Asch zu: »Ich kann mir denken, was er will! Sie haben Durst und wollen ihn gemeinsam löschen.«

»Nehmen Sie das ruhig an«, sagte Herbert Asch und lächelte ihr zu. »Und während ich weg bin, wird mein Freund Johannes Vierbein mit Ihnen tanzen.«

»Kann ich dich nicht begleiten?« Vierbein schien gemerkt zu haben, daß sich irgend etwas zusammenbraute, und er wollte sich, kameradschaftlich veranlagt wie er war, Asch zur Verfügung stellen.

»Nein«, sagte der entschieden. »Du bleibst hier.« Und er fügte hinzu: »Wir können Fräulein Elisabeth nicht allein lassen!«

Vierbein forderte sie gehorsam zum Tanz auf. Und während sie tanzten, schaute Asch, allein zurückgeblieben, ihnen noch ein wenig zu. Er fand, daß Elisabeth eine prachtvolle Person war; prachtvoller als alle, die er bisher getroffen hatte. Dann, durch ihren Anblick gestärkt, wollte er sich erheben, um dem Obergefreiten Kowalski die geforderte Waffenhilfe zu gewähren.

In diesem Augenblick erschien der Leutnant Wedelmann in Zivil, erkundigte sich, ob noch ein Platz frei sei, erhielt nach einigem Zögern eine positive Antwort und setzte sich dann.

Der Leutnant fingerte an dem ein wenig eng sitzenden Kragen seines blauen Sporthemdes herum. »Was ich noch sagen wollte, Asch – ich bin hier privat, ganz privat. Das wollte ich Ihnen sagen. Machen Sie also kein Aufsehen.«

»Ich hatte auch nicht die Absicht, Herr Leutnant«, sagte Asch ruhig.

»In Ordnung«, sagte Wedelmann. Und irgendwie war ihm diese Situation ein wenig peinlich: Ein Leutnant in Zivil biedert sich bei einem Gefreiten an und bittet um dessen Verständnis. Aber man könnte ja auch sagen: Ein Leutnant in Zivil beweist seine Verbundenheit – Kameradschaftsgeist! – mit den Mannschaftsdienstgraden und versucht, Verständnis zu finden. Aber alles das ist Quatsch! Und das allein ist die Wahrheit: Er hat sich einsam gefühlt und will unter Menschen sein. Er hat jetzt nur noch nötig, zu vergessen, daß er sich unter Untergebenen befindet.

»Herr Leutnant«, sagte der Gefreite Asch, nachdem er dem Obergefreiten Kowalski zugenickt hatte, der wartend am Saaleingang stand, »ich würde Ihnen raten, sich in Zivil auch entsprechend zu benehmen.«

»Wie soll ich das verstehen, Asch?« Der Leutnant Wedelmann war wirklich ehrlich bemüht, das hier dringend notwendig erscheinende Verständnis aufzubringen. Leicht fiel ihm das aber nicht. Die verteufelte Situation war schuld daran! Er war in Zivil und doch Leutnant; er wollte Zivilist sein und konnte dennoch seinen Leutnant nicht vergessen machen. Er gab sich aufrichtig Mühe, nicht darauf zu achten, daß sich der Gefreite völlig unvorschriftsmäßig mit ihm unterhielt; aber er vermochte dennoch nicht, es zu überhören.

»Ich will damit folgendes sagen, Herr Leutnant. Es ist nicht gut, sich in irgend etwas einzumischen, wenn man Zivil trägt. Man sollte lieber froh darüber sein, daß man gerade keine Uniform anhat, sich aus allem heraushalten und so tun, als ginge einen das Ganze nichts an.«

»Das verstehe ich nicht, Asch.«

»Noch nicht, Herr Leutnant. Aber sicherlich dauert das nicht lange. Mein Rat ist bestimmt nicht schlecht: Bier trinken, tanzen, sich als Zivilist benehmen! Man erspart sich einiges dadurch, möglicherweise!«

Der Leutnant verstand den Gefreiten wirklich nicht; aber er glaubte deutlich zu spüren, daß er ihm wohlgesinnt war. Das erfreute Wedelmann. Auch er war dem Gefreiten wohlgesinnt. Netter Kerl, dachte er, ist nicht ganz so wie die anderen; der ist kein Automat, keine Nummer, kein Kamerad Schnürschuh; der ist eine richtige Persönlichkeit. Vielleicht brauchbares Offiziersmaterial! Kann man das so genau wissen? Jedenfalls, beschloß er, werde ich in Zukunft auf ihn achten. Die Zeit tendiert dazu, auch Offiziere zu dulden, ja geradezu zu fördern, die ohne Abitur, Unteroffiziers- und Mannschaftskreisen entstammten.

Der Gefreite Asch entfernte sich. Der Leutnant saß nicht lange allein. Als der Tanz zu Ende war, kehrte Vierbein mit Elisabeth an den Tisch zurück. Der Kanonier war verlegen, als er seinen Leutnant erkannte.

»Erlauben, Herr Leutnant«, wollte er beginnen.

Aber Elisabeth sah nicht ein, warum kompliziert geschehen sollte, was mit einer kurzen Erklärung zu erledigen war. »Es ist unser Tisch«, sagte sie. »Wir sitzen hier mit Herrn Asch.«

Der Leutnant hatte sich erhoben; er benahm sich fast so wie im Kasino, verbeugte sich vor Elisabeth und sagte: »Selbstverständlich. Aber der Gefreite Asch hat mir auf meine Bitte diesen Stuhl überlassen, und ich hoffe, Sie haben nichts dagegen.«

»Nein«, sagte Elisabeth gedehnt und sehr hoheitsvoll.

Wedelmann wollte Konversation machen; aber ehe er noch so richtig damit anfangen konnte, kam im Vorraum, dort, wo sich der Ausschank befand, mächtiger Lärm auf: Die Schlägerei hatte begonnen! Sofort setzte die Musik mit übergroßer Lautstärke ein, und die restlichen Gefreiten und Obergefreiten verließen eilig den Saal.

Der Leutnant wollte aufspringen. Aber dann fiel ihm ein, was gerade vorhin der Gefreite Asch zu ihm gesagt hatte. Er überlegte ein wenig, was zu geschehen habe. Dann stand er entschlossen auf. Aber er begab sich nicht auf das Wochenend-Schlachtfeld, er verbeugte sich vor Elisabeth und fragte an, ob er um den nächsten Tanz bitten dürfe. Elisabeth sagte ihm: Er dürfe bitten. Und das tat er dann auch.

Inzwischen hatte der Obergefreite Kowalski seine Streitkräfte nahe an den Sieg herangeführt. Und seine Hilfstruppen, bestehend aus Wirt, Rausschmeißer und Garderobenfrauen, taten alles, was in ihrer Macht stand, damit der Kampf so schnell wie möglich beendet werden konnte.

Es hatte, wie immer, recht harmlos begonnen. Kowalski und die Seinen versammelten sich in Gruppen, umkreisten die ahnungslosen Infanteristen, genehmigten sich zwischendurch zur Stärkung schnell noch ein Schnäpschen. Einige, sofern sie einen Gürtel trugen, zogen sich vorsorglich die Hosen hoch. Andere öffneten die Haken am Uniformkragen.

Dann begann der Obergefreite Kowalski mit den diplomatischen Vorbereitungen für seinen Blitzkrieg. Er eckte den ersten besten Infanteristen an, stellte sich vor ihm auf und rief: »Von dir lasse ich mich nicht beleidigen, du Fußlappensoldat!«

Nach diesen einleitenden Worten war für Eingeweihte schlagartig klar, daß sich ein Gewitter zu entladen drohte. Sofort wurden die notwendig gewordenen vorbeugenden Maßnahmen allerseits getroffen: Die anwesenden Unteroffiziere strebten eilig, je nach Temperament oder nach Dringlichkeit, in den Tanzsaal oder in die Toilette; das ungeschriebene Gesetz des Stammlokals für Gefreite und Obergefreite verbot ihnen jede Beteiligung, und ferner war es aus Gründen der Disziplin ratsam, hier nicht Zeuge zu werden. Der Wirt räumte schleunigst die Theke ab und brachte seine wertvollsten Flaschen in Sicherheit. Der Rausschmeißer öffnete die Flügel der Ausgangstür weit und riegelte sie fest. Die Garderobenfrau schichtete alles auf, was der Infanterie gehörte.

Nur der angepöbelte Infanterist und seine Kameraden hatten noch nicht ganz gemerkt, was hier gespielt werden sollte. »Wer beleidigt dich denn?« fragte er zurück und wollte an Kowalski vorbei.

»Du beleidigst mich!« schrie Kowalski in Kampfesstimmung. »Deine Fresse beleidigt mich!«

Der Infanterist schüttelte den Kopf und unternahm einen erneuten Versuch, an Kowalski vorbeizukommen. Ein anderer Infanterist schob sich auf die beiden zu. »Was ist hier los?« fragte er drohend. »Sucht ihr etwa Streit, ihr Pferdeäpfelsammler?«

»Das verbitte ich mir!« rief Kowalski in heiligem Zorn. »Wir sind motorisiert!«

Weitere Infanteristen mischten sich ein, die Artilleristen drängten sich in Stoßkeilen zwischen sie. Langsam bildete sich ein gefährlicher Knäuel.

Einer von der Infanterie erfaßte plötzlich, worum es ging. »Ihr wollt uns hier 'rausschmeißen!« sagte er; und er hatte sogar noch Geistesgegenwart genug, so zu tun, als verwundere ihn das sehr.

Kowalski strahlte. »Du hast es erfaßt!« sagte er und ging auf ihn zu. »Und deshalb fliegst du auch als erster!«

Einer versuchte einzulenken. »Kameraden«, rief er, »seid doch vernünftig! Was soll das? Wir können doch hier genausogut Bier trinken wie ihr auch.«

Kowalski stellte sich in Positur. »Was ihr könnt und was ihr nicht könnt«, rief er, »das bestimmen in diesem Lokal allein wir. Aber wenn ihr eine Aufklärung braucht, dann sollt ihr sie haben: Vor genau drei Wochen wurde einer von unseren Gefreiten in eurem Lokal am Hirschgraben blutig geschlagen und 'rausgeworfen.«

»Er hat sich auch entsprechend benommen!«

»Und wir lassen es erst gar nicht dazu kommen, daß ihr euch entsprechend benehmt!« Und der bärenstarke Kowalski hob den ersten besten Infanteristen hoch und schleuderte ihn auf die Tür zu. Dort übernahm ihn Emil, der Rausschmeißer, und transportierte ihn weiter wie ein Postpaket.

Das war das Signal! Und sofort brodelte die Schlacht im Schankraum auf. Holz splitterte, Männer keuchten, Mädchen kreischten, Kommandostimmen ertönten, Füße trampelten über das Parkett, und von Zeit zu Zeit schlug irgendwo ein Körper dumpf auf. Im Tanzsaal produzierte die Musik Lärm.

In knapp zehn Minuten war alles erledigt. Das Stammlokal der Artillerie war frei von Infanteristen. Die Gefreiten und Obergefreiten genossen ihren Sieg nicht ohne männliche Würde; daß sie eindeutig in der Übermacht gewesen waren, hatten sie einfach übersehen oder doch sehr schnell vergessen. Und die Unteroffiziere, die wieder zurückkehrten, sparten nicht mit Anerkennung.

Nur der Hauptwachtmeister Schulz schaute grimmig drein und nahm keinen Anteil an dem Sieg seiner Waffenfarbe; er hatte sich schwer ärgern müssen und legte Wert darauf, das deutlich zu zeigen. Als er vor Ausbruch der Schlägerei den Stammtisch des Wirtes verließ, hatte er das Tanzbein schwingen wollen. Er wußte auch schon mit wem. Doch bevor es ihm noch gelang, Elisabeth aufzufordern, war die schon mit dem Kanonier Vierbein – ausgerechnet mit diesem Kanonier! – auf der Tanzfläche.

Und dann besann er sich darauf, daß ihm der Unteroffizier Lindenberg eine Meldung gemacht hatte, wonach der Gefreite Asch behauptet haben soll, der Kanonier Vierbein hätte erklärt, daß heute ein Handballspiel stattfinde. Aber das Handballspiel fand erst in zwei Wochen statt! Somit war eine Irreführung von Vorgesetzten durch einen Untergebenen einwandfrei erwiesen; worauf er diesen Kanonier Vierbein sofort in die Kaserne zurückschickte. Auf der Stelle. Vom Tanzboden weg!

Peinlich war nur, daß Elisabeth sich trotzdem weigerte, mit ihm zu tanzen. Und noch peinlicher war, daß an ihrem Tisch der Leutnant Wedelmann in Zivil saß und ihn reichlich kühl fixierte.

Ja, zum Teufel, hatte denn niemand von diesen Leuten Verständnis für Disziplin!

Elisabeth Freitag war ein hellwaches Menschenkind, ausgestattet mit einer tüchtigen Portion gesunden Mißtrauens. Sie war zweiundzwanzig Jahre alt und hatte gelernt, daß Männer viel unterschiedlicher sind, als Frauen gemeinhin in Erfahrung bringen; das selbst dann noch, wenn sie alle ein und dieselbe Uniform trugen. Elisabeth sah auf das Gesicht und die Hände, auf den Gang und auf die Handschrift. Aus diesen und vielen anderen Einzelheiten setzten sich die Bilder zusammen, die sie sich von den Männern machte. Doch in ihre Galerie gelangten nur wenige, sorgfältig ausgesuchte Exemplare.

Ihr Vater war Werkmeister bei der Eisenbahn; ein kleiner Mann mit fuchsklugem Gesicht, ein Spezialist mit langjährigen Erfahrungen, ein Sozialist aus Einsicht, ein Bastler aus Leidenschaft. Ihre Mutter war Hebamme; eine große, robuste Frau, voller Güte und Ergebenheit ihrem Manne gegenüber. Beide hatten sich mit viel Zähigkeit und nicht wenigen Entbehrungen ein Häuschen zusammengespart. So manch eine Lokomotive im Reichsbahnausbesserungswerk verdankte Vater Freitag ihr langes Dasein; fast die gesamte junge Generation des aufblühenden Provinzstädtchens hatte Frau Freitag aus Mutterleibern hervorgeholt.

Die ältere Schwester Elisabeths hatte vor zwei Jahren geheiratet; einen soliden Möbeltischler, der nicht nur ein Meister in seinem Fach, sondern auch ein vorbildlicher Ehemann war. Der jüngere Bruder diente sein zweites Jahr bei den Panzertruppen in Königsberg ab. So kam es, daß Elisabeth ein Zimmer für sich alleine besaß. Es wurde ihr, gemeinsam von Vater und Mutter, leer übergeben; sie durfte es ausstatten, wie sie es wollte. »Denn«, pflegte der alte Freitag zu sagen, »du mußt früh genug lernen, dir dein Leben nach deiner Façon zu gestalten. Niemand bleibt ewig ein Kind.«

Die Eltern ließen ihr jede erdenkliche Freiheit. »Ich weiß, du wirst sie nie mißbrauchen!« hatte der Vater, wie beiläufig, gesagt. Er und Mutter, beide hatten unermüdlich dafür gesorgt, daß ihre Tochter mit gesunden und klug gezügelten Gedanken aufwuchs. »Das Leben, Elisabeth, ist kein Kinderspiel; es kann brutal sein, und es ist gut, das zu wissen. Gewiß, das Leben kann auch schön sein; aber damit wird man immer fertig!«

Sie hatten nichts dagegen, als Elisabeth eines Tages erklärte, sie beabsichtige, eine Stellung in der Kantine I des Artillerieregiments zu übernehmen. Der Lohn sei gut, die Arbeit nicht übermäßig schwer, die Arbeitszeit genau geregelt, und außerdem befinde sich der Arbeitsplatz nicht allzu weit vom Freitag-Haus entfernt. »Warum nicht«, sagte der alte Eisenbahner. »Mit den Männern wirst du fertig!«

Sie wurde mit den Männern fertig, indem sie sich nicht mit ihnen einließ. Den Kantinenpächter Bandurski befriedigte das sehr. In seiner Praxis hatte es sich herausgestellt, daß es eigentlich immer nur zwei Möglichkeiten in diesem Gewerbe gab: mit jedem ins Bett gehen oder mit keinem. Nur das niemals: einen oder zwei bevorzugen und damit den stattlichen Rest verstimmen!

Elisabeth tat ihre Arbeit genauso unbeirrt und mit unpersönlicher Zuverlässigkeit, wie andere Wäsche wuschen oder Fließbandarbeit verrichteten. Sie hielt ihre Augen auf und sich zurück. Und wenn sie näher hinsah, sah sie stets den Menschen und niemals die Uniform. Genauso war das auch mit dem Gefreiten Herbert Asch: Der erinnerte sie teilweise an den Vater und auch teilweise an die Mutter; von dem einen hatte er die versteckte Intelligenz, von der anderen die gesunde Robustheit.

Sie hatte sich in ihn verliebt; ganz einfach, ganz klar, völlig unkompliziert. Sie sagte ohne jede Ziererei »ja«, als er fragte, ob sie mit ihm ausgehen wolle. Sie hatten einen Spaziergang gemacht und dann zusammen Abendbrot gegessen. Später fuhren sie im Boot eine Stunde lang auf dem Schloßteich herum und sprachen dabei vom Wetter, von ihrer Kindheit und von der Liebe im allgemeinen.

Dann trafen sie mit Johannes Vierbein zusammen. Der kam aus dem Kino, wo er den »Maulkorb« gesehen hatte. Gemeinsam gingen sie dann in das Lokal »Bismarckshöh«. Hier tanzten sie und tranken Bier; redeten reichlich dummes Zeug, um nicht zu verraten, wie ernsthaft sie aneinander dachten. Ihre Stimmung war prachtvoll.

Elisabeth fand das ganz selbstverständlich. Es war ihr gleich, wo sie sich aufhielt, wenn sich nur Herbert Asch in ihrer Nähe befand. Die vielen Uniformen störten sie nicht; sie sah sie kaum. Sie sah junge, lachende Gesichter; sie hörte helle Stimmen, die versuchten, männlich zu klingen. Um sie war Heiterkeit; aber diese Heiterkeit kannte die glückliche und still zufriedene Gelassenheit nicht, wie sie etwa bei Vater Freitag üblich war. Das Leben, das sie jetzt, in diesem Augenblick, um sich spürte, pulste schnell und stoßweise und war heiß und drohte hemmungslos überzuschäumen.

Asch umgab sie mit einer rauh zu nennenden Zärtlichkeit; unbeholfen war er und heftig. Doch an ihm störte sie das nicht. Sie zögerte nicht, zu zeigen, wie sehr sie ihm zugetan war. Sie lag fest in seinem Arm, und ihre Augen blickten ihn an ohne Scheu.

Sie tanzte auch mit Johannes Vierbein, als Asch dem Rufe Kowalskis gefolgt war und sich in den Vorraum begab. Sie wußte auch von Herbert Asch, daß Vierbein, offenbar hoffnungslos und sehr unglücklich, in Ingrid, die Schwester des Gefreiten, verliebt war, über die sie wenig schmeichelhafte Dinge gehört hatte. Und sie fühlte sich veranlaßt, nett zu Vierbein zu sein, Herberts wegen.

Der Leutnant in Zivil, der dann an ihrem Tisch saß, störte sie wenig. Sie kannte ihn flüchtig von der Kaserne her und fand ihn nicht unsympathisch. Und als Wedelmann keine Anstalten machte, den unterhaltsamen Abend durch dienstliche Redensarten zu trüben, wurde er mit Wohlwollen geduldet.

Anders, ganz anders, war das mit Schulz, dem Hauptwachtmeister. Sie hatte bisher nicht übermäßig viel gegen ihn einzuwenden gehabt; er war ihr sogar herzlich gleichgültig gewesen. Aber als er sie und Vierbein mitten im Tanz aufhielt, sich vor sie stellte und ungeniert Forderungen vortrug, wurde sie unwillig. Und als er gar Vierbein von ihrer Seite weg mit großen Worten in die Kaserne schickte und obendrein wagte, sie übergangslos zum Tanz aufzufordern, wurde sie wütend. Sie funkelte ihn wild an und ließ ihn stehen.

Sie ging an den Tisch zurück, an dem Wedelmann und Asch saßen. Herbert fragte: »Wo haben Sie Vierbein gelassen, Elisabeth?«

Und sie sagte empört: »Er wurde in die Kaserne zurückgeschickt. Auf der Stelle. Von Hauptwachtmeister Schulz. Was sind das für Methoden!«

Der Leutnant Wedelmann gab sich ehrlich Mühe, sie zu beruhigen. »Das ist doch weiter nicht schlimm«, sagte er. »Das kommt jeden Tag vor!«

»Leider«, sagte Asch.

»Ach, das soll man nicht so tragisch nehmen!« Der Leutnant machte eine wegwerfende Handbewegung.

Der Gefreite schloß sich dieser Meinung nicht an. Er sagte: »Wir nehmen es zu leicht.«

»Es ist eine Frage der Disziplin«, sagte der Leutnant.

»Der Anständigkeit!«

Wedelmann sah unwillig auf. Er fand, daß diese Formulierung ein wenig zu weit ging. Er besann sich auf seinen Rang; das geschah mühsam, und es war deutlich zu merken, wie unangenehm ihm das war. »Wollen Sie etwa damit sagen«, fragte er, »daß sich der Hauptwachtmeister unanständig benommen hat?«

»Nein, Herr Leutnant!« Das kam prompt und mit der gewohnten Kasernenhofdeutlichkeit. Asch zog es vor, keine irgendwie gearteten Dienstgespräche mit dem Leutnant in Zivil zu führen. Denn es zeigte sich doch immer wieder erstaunlich schnell, wie sinnlos derartige Versuche waren. Sie können nicht vergessen, was sie darstellen sollen – man muß Nachsicht mit ihnen haben!

Der Gefreite Herbert Asch erhob sich, machte eine knappe Verbeugung vor Elisabeth und bat sie, mit ihm zu tanzen. Die stand sofort auf. Sie ließen den Leutnant allein.

Wedelmann blieb leicht verärgert zurück; und zwar ärgerte er sich über sich selbst. Und je mehr er sich darüber klar wurde, um so heftiger wurde dieser Ärger. Er fühlte, daß er unrecht hatte. Nicht seine Gedanken waren unrichtig, die nicht, aber die wenig verbindliche, fast schon fordernde Form, in der er mit dem Gefreiten gesprochen hatte, hätte vermieden werden müssen. Schließlich war er außer Dienst, obendrein hatte er Zivil an, und dann saß er hier mit Menschen an einem Tisch, die ihn freundlich aufgenommen hatten. Das alles verpflichtete ihn zu einer gewissen Großzügigkeit.

Außerdem, so fand er, hatte sich diesmal der Hauptwachtmeister Schulz tatsächlich eine Eigenmächtigkeit besonderer Art geleistet, die er zwar als Vorgesetzter decken mußte, schon um die Disziplin nicht zu gefährden, die er aber entschieden mißbilligte. Gründe hin und Gründe her – das macht man nicht! Das kann in der Kaserne bereinigt werden; der Tanzboden ist wahrlich nicht der richtige Ort dafür.

Natürlich hat auch der Gefreite Asch von seinem Standpunkt aus nicht ganz unrecht. Aber etwas mehr Hang zum bedingungslosen Gehorsam würde ihm bestimmt nichts schaden. Schließlich ist der Hauptwachtmeister sein Vorgesetzter und untersteht keinesfalls seiner Kritik, ob sie nun berechtigt sein mag oder nicht. Das ist schon eher, sagte sich Wedelmann, meine Angelegenheit!

Der Leutnant erhob sich entschlossen, schob sich durch das Gewühl der Tanzenden hindurch und begab sich in den großen Vorraum, in dem die Theke stand. Und dort sah er auch, am Stammtisch des Wirtes, den Hauptwachtmeister Schulz behäbig und spürbar mißgelaunt dasitzen. Er winkte ihn zu sich.

Schulz baute sich vor ihm auf und sah in fragend an.

»Hören Sie«, sagte der Leutnant, »mir scheint, Sie haben etwas zuviel getrunken. Es wird langsam Zeit, daß Sie nach Hause gehen.«

»Jawohl«, sagte der Hauptwachtmeister konsterniert, und seine Augen begannen böse zu funkeln. »Jawohl, Herr Leutnant!«

Wedelmann wandte sich ab und ging in den Saal zurück. Er fühlte sich gar nicht wohl und kam sich keinesfalls vor wie ein Held. Er verspürte nicht die geringste Erleichterung. Er hatte den Hauptwachtmeister unmißverständlich in seine Schranken zurückgewiesen; nach alter Erfahrung war das von Zeit zu Zeit nötig. Aber diesmal befriedigte ihn dieses Unternehmen noch weit weniger als sonst. Gewiß, er hatte den Spieß mit seinen ureigenen Methoden geschlagen – doch gerade das war ihm peinlich. Und er hatte sich überdies sogar zu fragen, ob das nicht vielleicht sogar gefährlich werden könnte.

Er begab sich mit leicht gesenktem Kopf an seinen Tisch zurück, zu Elisabeth und Herbert Asch. Er trank in langen Zügen sein Bier aus. Nette Leute, diese beiden, fand er. Fast könnte man sie beneiden. Bei mir ist alles so fürchterlich kompliziert – die aber verstehen es, sich das Leben mit Selbstverständlichkeit angenehm zu gestalten. Bei ihnen ist alles klar und einfach – wer weiß, ob sie mich verstehen werden? Und dann machte er Anstalten, sich zu erklären.

»Sehen Sie, lieber Asch«, sagte er, »eine Wehrmacht kann doch nur dann funktionieren, wenn Befehle, gleich welcher Art, respektiert werden, und zwar bedingungslos.«

»Auch sinnlose Befehle?« fragte Asch.

»Natürlich«, sagte der Leutnant. Doch war er nicht ganz überzeugt von dem, was er sagte. Und so führte er, um seine Unsicherheit zu überspielen, eifrig aus: »Es gibt gar keine sinnlosen Befehle, bestimmt nicht. Aber es gibt Befehle, die sinnlos erscheinen! Aber das kann der, der die Befehle empfängt, niemals beurteilen. Sehen Sie: Prinzip ist, daß Vorgesetzte Befehle erteilen, aber es nicht nötig haben, sie zu erklären – ich bitte Sie, lieber Asch, wo kämen wir denn da hin! Unbedingter Gehorsam wird immer die erste Forderung sein. Jeder Befehl wird ausgeführt!«

»Und wenn ein Befehl eine glatte Schikane ist?«

»Dann muß er trotzdem ausgeführt werden!« Wedelmann war ganz in seinem Element; es war, als halte er Unterricht und verspürte deutlich, daß er allein schon deshalb überzeugen müsse, um letzten Endes nicht lächerlich zu wirken. »Befehl ist Befehl! Und wenn er wirklich eine Schikane war, was gelegentlich durchaus möglich sein kann, dann hat der Soldat immer noch das Recht, sich nachher – nachher, lieber Asch! – darüber zu beschweren.«

»Haben Sie schon einmal eine Beschwerde erlebt, Herr Leutnant? Oder gar eine Beschwerde, der stattgegeben wurde?«

»Nein«, gestand Wedelmann. Und er fügte eifrig hinzu: »Aber überlegen Sie doch mal, an wem das liegt. An uns etwa? Bestimmt nicht. Es beschwert sich keiner! Und das zeigt doch deutlich, daß zumeist gar kein Grund zu einer Beschwerde vorliegt!«

Asch schüttelte den Kopf. »Ich sehe das ein wenig anders, Herr Leutnant. Aber ich habe im Augenblick keine rechte Lust, Mißverständnisse zu vergrößern.«

Elisabeth hielt es für richtig, diese nicht unbedenklichen Gespräche zu unterbrechen: »Wozu sind wir eigentlich hier?« fragte sie vorwurfsvoll. »Ich finde, ein Tanzlokal ist nicht der richtige Ort für Kasernenhofplaudereien. Oder gibt es für Sie alle nur dieses eine Thema?«

»Natürlich nicht«, sagte der Leutnant liebenswürdig.

»Gott sei Dank nicht!« sagte Asch. »Wollen wir tanzen?«

»Gerne!«

»Und ich will nicht weiter stören. Ich muß in die Kaserne zurück.« Wedelmann erhob sich. »Wie recht Sie haben«, sagte er zu Elisabeth, und seine Stimme klang resigniert und war durchwoben von Traurigkeit. »Mir scheint, Sie haben instinktiv erkannt, was wir gerne vergessen wollen. Und auch manchmal vergessen müssen. Amüsieren Sie sich gut!«

Die Kaserne schlief nie. Des Nachts war sie wie ein riesiges, unruhiges Tier, das jederzeit seine Augen aufschlagen und zuspringen konnte. Langgestreckt lag sie da, die Artilleriekaserne: sechs Blöcke aus Stein, Fenster darin, von denen einige erleuchtet waren. Das Licht zeigte nicht nur die Stuben an, in denen sich nach Zapfenstreich heimgekehrte – heimgekehrte? – Soldaten auszogen, noch schnell etwas aßen, Erlebnisse austauschten, Reste Alkohol in sich hineingossen. Das Licht lag auch auf den langen Korridoren, brannte noch in den Zimmern der Unteroffiziere vom Dienst und im Wachlokal. Und eine Laterne leuchtete am Kasernentor, wo ein Posten die Urlaubsscheine kontrollierte.

Der Kanonier Vierbein ging langsam auf die Kaserne zu. Er fragte sich, ob er wütend zu sein habe, wütend auf diesen Kerl von Hauptwachtmeister, der ihn mitten vom Tanzboden weg in die Kaserne geschickt hatte. Dann fragte er sich, ob er Angst haben müsse, eben weil der Hauptwachtmeister Schulz etwas Derartiges getan hatte. Aber er vermochte nicht, sich eine dieser beiden Fragen richtig zu beantworten. Er dachte: Heute ist Samstag, morgen ist Sonntag und erst übermorgen wieder ist Dienst. Wer weiß, was Montag ist! Er wunderte sich über derartige Gedanken – sie hätten von Asch sein können.

Er grüßte jeden, der ihm begegnete, jeden, den er überholte, jeden, den er stehen sah. Er wollte nicht riskieren, noch einmal wegen »Mißachtung eines Vorgesetzten« scharf gerügt oder gar aufgeschrieben zu werden. Vorbildlich grüßte er einen Unteroffizier, der an einem Baum stand, und dessen Tressen nur noch matt durch das Dunkel schimmerten. Der Unteroffizier erwiderte den Gruß nicht; vermutlich hatte er ihn gar nicht bemerkt, und wenn er ihn bemerkt hatte, war er gar nicht in der Lage, ihn zu erwidern. Denn der Unteroffizier hatte sich gegen ein Mädchen gedrückt, und seine Hände tasteten es entdeckungsfreudig ab.

Vierbein tat, als sehe er so etwas nicht. Er wollte es seinen Gedanken nicht gestatten, sich damit zu beschäftigen. Das widerte ihn an! Er zwang sich, an Ingrid zu denken, an Ingrid Asch, an jenes Bild, das er in seiner Brusttasche trug: Wie rein alles war, was mit ihr zusammenhing, wie klar, wie sauber; wie Wasser und Sonne, wie der See, in dem Ingrid gebadet hatte, und wie die Wälder, die ihn umstanden und die Ingrid gesehen hatten. Und darüber war ein Himmel wie ein Tuch; und er wünschte, dieser Himmel würde nur sie beide zudecken.

»Soll ich dir Beine machen!« rief der Posten am Tor. »Immer kleckerweise kommt ihr Kerle! Kein Schwanz nimmt Rücksicht!«

»Hier ist mein Urlaubsschein«, sagte Vierbein. »Sonntagsurlaub.«

»Quatsch keine Opern, Mensch!« sagte der Posten unwillig. »Daß das ein Sonntagsurlaubsschein ist, sehe ich. Was willst du noch? Hau ab!«

»Ich will«, sagte Vierbein verlegen, »daß mir der Wachunteroffizier die Uhrzeit meines Eintreffens aufschreibt.«

»Warum?«

»Ich habe Befehl bekommen, mich sofort in die Kaserne zurückzubegeben.«

Der Posten, ein Gefreiter, sah ihn mitleidig an. »Mensch!« sagte er bloß. »Schön ist das nicht. Komm mit.«

Der Wachunteroffizier schlief im Sitzen. Der Gefreite weckte ihn, und Kanonier Vierbein äußerte erneut seinen Wunsch, die genaue Uhrzeit seines Eintreffens auf dem Urlaubsschein nachweisen zu können. Der Unteroffizier nickte ungehalten, sah nach der Uhr, schrieb eine Zahl, schrieb seinen Namen und Dienstgrad dazu, dann legte er den Kopf wieder auf den Tisch und schlief nahezu übergangslos im Sitzen weiter.

Johannes Vierbein ging auf den Block der 3. Batterie zu. Er ging jetzt noch langsamer als vorher. Was ist das doch für ein Leben, dachte er: Der Vorgesetzte befiehlt, und du hast zu gehorchen; wie sein Befehl lautet, ist gleichgültig; führst du ihn nicht aus, so ist das Befehlsverweigerung. Und auf Befehlsverweigerung steht Kriegsgericht. Aber gut, er hat den Befehl ausgeführt, das Kriegsgericht vermieden, vorerst wenigstens – denn wer weiß schon, was noch nachkommt! Jetzt befindet er sich in der Kaserne!

Im übrigen ist es gut, sagte er sich, daß er das Lokal verließ. Er hätte es nie betreten dürfen; Ingrids wegen nicht. Er hätte, als er Ingrid verließ, sofort nach Hause – sofort in die Kaserne gehen müssen. Ingrid schläft jetzt; er durfte sich nicht während dieser Zeit in Vergnügungslokalen aufhalten. Und wie hatte doch der Vater immer gesagt? Wer weiß, wozu es gut ist! – das hat er gesagt. Und er hatte recht! Es war gut, daß er durch den Hauptwachtmeister Schulz ganz einfach aus dem Tanzlokal gejagt worden war.

Welch eine Nacht! Der Himmel stand hoch und schimmerte blau, wie ein behutsam angestrahltes Tuch aus dunkler schwerer Seide. Die Luft war hauchzart und wehte ihn an wie der Atem eines geliebten Mädchens. Das Kasernentor klirrte. In der Ferne grölten ein paar Betrunkene. Eine Spülung wurde in Tätigkeit gesetzt.

»Sind Sie das, Herr Vierbein?« Die Stimme, die ihn zögernd anrief, kam aus dem Fenster der Hauptwachtmeisterwohnung.

Johannes, der vor dem Eingang zum Batterieblock stand, sah hoch. Er konnte die Umrisse einer Frau erkennen, die sich weit aus dem Fenster lehnte. Es war Lore Schulz, die Frau des Hauptwachtmeisters.

»Guten Abend«, sagte Johannes Vierbein. Er wußte nicht recht, ob er weitergehen sollte. Die Stimme der Frau hatte sehr freundlich geklungen; und nicht nur das, auch behutsam, vorsichtig, und so, als gehe es ihr nicht gut. »Es ist eine sehr schöne Nacht.«

»Kommen Sie doch ein wenig näher«, sagte Lore, »wenn Sie noch Zeit haben; für mich Zeit haben.«

Vierbein, eingewoben von den Gedanken an die Nacht und an ein Mädchen, an die Haut und den Atem dieses Mädchens, an Mädchenhaut überhaupt, kam dieser Aufforderung nach. Er verließ den Zementweg, der von der Fahrbahn zum Batterieblock führte. Er begab sich auf den Rasenstreifen, der um das ganze Gebäude herumlief. Er sah hoch, auf das weitgeöffnete Parterrefenster, durch das sich Lore zu ihm herunterbeugte.

Lore zitterte nach Zärtlichkeit; und in dieser Nacht war Zärtlichkeit für sie schon eine Stimme, die ihr gefiel, ein Mensch, der zu ihr aufsah, ein Körper, den sie riechen konnte, wenn sie tief einatmete. Und sie atmete ganz tief ein.

»Waren Sie tanzen?« fragte sie. »Mit Ihrem Mädchen!«

»Aber nein!« sagte Johannes.

»Das glaube ich Ihnen!« Lore war glücklich, daß sie jemanden gefunden hatte, der sich mit ihr unterhielt. »Sonst wären Sie ja auch nicht so früh zurückgekommen. Oder haben Sie überhaupt kein Mädchen?«

Lore Schulz war nicht beleidigt, als ihr Vierbein hierauf keine Antwort gab. Sie fand sogar, daß diese nicht gegebene Antwort eine gute Antwort sei. Sie lachte leicht auf. Und verwundert horchte sie ihrem Lachen nach. Ich kann noch lachen, sagte sie sich, obwohl ich keinen Grund dazu habe. Nicht den geringsten Grund, froh zu sein, habe ich.

Schulz, ihr Mann, hatte sie eingeschlossen, einfach eingeschlossen. Sie hatte versucht, zu trinken, aber das bekam ihr nicht. Dann hörte sie Radio, aber das Programm war eintönig, und alle Sender hatten das gleiche Programm. Hierauf gab sie sich Mühe, den seit Wochen fälligen Brief nach Hause zu schreiben, aber über »Meine Lieben, es geht mir, wie immer, gut«, kam sie nicht hinaus. Sie hatte den angefangenen Brief zerknüllt und in den Papierkorb geworfen; dann hatte sie ihn in den Küchenherd gesteckt und angezündet. Lange lag sie dann im offenen Fenster; das Licht hinter ihr war gelöscht, und ihre Augen gewöhnten sich schnell an die Dunkelheit.

Sie wartete; worauf sie wartete, vermochte sie nicht zu sagen. Soldaten trafen ein, die sie nicht kannte; einige waren angetrunken, viele waren nur müde. Gegen Mitternacht sah sie den Unteroffizier Lindenberg, der mit straffer Haltung durch das Kasernement ging und offenbar das Urlaubsbuch zur Wache brachte. Mit der gleichen straffen, einwandfreien Haltung kehrte er kurz darauf zurück. Dann kam der Kanonier Vierbein, und sie erkannte ihn sofort.

»Geben Sie mir Ihre Hand«, verlangte sie; und das klang, als drohe sie in einem Nebelmeer von Traurigkeit zu versinken und suche nun nach einem Halt. Außerdem hatte sie ihre sentimentale Stunde; wimmernde Geigen hätten jetzt Tränen bei ihr ausgelöst und eine heiße Hand auf ihrem Rücken wonniges Erschauern verursacht. Wenn sie den Mond zu lange ansah, drohten ihre Augen feucht zu werden. »Geben Sie mir Ihre Hand.«

Johannes Vierbein streckte, ohne zu zögern, ohne zu überlegen, seine Hand hoch und fühlte, wie sie ergriffen wurde.

Lore Schulz beugte sich weit vor. Sie griff mit beiden Händen zu; und es war, als klammere sie sich an einen Rettungsring. Sie betastete die Finger des Mannes, des Jungen, der unter ihr stand, behutsam. Dann sagte sie: »Wie jung Sie sind!« Und das klang sehr verlegen, fast mutlos; tiefe Hilflosigkeit schwang mit und ein großes Bedauern.

Vierbein erspürte instinktiv die wehmütige Verlorenheit des Menschen, der seine Hand hielt. Er spürte, daß hier Luftschlösser gewoben wurden, aus Sehnsucht, aus Mißverständnis, aus Einsamkeit und Eigenliebe – und er besaß nicht Willen genug, diese Gefühlsgespinste mit einem harten Zugriff zu zerstören. Er empfand plötzlich zärtliche Zuneigung für sie wie für eine Schwester. Er hatte sich immer eine Schwester gewünscht, die so groß war wie er; eine Schwester, die ihm gefiel, um die ihn seine Umgebung beneidete, auf die er stolz sein konnte. Ausgehen wollte er mit ihr, zeigen wollte er sie, glücklich wollte er durch sie werden. Aber er war immer allein. Immer.

Die beiden Menschen, versponnen in die seidige Nacht und die Dunkelheit ihrer Sehnsüchte, bemerkten nicht, daß sich ihnen eine große, breite Gestalt näherte. Und die Gestalt begann aufzubrüllen.

»Was ist hier los!« rief Hauptwachtmeister Schulz. »Das sind ja ganz neue Methoden!«

Seine kräftige Stimme schallte durch die Nacht, hallte von den Mauern des Kasernenblocks wider, schien bis zu den Sternen zu reichen. Es war eine Stimme, die eine Welt mühelos zu füllen schien. Sie war schwer von Bier und von Zorn.

»Sie Lümmel!« rief der Hauptwachtmeister Vierbein entgegen. »Scheren Sie sich zum Teufel! Wir sprechen uns noch!«

Vierbein machte eine Ehrenbezeigung und ging mit schnellen Schritten auf den Batterieblock zu. Er verschwand im Eingang. Und durch die herrschende lauernde, drohende Stille war zu vernehmen, wie er eilig, wie gejagt, die Treppen hochlief.

Hauptwachtmeister Schulz horchte diesen entfliehenden Schritten nach. Sein Gesicht war nicht zu erkennen. Sein Kopf war leicht vorgebeugt, und die mächtigen Schultern hingen herab. Er richtete sich auf, denn er hörte Schritte.

Der Leutnant Wedelmann ging an ihm vorüber. »Brüllen Sie nicht so fürchterlich, Hauptwachtmeister«, sagte er gemütlich, »mitten in der Nacht!«

»Jawohl, Herr Leutnant!« rief der Hauptwachtmeister und nahm höchst widerwillig dienstliche Haltung an. Jetzt war er kaum noch zu halten, jetzt kochte er vor Wut, drohte zu zerbersten: Dieser . . . dieser . . . Aber er zog es vor, seine überraschend umstürzlerischen Gedanken für sich zu behalten und sich nicht gefährlich deutlich darüber klarzuwerden, was schon immer in seinem Unterbewußtsein schlummerte: diese Scheißoffiziere! Einen Dreck verstehen sie vom Militär, aber immer quatschen sie dazwischen! Dieser besonders.

Der Hauptwachtmeister vermochte sich nur mühsam von diesen wild brodelnden Gedanken zu lösen. Es war nicht das erstemal, daß sie ihn packten. Er verfiel ihnen immer wieder, immer wieder, aber er hütete sich davor, sie jemals zu zeigen. Von der Berechtigung dieser Gedanken aber war er überzeugt. Die Praxis bescheinigte sie ihm tagtäglich: Er und seine Unteroffiziere erledigten alle Arbeiten. Die Offiziere kontrollierten lediglich, und fast immer mußten sie dann bestätigen, daß sie erst gar nicht hätten zu kontrollieren brauchen: es war alles in Ordnung – eben weil er, der Hauptwachtmeister, und der Unteroffizier dafür sorgten, daß alles in Ordnung war. Und warum, so fragte er sich immer wieder, quatschten dann diese Scheißoffiziere, diese Nichtstuer, diese Tagediebe, ständig dazwischen? Nur um zu zeigen, daß sie da sind.

Diesen Leutnant Wedelmann hatte der Hauptwachtmeister nie recht geschätzt – weiß der Teufel, warum! Heute aber sind ihm endlich die Gründe dafür klargeworden: Dieser Wedelmann schmeißt sich an die Mannschaft heran, und zwar auf Kosten der Unteroffiziere! Er setzt sich in Zivil mit Untergebenen zusammen, poussiert mit deren Mädchen und fixiert dabei mit unmißverständlicher Ablehnung die Dienstgrade. Und nicht nur das – der Kerl kriegt es sogar fertig und pöbelt verdienstvolle Unteroffiziere an! In einem Mannschaftslokal! Das ist eine glatte Umgehung der soliden Ordnung. Das ist nicht mehr die gewachsene Selbstverständlichkeit der Respektierung der Rangstufen. Ach, was doch heutzutage so alles Offizier wird! Der Hauptwachtmeister Schulz blickte verächtlich auf die Tür, hinter der der Leutnant verschwunden war. Wenn ich erst einmal Offizier bin, beschloß er überzeugt, passiert so was nicht!

Doch seine ihm ungemein wohltuende Überlegenheit hielt nicht lange vor. Er blickte zu den Fenstern seiner Wohnung auf, durch die jetzt Licht fiel. Tiefe, persönlichste Verbitterung überkam ihn sofort. Diese Lore war ein Kreuz! Sie hatte ihn nicht verdient. Aus der Gosse, sozusagen, hatte er sie aufgelesen, zu seiner Frau gemacht, ihr eine Wohnung beschafft – jetzt also war sie die Frau eines Hauptwachtmeisters. Eines Hauptwachtmeisters! Frau eines Mannes, dem zweiundfünfzig Unteroffiziere und hundertdreißig Mannschaften direkt unterstanden und bedingungslos gehorchten. Frau eines Mannes, den einige hunderttausend – wer weiß wie viele insgesamt! – Unteroffiziere und Mannschaften in ganz Großdeutschland zuerst grüßen mußten! Aber alles das bedachte Lore nicht! Er hat es ihr klargemacht, mehrfach und ausführlich, aber sie hatte nie die rechte Folgerung daraus gezogen oder es einfach vergessen. Sie war unwürdig! Er hatte die Pflicht, sie so zu bezeichnen. Das war bedauerlich, aber es ließ sich nicht vermeiden.

Umständlich angelte er nach dem Schlüsselbund in seiner Hosentasche. Er wählte den Schlüssel aus, der zu seiner Wohnungstür paßte. Er beschäftigte sich umständlich mit dem Sicherheitsschloß und dann mit dem Hauptschloß.

Das nahm geraume Zeit in Anspruch und gab ihm Gelegenheit, weiteren Gedanken nachzugehen.

Daß Lore, seine Frau, sagte er sich, kein rechtes Verständnis für seinen Dienstrang aufzubringen vermochte, das war die Wurzel allen Übels. Stolz hätte sie sein müssen, stolz auf ihn! Und Stolz ergab Haltung; und Haltung war Größe. Aber sie war kleinlich und rachsüchtig; und nicht nur das – sie war auch würdelos! Völlig würdelos!

Daß sie versucht hatte, ihn mit Wachtmeister Werktreu zu betrügen, das war fast noch als standesgemäß zu bezeichnen. Das blieb immerhin noch in der gleichen Rangstufenkategorie. Das war jener pikanten Geschichte nicht unähnlich, nach welcher die Kommandeuse beim Sommerfest mit einem Oberleutnant von der 2. Batterie hinter der Taxushecke, sozusagen in flagranti, erwischt worden sein sollte. Man lachte darüber, aber mit Augenzwinkern!

Was sich Lore aber jetzt geleistet hatte, war unverzeihlich. Unverzeihlich! Sie gab sich mit dem niedrigsten Dienstgrad in der Wehrmacht ab. Mit einem Kanonier! Noch dazu mit einem Kanonier seiner Batterie; mit einem selten krummstiefeligen, schmalbrüstigen, unsoldatischen Exemplar.

Herrgott, empörte ihn das!

Und er beschloß, seiner Frau tüchtig den Hintern vollzuhauen. Das würde bestimmt helfen. Wenigstens doch für ein paar Tage.

Jeder Morgen, der die Kaserne umstand, lauerte auf ihre Geschäftigkeit. Und er lauerte niemals vergebens. Nur am Sonntagmorgen war der tagtägliche Lärm gedämpfter und setzte erst zwei Stunden später ein.

Lindenberg, Unteroffizier vom Dienst der 3. Batterie, war der erste, der sich erhob. Seine Uhr schnarrte fünf Minuten vor sieben Uhr. Um acht Uhr war Wecken, offiziell, laut Dienstplan. Lindenberg kannte die wenig disziplinfördernden Gepflogenheiten aller anderen Unteroffiziere und mißbilligte sie. Diese pflegten sonntags gegen acht Uhr ein wenig Geschrei zu verursachen, das dann als Wecken galt, und alsbald legten sie sich wieder auf die Haut. Ihre Sonntagsdevise: Nicht stören und nicht gestört werden! Gegen zehn Uhr veranstalteten sie sodann ein flüchtiges Revierreinigen. Das war alles.

Anders der Unteroffizier Lindenberg: Er hielt sich streng an den Dienstplan, und das war allgemein bekannt. Er pflegte auch nicht pünktlich auf die Minute, genau nach Plan, mit dem Wecken zu beginnen, sondern schon zwanzig Minuten vorher, um dann rechtzeitig fertig zu sein. Auch das war bekannt. Die Landser nahmen den Unteroffizier Lindenberg hin wie ein Naturereignis, wie Regen etwa oder Wind. Das erfüllte Lindenberg mit schlichtem, äußerlich nicht sichtbarem Stolz.

Er war, gleich wo er sich befand, immer im Dienst. Ihm nicht Wohlgesinnte behaupteten, er lege auch im Schlaf die Hände an die Oberschenkel, und seine Haltung sei selbst noch auf der Toilette als höchst einwandfrei zu bezeichnen. Fest stand, daß er nur wenige Sekunden brauchte, um »auf Posten« zu sein. Der Wecker hatte noch nicht aufgehört zu schnarren, da stand er auch schon mitten im Raum und absolvierte seine ersten Kniebeugen. Hierbei fiel ihm sofort ein, daß er beschlossen hatte, sich den Namen des Kanoniers Vierbein zu merken; war es doch Vierbein gewesen, der Asch veranlaßt hatte, falsche Angaben zu machen, wodurch es dem Hauptwachtmeister ermöglicht wurde, ihn, Unteroffizier Lindenberg, zu tadeln, was ansonsten selten vorzukommen pflegte.

Lindenberg zog sich Sporthose, Sporthemd und Laufschuhe an, trabte über den verlassenen Korridor ins Freie hinaus. Er strebte, im soliden Dauerlauf, dem Exerzierplatz zu. Hier zog er in erhöhtem Tempo drei Runden, was ungefähr, wie er wußte, die Strecke von sechs Kilometern ausmachte. Er zog sich im Laufen das Hemd aus und sah, daß sein Oberkörper vor Schweiß glänzte, darüber freute er sich. Er war in Form, und das tat ihm wohl.

Er ging sofort unter die Dusche; kaltes Wasser überströmte ihn, und ihm war, als dampfe seine Haut ein wenig. Er rasierte sich sodann mit hoher Konzentration, säuberte seine Zähne und brachte mit Sorgfalt sieben Tropfen Öl in sein Haar, das hierauf sanft glänzte. Er griff nach seinen Stiefeln, die er am Abend vorher geputzt hatte; und pünktlich zwanzig Minuten vor acht war er fertig.

Bevor er seinen Dienst begann, warf er noch einen Blick in den großen Spiegel, der neben der Ausgangstür angebracht war. Er glättete eine Falte, die sein Koppel verursacht hatte. Dann rückte er die Mütze um eine winzige Spanne nach rechts. Das Bild, das sich ihm bot, war vollkommener als jede Abbildung im Reibert, dem Handbuch für den täglichen Dienstgebrauch.

Die erste Stube, die er weckte, war die seiner Korporalschaft, auf welcher sich auch der Kanonier Vierbein befand. Er stieß die Tür auf, trillerte kurz und heftig auf seiner Pfeife und rief dann schneidig: »Aufstehen!« Die Soldaten erhoben sich, Kanonier Vierbein als erster. Lindenberg achtete genau darauf und nahm es mit einer gewissen Befriedigung zur Kenntnis. Er stand im Türrahmen und musterte, rosig und gestrafft, die müden Gestalten, die sich mit unterdrückten Flüchen aus den Betten wälzten. Dann rief er: »Lüften!« – und schlug die Tür zu.

Achtzehn-(achtzehn-!)mal wiederholte sich dieser Vorgang mit verblüffender Präzision. Punkt acht waren alle Mannschaften der 3. Batterie gründlich geweckt.

Um acht Uhr und zehn Minuten begann er seine zweite Runde, nachdem er etwa neun Minuten auf der Toilette gesessen hatte, ohne dabei irgendwelche wesentlichen Neuigkeiten über sich erfahren zu haben.

Wieder überprüfte er Stube um Stube und überzeugte sich davon, daß jedermann aufgestanden war, den Versuch machte, sein Bett zu bauen, eine ausgedehnte Körperreinigung vorzunehmen bestrebt war und entschlossen schien, die Schlappheit der vergangenen Nacht zu überwinden.

Von jeder Stube forderte er einen Mann zum Revierreinigen, von der Stube, auf der seine Korporalschaft lag, gleich zwei; und zwar nicht etwa zwei beliebige, sondern er nannte sie mit Namen: Gefreiter Asch und Kanonier Vierbein. Unwillig, aber in tadelloser Haltung und ohne sich zu einer abfälligen Bemerkung herabzulassen, nahm er zur Kenntnis, daß Asch Sonntagsurlaub habe und, da er in der Stadt Verwandte, seine Eltern, besitze, nicht in die Kaserne zurückgekehrt sei. »Dann Sie alleine, Kanonier Vierbein!« entschied der Unteroffizier.

Lindenberg war voller Betriebsamkeit. Er liebte die Sonntage, an denen er in der Frühe Unteroffizier vom Dienst sein durfte. Da störte ihn niemand, da gehörte ihm alleine der Batterieblock. Da hatte er freies Feld, alle Möglichkeiten, die ihm die Vorschriften gestatteten, auszukosten.

Er stellte sich, breitbeinig, mitten in den Korridor, pfiff und rief markig: »Kaffeeholer 'raustreten! 'raustreten zum Revierreinigen!« Der Kanonier Vierbein durfte die untere Latrine ganz alleine reinigen.

Lindenberg arbeitete genau nach Plan, den er am Abend vorher aufgestellt hatte. Etwa: Unterer Korridor – ein Mann'Latrine, einer UvD-Zimmer, einer Waschraum, einer Duschraum, zwei Korridor einschließlich Fenster. Das gleiche im mittleren Korridor, ähnliches im oberen Korridor. Dazu kam: Treppenhaus, Kellergeschoß, Boden, Außenrevier.

Bei Unteroffizier Lindenberg war es an Sonn- und Feiertagen üblich, daß bis gegen zehn Uhr gearbeitet wurde, Vierbein war kurz vor elf Uhr noch nicht fertig. Soviel Mühe er sich auch gab, der Unteroffizier fand, ohne sich auch nur im geringsten anzustrengen, Stellen, die seinem Reinlichkeitsbedürfnis nicht hundertprozentig entsprachen.

Inzwischen hatte es sich herausgestellt, daß ein Mann krank geworden war. Daß der Mann simulierte, war nicht anzunehmen, wenn auch verdächtig war, daß es sich um einen Kanonier handelte, der am Abend des gleichen Tages auf Wache ziehen sollte. Unteroffizier Lindenberg fühlte ihm eingehend auf den Zahn, bevor er ihn ins Krankenrevier schickte, wo er zunächst Aspirin bekam. Erst in den späten Nachmittagsstunden wurde er dann mit Blinddarmentzündung in das Standortlazarett transportiert.

Immerhin war es nunmehr nötig geworden, die Wachmannschaft zu ergänzen. Gegen zehn Uhr klingelte daher der Unteroffizier Lindenberg bei Hauptwachtmeister Schulz. Der, noch müde von den diversen Anstrengungen der vergangenen Nacht – erst hatte er seine Frau erheblich verprügelt, dann überkam ihn das Verlangen, ihr dennoch zu zeigen, daß er gewillt war, die eheliche Gemeinschaft nicht einschlafen zu lassen – öffnete jetzt gähnend und sah hinaus.

»Bitte Herrn Hauptwachtmeister melden zu dürfen«, rief der Unteroffizier Lindenberg mit der ihm eigenen Korrektheit in allen Lebenslagen, »daß ein Mann der Wache ausgefallen ist. Wir brauchen Ersatz!«

Der Hauptwachtmeister sah ihn mit verschwommenen Augen an. Er gähnte abermals ungeniert und beobachtete dabei den Unteroffizier; aber der stand unerschütterlich korrekt da, ohne eine Miene zu verziehen. »Nehmen Sie doch den Kanonier Vierbein«, sagte Schulz.

»Jawohl, Herr Hauptwachtmeister«, rief der Unteroffizier. »Kanonier Vierbein.« Und nicht im geringsten war ihm anzumerken, wie sehr einverstanden er mit dieser Entscheidung seines Hauptwachtmeisters war.

Johannes Vierbein, der Kanonier, nahm den Befehl, am Sonntagabend auf Wache zu ziehen, mit einer gewissen Erleichterung entgegen. Er war darauf gefaßt, bestraft zu werden; er wußte zwar nicht ganz genau wofür, aber gefaßt darauf war er schon.

Wacheschieben, sagte er sich, ist das Schlimmste nicht: zwei Stunden stehen, zwei Stunden sitzen, zwei Stunden schlafen; und das einen ganzen Tag lang. Die Wachvorschrift war zu übersehen, besondere Schikanen waren so gut wie unmöglich, kaum ein anderer Dienst konnte als derartig wohltuend geregelt bezeichnet werden.

Schade war nur, daß er Ingrid nicht sehen konnte. Er war um siebzehn Uhr mit ihr verabredet. Aber um siebzehn Uhr und dreißig Minuten hatte die Wache vor dem Batterieblock zu stehen, um hier vergattert zu werden. Punkt achtzehn Uhr mußte die Wachablösung erfolgt sein. Am nächsten Tag, so beschloß er, würde er Asch bitten, ihn bei seiner Schwester zu entschuldigen. Dienst ist Dienst – niemand kann etwas dagegen tun. Und Ingrid würde, davon war er überzeugt, Verständnis dafür haben.

Am Nachmittag schlief er drei Stunden Vorrat. Gegen sechzehn Uhr begann er, sich auf den Wachdienst vorzubereiten: Er bürstete seinen Anzug, den Wachanzug sorgfältig aus, putzte Koppel, Patronentasche und Stiefel, reinigte sein Gewehr. Ab siebzehn Uhr war er abrufbereit.

Wachhabender war Unteroffizier Schwitzke, der allgemein nur Saurier genannt wurde, denn er machte, was seine Abgeklärtheit in dienstlichen Dingen betraf, einen durchaus vorsintflutlichen Eindruck. Schwitzke war die Ruhe in Person. Niemand wußte, wie ausgerechnet er hatte Unteroffizier werden können; und jedermann war überzeugt, er würde niemals Wachtmeister werden. Sein Lieblingswort lautete: Alter Mann ist kein D-Zug.

Das alles schloß jedoch nicht aus, daß Schwitzke, wenn er »Ruhe« sagte, nur sich damit meinte. Die planvolle und gegebenenfalls pausenlose Beschäftigung der anderen, das war es, was ihm seine Ruhe garantierte. Schwitzke schrie nie; er ordnete nur an: ruhig, gründlich mit sicherem Gefühl für das, was getan werden mußte, um die normalen dienstlichen Anforderungen mit einem Mindestmaß an Aufregung zu erfüllen. Er saß herum und sicherte sich ab. Er tat nur, was unumgänglich nötig war. Dabei wußte er aber jederzeit den Eindruck zu erwecken, er sei schwer beschäftigt. Wenn er eines seiner Kriminalhefte las – die gelbe Serie, in Fortsetzungen, Nummer dreißig Pfennig –, dann legte er sie gutgetarnt in das Wachbuch hinein und nahm dabei den Federhalter zur Hand.

Schwitzke besaß außerdem eine ans Wunderbare grenzende Menschenkenntnis: Er spürte unter den ihm anvertrauten Untergebenen mit Sicherheit denjenigen heraus, der den geringsten Widerstand leisten würde. Der trabte dann unentwegt. Daß der Auserwählte während seines Wachdienstes Vierbein hieß, war ganz selbstverständlich.

Kanonier Johannes Vierbein erledigte alle Aufträge, die ihm reichlich zufielen, ohne Grollen. Er holte dem Unteroffizier Saftwasser aus der Kantine, fegte das Wachlokal, hielt Streichhölzer bereit, damit sich Schwitzke seine Zigaretten daran anzünden konnte. Das Wunderbare war: Es wurde nicht geschliffen, nicht im Dreck gewühlt, keine Beschimpfungen erklangen. Wachdienst war beinahe Erholung; bei Schwitzke jedenfalls.

Die schönsten Stunden waren, wenn Vierbein patrouillierte. Dann zog er gemächlich seine Runden: am Kasernenzaun entlang, an den Geschützhallen vorbei, quer über den Exerzierplatz. Er überprüfte die Verschlüsse an den Munitionskästen und die Plomben der Hydranten. Kontrollen fürchtete er nicht, denn die Offiziere vom Dienst pflegten sich seit einigen Wochen frühzeitig zu erkennen zu geben. Das war das anerkannte Verdienst des Obergefreiten Kowalski, der schneller geschossen hatte, als es dem Kontrollierenden gelungen war, die Parole hervorzustottern.

Wenn Vierbein, das Gewehr geladen und gesichert auf der Schulter, mit sich und seinen Gedanken allein war, fühlte er sich wie ein richtiger Soldat. Er wachte – und die anderen konnten ruhig schlafen. Die Kameraden lagen in den Betten, die Geschütze standen in den Hallen, die Munition stapelte sich in den Kästen – und er bewachte das alles. Und wenn einer käme, ein Spion oder Saboteur, dann würde er schießen, mit scharfer Munition, um das große Geheimnis, das zu hüten ihm gegönnt wurde, zu wahren. Fünf Schuß waren im Gewehr, fünfzehn weitere Schuß in den Patronentaschen. Er würde seine Pflicht tun – das Vaterland konnte ruhig sein.

Und während er durch die helle Nacht schritt, ruhig, sicher, alles andere als lautlos, während seine Stiefel über den Kies knirschten und der Lauf seines Gewehres kriegerisch gegen den Stahlhelm schlug, währenddessen sann er weiter nach. Warum, so hatte er sich zu fragen, war ausgerechnet er, der ehrlich Bemühte, immer wieder die Zielscheibe der Unteroffiziere? Er gab sich doch wahrlich Mühe, er tat alles, was von ihm verlangt wurde, und mehr als das; er war jederzeit bereit, er meldete sich stets freiwillig, maulte nie, zeigte immer Diensteifer. Aber niemand würdigte das. Im Gegenteil: das Unangenehme lief hinter ihm her. Wenn einer auffiel, war er es; immer nur er. Andere konnten sich stundenlang vom Dienst drücken, niemand fragte danach; sobald aber er den Versuch machte, sich nur für wenige Sekunden zu verschnaufen, merkte das jeder Vorgesetzte in einem Umkreis von hundert Metern.

Aber da diese Dinge nicht zu ändern waren, hielt er es für richtig, nicht weiter über sie nachzudenken. Er ging an das hintere Tor und überprüfte, ob es verschlossen sei. Er wanderte den Zaun entlang; Stacheldraht, vor kurzem erneuert, blitzte im Mondlicht. Und dann dachte er an seine Eltern, an seinen Vater besonders, der gewiß stolz auf ihn gewesen wäre, hätte er ihn so sehen können. Und dann stellte er sich Ingrid vor und das, was sie womöglich gerade jetzt tun würde; und er vermutete stark, sie liege in ihrem Bett. Seine Gedanken nahmen Anlauf, sich das vorzustellen; aber er zog es vor, dieses Thema zu meiden.

Einige Stunden später hatte er Tordienst. Er pendelte zwischen Wachlokal und Kasernentor einher, zweimal zwölf Schritte, sobald jemand Einlaß begehrte. Er nahm Urlaubsscheine in Empfang und produzierte Ehrenbezeigungen vor Unteroffizieren. Und gelegentlich blieb er längere Zeit am geöffneten Tor bei der Laterne stehen, trat zwei, drei Schritte auf die Straße hinaus und sah in Richtung »Bismarckshöh«, von wo die letzten Urlauber kamen.

Es wurde langsam, ganz langsam, hell. Fern am Horizont kam bleiernes, mattes Licht auf. Frühnebel schienen sich zu bilden.

Wachtmeister Platzek, der Schleifer-Platzek, taumelte auf das Kasernentor zu. Er war betrunken und daher in prachtvoller Stimmung. »Machen Sie das Tor weit auf, Sie Wurzelsau!« rief er lallend. »Wenn ich nicht durchkomme, ist das Ihre Schuld. Verstanden?«

»Jawohl, Herr Wachtmeitser!« sagte der Kanonier Vierbein mechanisch.

Der Schleifer-Platzek hielt sich am Tor fest: »Einer von uns beiden ist besoffen! Klar? Wer?«

Vierbein machte erneut eine Ehrenbezeigung und vermied es, zu antworten.

»Einer von uns beiden«, sagte Platzek hartnäckig, »ist besoffen. Sagen Sie, Sie Mensch, Sie Wurm, Sie Würstchen – bin ich besoffen?«

Vierbein war sich klar darüber, daß er nicht sagen durfte: Herr Wachtmeister sind besoffen, jawohl, wie eine Sau! Er wußte, was Platzek erwartete. Und das sagte er auch: »Nein, Herr Wachtmeister!«

Schleifer-Platzek sah den Kanonier mit kleinen Augen an und lehnte sich schnaufend gegen den Pfeiler. »Gut«, sagte er mit schwerer Zunge. »Ich bin nicht besoffen. Aber einer von uns beiden ist es. Also sind Sie besoffen! Klar?«

»Jawohl, Herr Wachtmeister!«

»Schämen Sie sich«, sagte Platzek. »Wache hat der Kerl und ist besoffen!«

Er taumelte weiter, blieb dann stehen und sah sich um. »Ich werde das melden!« verkündete er mühsam. Dann segelte er in kühnen Kurven in das Kasernement.

Vierbein kam nicht auf die Idee, darüber zu lachen. Er sah dem Wachtmeister nach und zuckte dann mit den Schultern. Offenbar handelte es sich hier um einen Kasernenhofwitz, und er mußte zugeben, nicht sonderlich viel davon zu verstehen. Er wollte das Tor schließen und sich wieder in das Wachlokal zurückbegeben.

Eine Stimme, die er kannte, rief ihn an: »Vierbein!« rief diese Stimme gedämpft und mit Vorsicht. »Ist die Luft rein?«

Der Kanonier Vierbein wußte sofort, daß es der Gefreite Asch war, der ihn anrief. Er trat vor das Tor und sah blinzelnd in das Dunkel jenseits der Straße, von wo die Stimme zu kommen schien. »Was ist los?« fragte er. »Wo bist du?«

»Ist niemand in der Nähe?« fragte Asch zurück.

»Nein«, sagte Vierbein und wußte nicht, wie er die Situation zu deuten habe.

»Dann ist es gut!« rief Asch. »Mach das Tor auf. Ich komme!«

Und aus dem Dunkel löste sich eine Gestalt, die des Gefreiten Asch, und kam auf ihn zu. Und Vierbein merkte mit Entsetzen, daß Asch mit nichts weiter bekleidet war als mit einem Hemd. Es war kein Zweifel möglich: Der Gefreite Asch spazierte im Hemd durch das Tor der Kaserne, an dem erstarrten Vierbein vorbei. Und das mit allergrößter Selbstverständlichkeit.

Für Vierbein fiel eine Welt zusammen. Er witterte die fürchterlichsten Komplikationen. Er stotterte: »Aber das kannst du doch nicht machen! Das muß ich ja melden. Du bringst mich vor ein Kriegsgericht.«

»Halt die Luft an, Mensch!« rief Asch und schritt munter weiter. »Mach die Augen zu. Alles andere überlaß mir. Morgen erzähle ich dir, was los war.«

Kanonier Johannes Vierbein schloß das Tor mit zitternden Händen. Wenn das nur gut geht – das war alles, was er denken konnte. Und er lauschte angstvoll in die Dunkelheit hinein, die den Gefreiten Asch, der nur mit einem Hemd bekleidet war, verschluckt zu haben schien. Zunächst war alles ruhig, beängstigend still; aber dann erhob sich im nächtlichen Kasernement ein triumphales Geschrei.

»Was ist denn das!« schrie Platzek mit der Begeisterung der Betrunkenen. Offenbar war ihm schlecht geworden, er hatte sich gegen eine Mauer gelehnt, entleert und war gerade dabei, sich wieder zu sammeln, als er einen Mann im Hemd erblickte. »Das ist ja nicht zu fassen! Im Hemde ist der Kerl. Wo kommen Sie her, Asch? Wo kommen Sie Riesenroß her?«

Vierbein hörte das, und ihm wurde es erst kalt, dann heiß, er umkrampfte den Torschlüssel in seiner rechten Hand und spürte deutlich, daß die Handfläche naß war vor Schweiß. Er sah sich bereits vor ein Kriegsgericht gestellt, verurteilt und im Gefängnis sitzen. Denn das, was hier geschehen war, mußte als Wachvergehen bezeichnet werden.

Doch da hörte er die volle, ruhige Stimme des Gefreiten Asch durch die Dunkelheit, diese wohltuende Stimme, die immer so klang, als amüsiere sich der Sprecher heimlich und ausgedehnt. Asch sagte: »Bitte, Herrn Wachtmeister melden zu dürfen, daß ich Schlafwandler bin.«

Schleifer-Platzek schien maßlos darüber erstaunt zu sein. Es dauerte geraume Zeit, ehe er seine biergesättigte Stimme ertönen ließ. »Das ist ja zum Brüllen!« rief er. »Das müssen Sie mir erzählen, Asch.«

»Gerne, Herr Wachtmeister«, rief der Gefreite. Und dann entfernten sich die beiden einträchtig. Zu hören war nichts mehr von ihnen. Nur einmal noch erhob sich ein brüllendes Gelächter, das ohne Zweifel Platzek ausgestoßen hatte. Dann war es endgültig still.

Der Kanonier Vierbein vermochte nicht, sich zu regen. Wenn das nur gut geht, dachte er. Wenn da nur nichts mehr nachkommt!

Die Liebe der Soldaten war anders als die Liebe der Fabrikbesitzer; sie glich nicht der Liebe der Postbeamten und auch nicht der Liebe der Hotelkellner. Sie hatte ihre Besonderheiten. Nun ja, in jenem gewissen Punkt glich sich die Liebe wohl immer und überall. Aber die äußeren Umstände, die Formen, die Vorbereitungen – da schieden sich die Klassen, Gruppen und Dienstgrade.

Herbert Asch kannte die Liebe der Soldaten zum gewissen Teil aus eigener Erfahrung, doch auch vom Zuschauen und Zuhören. Er wußte, daß diese Liebe drängend, schnell und achtlos war. Auch nicht sonderlich behutsam in der Wahl der Objekte. Nächte wurden durch Urlaubsscheine verkürzt. Der Zufall lenkte die Wahl. Die überstürzt herbeigeführten Ereignisse wurden dann zumeist, mit vielerlei Übertreibungen, in allen Einzelheiten bei den beliebten ordinären Kasernengesprächen verkündet. Nicht selten mit der Angabe der vollständigen Adresse.

Asch wußte um die ortsüblichen Finessen, Besonderheiten und Primitivitäten. Er kannte die Soldatenliebe am Gartenzaun, an der Friedhofsmauer, im Schuppen der Kegelbahn von »Bismarckshöh«, in den Schrebergartenlauben und beim Kasernenzaun. Er kannte die Parole in den Mannschaftsstuben: »Geht mal 'raus, ich will mich mit meiner Braut zehn Minuten unterhalten!« Er wußte, was es bedeutete, wenn ein Unteroffizier mit Augenzwinkern verkündete: »Ich will heute nachmittag nicht gestört werden!« Er kannte sich aus, wenn bei Leutnant Wedelmann das kleine Licht brannte, nachdem er vorher Schallplatten mit französischen Chansons gespielt hatte.

Immer diktierte eine genau festgesetzte Zeitspanne, die keine zärtlich verliebten Spiele duldete und die zwangsläufig jegliche Vorbereitung verkürzte: der Zapfenstreich, die Stunde, da der Nachturlaub ablief, das Wecken. Hast bestimmte ihr Handeln.

Hinzu kam das würgende Gefühl, ständig bereit sein zu müssen; einer der vielen tausend Vorgesetzten konnte plötzlich danebenstehen; Alarmsirenen zerrissen die Umarmung; in den nächsten Stunden schon war es möglich, daß eine Versetzung erfolgte; die ganze Einheit konnte im Handumdrehen verlegt werden; denkbar war schließlich auch, daß schon wieder einmal ein neues Land befreit werden mußte oder daß schließlich doch die Bombe platzte, mit der seit Jahren schon gespielt wurde – Krieg aber bedeutete nicht nur: Schluß mit der Liebe, sondern vielleicht sogar: Schluß mit dem Leben.

Daher die Gier nach Leben, nach Liebe.

Einige dachten niemals so; Vierbein zum Beispiel, vermutlich auch Lindenberg, falls der überhaupt jemals an Frauen dachte. Und einige gab es auch, die dachten nicht immer so; Herbert Asch zum Beispiel, als er an diesem seidigen Sonntagabend mit Elisabeth zusammen war.

Herbert Asch, der Gefreite, war fest entschlossen, bei Elisabeth anständig zu bleiben. Er liebte sie mehr als sich; und er wollte, daß diese Liebe dauern sollte. Aufbewahren wollte er sie für schönere, bessere, freiere Tage, für eine Zeit, die Raum schaffte für die beängstigende Größe seiner Gefühle zu Elisabeth.

Er hielt sie bei der Hand, lag neben ihr im Gras, sah in den Himmel hinein und stellte sich vor: Sie beide, Elisabeth und er, übernehmen das Café Asch; der Vater, zufrieden und einer Last ledig, geht nur noch gelegentlich durch die Räume und begrüßt die jeweiligen Hoheitsträger der gerade an der Regierung befindlichen Partei; irgendwo spielen zwei Kinder vergnügt; und wenn er ganz besonders guter Stimmung ist, erzählt er von seiner zweijährigen Dienstzeit und davon, wie komisch es dabei zuging.

»Woran denkst du?« fragte Elisabeth und sah ihn an. »Worüber freust du dich?«

»Über die Kinder«, sagte er. »Darüber, daß sie keine Uniformen werden anziehen brauchen.«

Elisabeth sah ihn zweifelnd an. »Glaubst du das im Ernst?«

Herbert Asch riß einen Grashalm ab und legte ihn zwischen seine Lippen. »Das ist sicher«, sagte er. »Entweder wir haben die ganze Welt in der Tasche, und dann brauchen wir keine Wehrmacht mehr. Oder die ganze Welt hat uns in die Tasche gesteckt, und dann brauchen wir unsere Wehrmacht erst recht nicht.«

Elisabeth legte sich zurück, streckte sich lang aus und schüttelte den Kopf. »Ich weiß nicht«, sagte sie nachdenklich. »Genau das, was du sagst, will Vater auch einmal gesagt haben, als er noch sehr jung war, 1913.«

»Damals!« Herbert wälzte sich herum und legte sich auf den Bauch. »Damals hatte die große Katastrophe noch nicht stattgefunden. Wir sind heute klüger geworden, durch Erfahrung. Wir führen unsere Kriege kalt.«

Elisabeth lachte unterdrückt auf. »Wie recht du hast«, sagte sie, »du bist ein kalter Krieger.«

Herbert Asch biß sie in die Lippen. »Du«, sagte er. »Ich werde dir zeigen, wer von uns beiden kalt ist.« Und wieder küßte er sie heftig.

Elisabeth hörte auf zu lachen. Ihre Hände griffen nach seinen Schultern; er spürte die Wärme ihres Körpers. Sie wurde willenlos; sie lag still und ruhig, wie ergeben, da.

»Elisabeth«, sagte Herbert, und seine Hand glitt zu ihrer Hüfte.

Da riß sie sich von ihm los, stieß ihn fort und sprang auf. Trotz der Dunkelheit sah er, daß ihr Gesicht glühte.

»Entschuldige«, sagte Herbert, und er erhob sich ebenfalls.

Da lachte sie wieder auf. »Komm«, sagte sie. »Ich muß nach Hause.« Und sie ergriff, wie selbstverständlich, seinen Arm. »Dummheiten«, sagte sie, »dürfen wir uns nicht leisten.«

»Nein, Elisabeth.«

»Später«, sagte sie zärtlich. »Später werden wir noch Zeit genug dazu haben.«

»Ja, Elisabeth.«

Er zog, während sie nebeneinander gingen, behutsam seinen Arm aus dem ihren und legte ihn fest um ihre Schultern. Sie duldete das nicht nur, sie schmiegte sich an ihn. Es war umständlich, so zu gehen, es sah fürchterlich albern aus, aber es gefiel ihnen. Denn sie liebten sich.

Asch suchte Nebenwege, um zu vermeiden, mit Vorgesetzten zusammenzutreffen. Und während seine Hand, ohne Widerstand zu finden, unter ihre Achsel glitt und sich bis zu dem Ansatz ihrer festen kleinen Brust vortastete, betrachtete er forschend seine Umgebung, um jeden Zusammenstoß zu vermeiden.

Lange gingen sie so, dicht aneinandergedrängt, durch die Nacht. Sie sprachen kaum ein Wort, aber es war, als sagten sie viele Dinge zueinander, ohne den Mund zu öffnen. Sie hatten beide den gleichen Gedanken: Da war der Samstag, das Tanzen im Lokal und der Heimweg, wo sie sich küßten und »du« zueinander sagten – und alles war selbstverständlich. Da war der Sonntag, den sie gemeinsam verbrachten, als wären sie langjährige gute Freunde, der ganze Sonntag, der so überaus schnell verlosch, dieser seltsame Sonntag mit endlosen Gesprächen, ziellosen Spaziergängen und wilden Küssen, vor denen sie zurückschreckten – obwohl doch alles selbstverständlich war.

»Jetzt mußt du gehen«, sagte sie. – »Ja, Elisabeth.«

Sie standen, etwa vierzig Meter vom Freitag-Haus entfernt, unter einem Baum, einer Linde, und preßten sich aneinander.

»Ich kann jetzt nicht gehen«, sagte er, und das klang fast hilflos.

Ihre Hände verloren sich. Sie tastete über seine große Uniform; ihr Körper glühte, aber ihre Hände lagen regungslos auf ihm.

»Elisabeth«, sagte er, und sein Mund glitt ihren Hals hinunter. »Elisabeth.«

»Komm mit«, sagte sie. Sie ergriff seine Hand und zog ihn auf das Freitag-Haus zu. Sie gingen wie trunken durch die Nacht.

Elisabeth ging voran. Sie schloß die Tür auf und führte ihn in den Vorraum. Sanft glitt hinter ihnen die Tür wieder ins Schloß. Ihr Zimmer nahm sie auf.

»Elisabeth«, sagte er. »Ich liebe dich.«

»Zieh deine Uniform aus«, sagte sie leise.

Sie versanken ineinander, und der Mond betrachtete sie. Es war ein Mond, der zu grinsen schien wie ein zufriedener Zuhälter. Er legte sich breit und behaglich auf die hellen Möbel des Zimmers, und es war, als hielte er genießerisch den Atem an.

Sie lagen ermattet nebeneinander und lächelten glücklich. Ganz zart glitten ihre Fingerspitzen über die Haut des anderen. Sie waren beglückt voneinander, zufrieden mit sich und der Welt. Auch die Liebe des Soldaten kennt diesen Augenblick, in dem es ist, als ob die Welt stillstünde. Aber die Welt der Soldaten dreht sich schneller als die der normalen Menschen.

Sie schlief ein, und er lag wach, dachte an sie und an sich, und überdachte dann die Wege, die er zu gehen hatte, um rechtzeitig wieder in der Kaserne zu sein.

Außerdem verspürte er ein heftiges Verlangen, ein kleines Geschäft zu verrichten.

Behutsam erhob sich Herbert Asch, zog sich das Hemd über und sagte leise zu der sich im Halbschlaf dehnenden Elisabeth: »Ich komme gleich, Liebste.«

»Ja«, sagte sie automatisch, und die übergroße Müdigkeit erschwerte ihr Denken.

Asch begab sich vorsichtig, barfuß und im Hemd, in den Vorraum; angestrengt überlegte er, was er tun sollte. Er fand es nicht ratsam, irgendeine Tür versuchsweise zu öffnen und dort wer weiß wem in die Hände zu laufen; er fand es praktisch, sich einfach ins Freie zu begeben.

Er öffnete mit großer Vorsicht die Tür und trat hinaus. Und da glitt ihm die Tür wieder sanft ins Schloß.

Das bemerkte er erst, als er wieder hinein wollte. Die Tür, so stellte er verwundert fest, hatte ein Schnappschloß und war von außen ohne Schlüssel nicht zu öffnen; ein Werk des Bastlers Freitag, der nicht umsonst ein hervorragender Mechaniker war.

Es dauerte lange Sekunden, bis ihm klarwurde, was das für ihn bedeutete!

Mit militärischer Gründlichkeit peilte er die Lage: In das Haus zurück konnte er nicht, ohne zu klopfen oder zu klingeln. Elisabeth schlief offenbar, und es mochte geraume Zeit dauern, ehe sie ihn vermißte und ihn suchen kam. Jede Art von Lärm aber mußte vermieden werden! Es durfte nichts geschehen, das Elisabeth – seine Elisabeth – bloßstellen konnte.

Also: ab in die Kaserne! So wie er war. Es ging nicht anders; Elisabeths wegen mußte es sein. Und wer weiß, vielleicht hatte er Glück und kam ungehindert zur Batterie zurück. Und wenn ihm besonders großes Glück beschieden war, stieß er auf Vierbein, der Wache hatte.

Sein Entschluß, unverzüglich im Hemd in die Kaserne zu eilen, wurde durch mehrere Ereignisse, die er kurz hintereinander wahrnahm, bestärkt: einmal fing es an kühl zu werden; weiterhin schien der neue Tag nicht mehr fern zu sein, denn der Horizont begann sich zu versilbern; dann aber hörte er im Freitag-Haus Stimmen. Und deshalb trabte er los.

Die Stimme, die er gehört hatte, war die des Werkmeisters Freitag. Den hatte das Zuschnappen der Tür aus dem Schlaf geweckt; war ihm doch, als hätte er schon einmal in dieser Nacht, vor einer guten Stunde etwa, die Tür zuschnappen hören.

Er klopfte an Elisabeths Zimmer. »Bist du zu Hause?« fragte er.

»Ja«, sagte Elisabeth erschrocken.

»Bist du eben gekommen?«

»Nein. Schon früher. Ich schlafe doch schon.«

»Dann schlafe ruhig weiter, mein Kind«, sagte Freitag väterlich. Und zu sich selbst sagte er verwundert: »Mir war doch, als hätte ich ...« Dann ging er wieder nach oben in sein Zimmer und legte sich nieder; aber es dauerte geraume Zeit, ehe er einschlief, denn er hatte das sichere Gefühl, daß irgend etwas geschehen war, das ihm zu denken geben sollte.

Elisabeth saß während dieser Zeit auf ihrem Bett und hörte ihr Herz laut klopfen. Sie wußte nicht genau, was geschehen war und konnte sich nicht denken, was weiter zu geschehen habe. Sie fühlte sich müde, wie zerschlagen; und sie war verzweifelt. Denn sie sah, auf dem Boden ihres Zimmers verstreut, die Bekleidungs- und Ausrüstungsgegenstände des Gefreiten Herbert Asch: Unterhose, Socken, Hose und Rock, Stiefel, Mütze und Koppel. Nur das Hemd fehlte. Und der Vater hatte gehört, wie die Tür ins Schloß fiel.

Schließlich raffte sich Elisabeth auf. Sie rechnete mit allem: daß Herbert ohne Kleider draußen in der Nähe wartete; daß der Vater wiederkommen konnte – und die Kleider in ihrem Zimmer dürfte er unter keinen Umständen vorfinden. So schichtete sie alle Sachen paketartig übereinander und trug sie nach draußen. Sie legte sie, eilig und doch sehr behutsam, am Hauseingang ab.

Und hier, am Hauseingang, wurde alles am nächsten Morgen, ganz früh, von Vater Freitag aufgefunden, als er zur Arbeit gehen wollte. Der alte Freitag stand erstaunt, ungläubig da und starrte auf seinen seltsamen Fund.

Er schien lange und angestrengt nachzudenken. Dann raffte er sämtliche Sachen auf, trug sie in das Haus zurück und legte sie auf den Küchentisch, wo gerade seine Frau und seine Tochter frühstückten.

Er sah niemand an. Er sagte: »Irgendein Soldat muß das irgendwo vergessen haben. Das ist zwar ungewöhnlich, aber es kann schon vorkommen. Ich denke, wir tun gut daran, jedes Aufsehen zu vermeiden. Wir werden diese Sachen einfach zurückgeben.«

Gesang erfreut des Menschen Herz, stärkt die Lungen und fördert den Durst. Beim Militär wird Gesang außerdem noch deshalb geübt, um das Marschieren unterhaltsamer zu gestalten und die Mannschaften am Führen von Privatgesprächen zu hindern.

»Nun danket alle Gott!« sangen zwanzig kräftige Stimmen im oberen Korridor. Es war Montag, kurz nach fünf Uhr morgens, und es galt, den Geburtstag des Wachtmeisters Platzek, des Schleifer-Platzek, festlich im Kameradenkreise zu begehen. Wachtmeister Werktreu stand auf einem Schemel und dirigierte. Das Unteroffizierskorps, mit dem Spieß als zentrale Gestalt, umringte den sangesfreudigen Bekleidungsverwalter.

Sie hatten sich flüchtig angezogen, oftmals nur das oben weit geöffnete Nachthemd in eine Trainingshose gesteckt, die ungekämmten Haare standen einzeln zu Berge, und die zumeist großen Füße steckten in Filzpantoffeln oder Turnschuhen. Nur der Unteroffizier Lindenberg hatte einen vollständigen, vorschriftsmäßigen Anzug an – den Sportanzug. Sie sahen alle auf die Tür, hinter der sich das Geburtstagskind Platzek befand, und sie sangen lautstark und mit einer gewissen Inbrunst.

Langsam öffnete sich die Tür, und Wachtmeister Platzek, der der durchsoffenen Nacht wegen kaum aus den Augen sehen konnte, blinzelte ihnen freudestrahlend, doch betont männlich, entgegen. Weiter öffnete sich die Tür, und mitten auf dem Tisch im schmalen Zimmer wurden zwei Kästen Bier – Brauerei Ploner, Bock, mit Kapselverschluß – und vier Flaschen Schnaps sichtbar.

»Nun danket alle Gott!« sangen die Unteroffiziere.

Und als sie den Choral mit fröhlich-feierlichen Gesichtern zu Ende gesungen hatten, trat der Spieß Schulz auf Wachtmeister Platzek zu und sagte: »Mein lieber Kamerad Platzek, wir gratulieren dir zu deinem Geburtstag. Und jetzt nenn uns dein Lieblingslied.«

»Auf der Lüneburger Heide!« sagte Platzek eifrig. Er hatte gewußt, daß diese Frage kommen würde und sich beizeiten darauf eingestellt. Er selbst sang nicht gerne und niemals richtig; aber ihm war bekannt, daß die »Lüneburger Heide« das Lieblingslied des Hauptwachtmeisters war.

»Zwei, drei!« brüllte Schulz und stimmte an; die anderen fielen sofort ein.

Und unter dem Absingen aller Strophen dieses munteren Liedes schüttelten die Unteroffiziere, ganz zwanglos dem Dienstgrad nach, dem Geburtstagskind die Hand und nahmen, vorerst, jeder eine Flasche Bier in Empfang.

Sie füllten das kleine Zimmer restlos aus. Der Spieß Schulz, das Geburtstagskind Platzek und der Vorsänger Werktreu saßen auf dem Feldbett, andere Wachtmeister hatten sich auf den Schreibtisch geschwungen oder die zwei vorhandenen Stühle mit Beschlag belegt; die jüngeren Unteroffiziere hatten vorsorglich Schemel mitgebracht. Sie rauchten einige Morgenzigaretten und putzten sich die Zähne mit Branntwein. Bald roch es kräftig nach Bier, Schnaps, Rauch und Männerschweiß.

Der Spieß fühlte sich, wie immer, als Mittelpunkt. Das Geburtstagssingen war seine ureigene Idee. Sein erster Schreiber führte eine gesonderte Terminliste zu diesem Zweck. Und stets drei Tage vorher wurden Gratulanten und der Gefeierte – letzterer, damit er die nötigen Vorbereitungen treffen konnte – auf diesen Ehrentag aufmerksam gemacht. Die also präzis durchgeführten Feierlichkeiten begannen, vor dem offiziellen Wecken, mit einem Choral – es war immer derselbe. Und dann nützte der Spieß die günstige Gelegenheit und das durch reichlich Alkohol auf nüchternen Magen befeuerte Zusammengehörigkeitsgefühl weidlich aus und machte kräftige Hauspolitik.

»Im Geschützexerzieren«, verriet er den Horchenden, »sind wir die beste Batterie des Regiments. Das ist nicht zuletzt dein Verdienst, Platzek. Prost! Du sollst leben! Hach, das ist ein Tropfen! Da übertrifft uns keiner, im Geschützexerzieren. Selbst Major Luschke, der Knollenkopf, hat das neulich zum Chef gesagt, und zwar in meiner Gegenwart. Und wenn das sogar Major Luschke sagt, dann ist das mehr als ein Orden. Darauf können wir stolz sein. Aber die allgemeine Disziplin ist beschissen. Wir haben ein paar Brüder in unserer Batterie, die sind unter aller Sau. Unter aller Sau, sage ich! Vierbein zum Beispiel.«

Teile des Unteroffizierskorps bestätigten ihm das lebhaft. Andere, um Werktreu herum, schienen singen zu wollen, wahrscheinlich um sich nicht unterhalten zu müssen. Aber Schulz war entschlossen, das Korps geistig eng um sich geschart zu halten.

»Dieser Vierbein«, sagte er, »ist eine Flasche. Haben Sie ihn nicht in der Korporalschaft, Lindenberg?«

»Jawohl, Herr Hauptwachtmeister«, sagte der; stramm wie stets, dienstbereit wie immer.

»Und? Lindenberg?«

»Jawohl«, sagte der, »Kanonier Vierbein ist eine Flasche. Meine ganze Korporalschaft besteht nur aus Flaschen.«

Ehe noch der Hauptwachtmeister Schulz den letzten Satz, der ihm das Konzept verdarb, abschwächen konnte, fiel Wachtmeister Platzek ein:

»Stimmt!« sagte er. »Lauter Flaschen hat der Lindenberg. Das ist vielleicht eine komische Korporalschaft. Heute früh traf ich einen davon im Hemde. Ein Nachtwandler!«

Viele bemühten sich, das sehr lustig zu finden, und sie lachten lebhaft. Einige tranken nur. »Kaum zu glauben!« rief einer.

Der Unteroffizier Lindenberg saß steif auf dem Schemel, den er sich mitgebracht hatte. »Bitte, Herrn Wachtmeister fragen zu dürfen, um welchen Angehörigen meiner Korporalschaft es sich gehandelt hat.«

»Es war der Gefreite Asch, diese Runkelrübe.«

»Herr Wachtmeister irren sich auch nicht?« fragte Lindenberg ungläubig. Er vermochte das nicht zu fassen. Er kannte Asch. Der war gesund, widerstandsfähig und durchaus normal. Unmöglich zu glauben, daß ausgerechnet Asch . . .

»Erlauben Sie mal!« Platzek wurde unwillig. Er richtete sich auf und fixierte mit leicht verschleiertem Blick den Unteroffizier. »Was soll denn das heißen? Wollen Sie etwa behaupten, ich war besoffen?«

»Natürlich will er das nicht!« sagte Werktreu versöhnlich. »Ich selbst habe mich auch gewundert, als du den Namen Asch nanntest. Das mußt du verstehen. Dieser Asch ist doch nie im Leben ein Schlafwandler.«

»Er ist einer!« beharrte Platzek zäh.

Der Hauptwachtmeister war bemüht, jeden Streit zu vermeiden, außerdem wollte er nicht von seinem Generalthema abgelenkt werden. »Lassen wir das!« sagte er. »Reden wir weiter von Vierbein, von dieser Pflanze. Der hat sich doch am Samstag seinen Urlaubsschein unter falschen Voraussetzungen erschlichen. Zum Handballspiel wollte die Wurzelsau, aber es war gar kein Handballspiel. Stimmt das, Lindenberg?«

»Jawohl, Herr Hauptwachtmeister.«

»Und dann«, sagte Schulz wie ein Ankläger, »muß dieses Früchtchen am Samstagnachmittag die Kaserne auf ungewöhnlichem Weg verlassen haben.«

»Über den Zaun!«

»Unsinn! Am hellen Nachmittag!«

»Aber wie denn sonst?«

»Ich«, sagte der Hauptwachtmeister, und das klang ungemein überzeugend, »war schon immer der Meinung, daß dieser Vierbein eine glatte Gefahr für die Disziplin ist. Wir sollten ihm kräftig Feuer unter dem Schwanz machen.«

»Bisher«, wagte der Unteroffizier Lindenberg zu bemerken, »hat er sich einwandfrei geführt. Er war kein guter Soldat, aber auch kein schlechter. Er gab sich Mühe und zeigte sich jederzeit willig.«

»Was soll das heißen?« fragte der Hauptwachtmeister gedehnt und tat mächtig erstaunt. »Zweifeln Sie etwa mein Urteil an, Lindenberg?«

»Nein, Herr Hauptwachtmeister.«

»Das will ich auch hoffen«, sagte Schulz, sah sich um und blickte mit Genugtuung in zustimmende Gesichter. »Und damit Sie Zeit haben, mein lieber Lindenberg, um darüber nachzudenken, warum Sie sich am Samstagnachmittag von einem lausigen Kanonier bescheißen ließen, werden Sie heute den Frühsport übernehmen.«

»Jawohl, Herr Hauptwachtmeister.«

»Und anschließend werden Sie die Aufsicht beim Revierreinigen übernehmen.« – »Jawohl, Herr Hauptwachtmeister.«

Das, sagte sich Schulz, war nötig; überhaupt ist es von Zeit zu Zeit nötig, jeder Sorte Untergebener kräftig über den Schnabel zu fahren, wenn sie ihn zu weit aufmachen. Disziplin muß sein, auch beim Saufen; erst recht beim Saufen. Das könnte dem so passen: Bierflaschen leeren und widerspenstige Redensarten führen; und alles unter dem Deckmantel der Kameradschaft. Von wegen! Bei Schulz ist das nicht zu machen!

Der Hauptwachtmeister überprüfte die Reaktion seiner Unteroffiziere genau, und er fand, daß er wieder mal mitten ins Schwarze getroffen hatte: wohin er auch sah, er sah Zustimmung! Das kam von der Taktik. Er hatte aber auch genau den richtigen Mann erwischt; mit einem Lindenberg wurde er spielend fertig, der war nicht sonderlich beliebt und galt als Wichtigtuer. Ein widerlicher Knabe! Wenn es nach dem ginge, müßten sich die Unteroffiziere, und er womöglich an der Spitze, doppelt so stramm benehmen wie die Rekruten. Kommt ja gar nicht in Frage!

»Wir müssen den Daumen draufhalten«, sagte er. »Wir sind doch hier kein Kinderheim! Nieten wie dieser Vierbein brauchen von Zeit zu Zeit Feuerwerk. Der muß wissen, daß er keinen Unteroffizier übers Ohr hauen kann.«

»Laß mich das nur machen«, sagte Platzek vielversprechend. »Dem bügle ich die Kerbe aus dem Arsch!«

»Und jetzt wollen wir noch einen singen!« rief der Spieß gut gelaunt. »Auf der Lüneburger Heide. Zwei, drei!«

Die Seele des Unternehmens war Disziplin; und das Herz wurde Dienstplan genannt. Disziplin war Triebkraft, Dienstplan durfte als Mechanismus bezeichnet werden. Der Oberbefehlshaber wollte eine Wehrmacht, die unbesiegbar war. Die Generale legten Wert auf Armeen, die funktionierten. Die Kommandeure setzten Ausbildungsziele. Und die Unteroffiziere erreichten sie.

Das Selbstverständlichste, gelegentlich auch Rückgrat genannt, war Disziplin; das Entscheidenste der Dienstplan. Der Abteilungskommandeur ließ ihn durch seinen Adjutanten in groben Umrissen aufstellen; der Batteriechef beauftragte seinen Hauptwachtmeister damit, ihn auszuarbeiten. Und Schulz beherrschte die Materie im Schlaf.

Den dicksten Exerzierdienst der Woche – volle zwei Stunden – legte er traditionsgemäß auf Montag früh, und zwar mußten sämtliche Batterieangehörige daran teilnehmen, auch die Funktionäre einschließlich Schreibstubenpersonal, auch die Kommandierten. Die Gesamtleitung hatte offiziell, laut Dienstplan, der Batteriechef, Hauptmann Derna, persönlich; aber der ließ sich regelmäßig durch Leutnant Wedelmann vertreten und pflegte erst gegen Schluß auf dem Kasernenhof aufzutauchen.

Für die Batterie waren das, allgemein betrachtet, die unangenehmsten zwei Stunden der Woche; für den Hauptwachtmeister die ruhigsten. Er pflegte die angetretene Batterie zu überprüfen, dabei mindestens drei, höchstens sieben Namen in sein Notizbuch zu schreiben. Dann meldete er die Batterie Leutnant Wedelmann, der übernahm sie, übergab das Kommando dem rangältesten Wachtmeister und ließ abmarschieren, mit Gesang, Richtung Exerzierplatz.

Der Hauptwachtmeister schaute der Batterie mit Haltung nach; dann ging er frühstücken. Er war nicht sonderlich guter Laune. Gewiß, Griffe und Wendungen hatten geklappt, und seine Meldung konnte sich, wie immer, hören lassen; er besaß die anerkannt beste Kommandostimme des ganzen Regiments. Was ihm die Stimmung verdorben hatte, war die Tatsache, daß der Kanonier Vierbein durch Abwesenheit glänzte; er, der Hauptwachtmeister, hatte den Unteroffizieren tüchtig eingeheizt, und er, der Kanonier, bekam das nicht zu spüren, sondern schob mit aller Seelenruhe Wache. Bis sechs Uhr nachmittags. Und Wache war, wenigstens doch tagsüber, ein glatter Druckposten.

Während Schulz seiner Wohnung zuschritt, überlegte er kurz, ob etwa die planvolle Gründlichkeit, mit der er den Kanonier Vierbein zu betrachten pflegte, rein persönlichen Motiven entsprungen sei. Er verneinte diese Frage mit Entschiedenheit, und er hatte ein gutes Gewissen dabei. Er war doch, seiner Meinung und auch der seiner Vorgesetzten nach, ein ausgezeichneter Soldat; er hatte acht Jahre straffrei gedient, von der Pike auf, sozusagen, und er durfte von sich behaupten, daß er ein Vorbild sei. Er hatte sich, Dienstgrad um Dienstgrad, hochgearbeitet; und was auch immer er tat, niemals geschah etwas, das nicht mit den Dienstvorschriften in Einklang stand oder doch mit ihnen in Einklang zu bringen war. Dieser Vierbein war in seinen Augen einfach kein Soldat – das war der Grund, warum er ihn nicht ausstehen konnte.

Er setzte sich behäbig an den Küchentisch und befahl: »Kaffee!«

Lore, seine Frau, stellte die Kaffeekanne vor ihn hin. Sie war offenbar böse und nicht bereit, sich mit ihm zu unterhalten.

Schulz hatte nichts dagegen. Das Schweigen, das ihn umgab, betrübte ihn nicht im geringsten; er fand es angenehm und ging seinen Gedanken nach, die sich niemals, auch in den intimsten Situationen nicht ganz, von dienstlichen Problemen und Anliegen lösen konnten. – »Eingießen!« ordnete er an.

Lore goß ihm die Tasse voll, setzte sich zu ihm an den Tisch und sah ihn groß an.

»Rede jetzt nur nicht auf mich ein!« sagte Schulz warnend. »Du verstehst von dienstlichen Dingen nichts. Du kannst nicht einmal Kaffee kochen. Das hier ist Abwaschwasser. Schmeckt nach Seife!« Und er schob die Tasse von sich, so heftig, daß sie überschwappte. »Das Tischtuch«, sagte er, »ist ekelhaft dreckig.«

Dann stand er auf und ging hinaus. Er pfiff eine Melodie, die Ähnlichkeit mit dem Lied »Drei Lilien« hatte. Er sah in den großen Spiegel, der im unteren Korridor stand, überprüfte den Sitz seiner Uniform und lächelte sich zu; er war mit sich zufrieden. Er beschloß, sich eine Zigarre anzuzünden und dachte: So, der habe ich es wieder einmal gegeben, und zwar, versteht sich, mit gutem Grund; denn die Dame, die meine Frau sein will, die Frau eines Hauptwachtmeisters, ist eine kleine Schlampe. Früher war sie nicht so, ganz im Gegenteil; erst in den letzten Monaten und Wochen ließ sie in alarmierender Weise nach. Vermutlich ging es ihr zu gut; aber das läßt sich ja bekanntlich beheben, nach erprobten Methoden: Nur von Zeit zu Zeit kräftig zusammenstauchen, dann wird sie schon merken, woher der Wind weht.

In seinem Dienstzimmer angekommen, setzte er sich hinter seinen Schreibtisch. Er zündete sich eine von den Zigarren des Chefs an, streckte seine Beine weit aus und dachte nach. Von fern klangen einige Kommandos, größere Verbände stampften im Exerziermarsch über die Fahrbahn, ansonsten aber umgab ihn himmlische Ruhe. Automatisch griff er nach dem Heft, in dem die Sonntagsurlaubsscheine lagen, nahm einen Tintenstift und zeichnete ab, ohne die Unterlagen näher überprüft zu haben. Es war ja doch immer alles in Ordnung; und wenn es nicht in Ordnung gewesen wäre, hätte es ihm gemeldet werden müssen.

Das Telefon läutete, aber er ließ sich Zeit, den Hörer abzunehmen. Er legte die Zigarre in den Aschenbecher und sagte dann: »3. Batterie, Hauptwachtmeister Schulz.« Und seine Stimme klang, obwohl er beinahe dabei gähnte, außerordentlich geschäftig.

Dann aber riß er sich mächtig zusammen, nahm Haltung an und saß hochaufgereckt in seinem Schreibtischsessel. Er sprach mit Knollengesicht, mit Major Luschke, dem Abteilungskommandeur. Und Luschke war immer wie eine Bombe, die jede Sekunde detonieren konnte.

»Jawohl, Herr Major«, rief Hauptwachtmeister Schulz.

Die aufreizend sanfte Stimme von Knollengesicht zischte in sein Ohr, als brenne eine Zündschnur ab.

»Nein, Herr Major«, rief Hauptwachtmeister Schulz.

Dann beschloß ein Knacken in der Leitung das Gespräch. Knollengesicht hatte übergangslos eingehängt. Und Schulz fragte sich grübelnd, was wohl dieser Anruf für einen Sinn gehabt haben mochte. Major Luschke hatte sich nach völlig nebensächlichen Dingen erkundigt: ob auf Wache kommandierte Soldaten den Mündungsschoner in einer leeren Patronentasche mitführten; ob sich Differenzen zwischen den einzelnen Uhren im Kasernement ergeben hätten.

Was mag eigentlich Knollengesicht mit derartigen nichtssagenden Fragen bezwecken? Vielleicht hatte er sie nur so zum Spaß gestellt? Oder verbarg sich hinter ihnen eine listig gestellte Falle mit unübersehbaren Folgen? Möglich war beides. Möglich war bei Luschke einfach alles. Knollengesicht war stets voller Überraschungen.

Nach längerem Nachdenken kam dann Schulz zu der einzig möglichen Schlußfolgerung: Knollengesicht Luschke, der Major und Abteilungskommandeur, hatte ihn überprüfen wollen; der hatte nur mal sehen wollen, ob Schulz auf Posten stand. Na, und war er auf Posten? Immer!

Diese Gedankengänge erfreuten Schulz und ließen seine gediegene Montagmorgenstimmung wieder aufkommen. Er griff nach seiner Zigarre und sog genußvoll daran. Und abermals klingelte das Telefon.

Diesmal beeilte sich Schulz, es sofort abzuheben, war doch durchaus möglich, daß der Major erneut anrief. Aber schon nach den ersten Worten, die er hörte, setzte er seine leicht gelangweilte, überlegene Schreibstubenmiene auf, mit der er Routinesachen, gewissermaßen aus dem Handgelenk, zu erledigen pflegte.

»Nein«, sagte er, »ein Gefreiter Kasprowitz ist hier nicht bekannt. Den hat es hier nie gegeben.« Er sprach mit einem Hauptfeldwebel der Infanterie, und schon allein deshalb klang seine Stimme nicht sonderlich freundlich, wenn auch noch kollegial. Dann horchte er auf. »Jawohl«, sagte er, nunmehr sichtlich interessiert. »Einen Kanonier Vierbein gibt es bei uns. Hat der was ausgefressen?«

Er war fast enttäuscht, als er vernahm, daß es sich um mangelhafte Ehrenbezeigung in der Öffentlichkeit handelte und daß nicht, wie erhofft und vermutet, der Kanonier Vierbein der schuldige Teil gewesen sei, sondern dessen Begleiter, ein Gefreiter, der sich als Kasprowitz ausgegeben habe.

»Vielleicht war es doch der Vierbein? Dem ist das zuzutrauen.« Und er horchte auf das, was ihm sein Gesprächspartner von der Infanterie vorzuschlagen hatte. Und dann sagte er: »Das ist natürlich immer richtig. Wir machen eine Gegenüberstellung. Melde das deinem Bataillon und schicke den Feldwebel her. Vierbein ist jetzt auf Wache, dort werden wir ihn anbraten.«

Schulz rieb sich die Hände. Und nicht ohne Empörung sagte er: »Immer dieser Vierbein, wohin man auch spuckt. Es wird wirklich Zeit, diesem renitenten Burschen das Handwerk zu legen.«

Er nahm erneut seine Zigarre auf, aber sie brannte nicht mehr. Umständlich zündete er ein Streichholz an und begann zu saugen. Dicke Qualmwolken lösten sich und stiegen zur Decke empor. Zigarren rauchen hielt er für stilvoll. Eigentlich rauchten nur der Chef und er in diesem Laden Zigarren; und das gehörte sich ja wohl so!

Er schloß den Schrank auf und legte sich einige Personalakten zurecht. Zwei Beförderungsanträge mußten heute noch für die Abteilung fertiggemacht werden. Es war an der Zeit, den Obergefreiten Kowalski und den Gefreiten Asch zu Unteroffizieren vorzuschlagen. Er hatte das mit dem Chef genau durchgesprochen, und seine Gedankengänge sahen dabei ungefähr so aus: Beide, Kowalski und Asch, waren beileibe keine unbeschriebenen Blätter mehr, der eine war ein Schläger und der andere ein saufrecher Hund; aber beide ragten aus der Mannschaft heraus, waren dort Leithammel, zeigten also Führerpersönlichkeit. Kein schlechter Nachwuchs für das Unteroffizierskorps, wenn man bedenkt, daß sich beide, sobald sie erst die Gurkenschalen besäßen, akklimatisieren würden.

Der Hauptwachtmeister füllte Beförderungsantrag und Personalbogen aus und machte sich sodann über die Beurteilung her, die, altem Brauch gemäß, zwar wenig Negatives, aber doch sehr Aufschlußreiches enthalten mußte, da es sich doch um eine Erhöhung des Dienstgrades handelte. Bei Asch, Herbert, Gefreiter, trug er nach seiner Beurteilung folgendes ein:

1. Charakterliche Veranlagung: Zuverlässig und gediegen; Führerpersönlichkeit, wenn auch noch nicht voll ausgeprägt. Respektvoll Vorgesetzten gegenüber. Sehr entwicklungsfähig.
2. Körperliche Eigenschaften: Ausdauernd; gute sportliche Veranlagung. Ist Strapazen gewachsen. Freischwimmer.
3. Militärische Kenntnisse: Gewehr 98b und k; Pistole 08; l. MG 08/15; s. MG 08; 8,8 cm (mot.).
4. Besonderheiten: Angenehmer Untergebener; verspricht guter Vorgesetzter zu werden.
5. Geeignet für: Unteroffizier.

Schulz überprüfte seine Morgenarbeit und fand sie gut. Er setzte eine neue Zigarre in Brand, nahm die Akten unter den Arm, trug sie, nachdem er die Polstertür geöffnet hatte, in das Chefzimmer und legte sie auf den Tisch von Hauptmann Derna. Dann saß er noch ein wenig an seinem Schreibtisch und sah dem Rauch nach, der sich durch das Fenster schlängelte.

Kurz vor zehn Uhr hörte er die Batterie heranrücken. Leutnant Wedelmann kommandierte persönlich, und das war ein sicheres Zeichen dafür, daß der Chef anwesend war; vermutlich hatte er sich direkt auf den Exerzierplatz begeben und dem Dienst während der letzten fünfzehn Minuten beigewohnt. Die Stiefel dröhnten im Parademarsch über die zementierte Fahrbahn. Der Spieß begab sich an das Fenster, und reine Wonne erfüllte ihn bei dem Anblick von Feldgrau, Schweiß und Strammheit. Schade, dachte er mit ehrlichem Bedauern, daß Vierbein, diese elende Filzlaus, nicht dabeigewesen war; zwei Stunden unter Wachtmeister Platzek hätten ihm gutgetan. Aber aufgeschoben ist ja nicht aufgehoben. Die Schlußkommandos ertönten – die Stimme von diesem Leutnant Wedelmann, dachte der Hauptwachtmeister, ist zu hoch, die überschlägt sich fast –, dann durfte die Batterie wegtreten, und zweihundertsechzig Füße trampelten über die Treppen und Korridore des Blocks. Der Hauptwachtmeister, jetzt wieder an seinem Schreibtisch, lauschte versonnen dem Gedröhn; und ein beseligendes Lächeln lag auf seinem glatten, vollen und doch eckigen Gesicht. Hierauf schlug er zwei Aktenstücke und eine Liste auf, verteilte sie über seinen Schreibtisch, und es sah aus, als arbeite er angestrengt.

Hauptmann Derna, der Batteriechef, betrat die Schreibstube. Der Hauptwachtmeister meldete, gewohnt vorbildlich: »Keine besonderen Vorkommnisse!«, und der Hauptmann dankte. Er verschwand in seinem Dienstzimmer und schloß hinter sich die Polstertür fest. Der Spieß wußte aus Erfahrung, daß der Chef jetzt für die nächsten fünfzehn Minuten Ruhe brauchte: er pflegte die Stiefel auszuziehen und die Reithosen gegen lange Hosen zu vertauschen.

Der nächste, der auf die Schreibstube kam, war Leutnant Wedelmann. Ihm machte der Hauptwachtmeister lediglich eine Ehrenbezeigung; er wartete dann noch einige Sekunden auf eventuelle Befehle, die nie zu kommen pflegten.

Wedelmann stieß die Pendeltür auf, die sich in der Barriere befand, durch welche ein künstlicher Vorraum geschaffen worden war. Er näherte sich dem Hauptwachtmeister, und Schulz tat, als arbeite er konzentriert.

»Was ich noch sagen wollte«, begann Wedelmann tastend. »Sie haben in der Nacht vom Samstag zum Sonntag einen Kanonier vom Tanzboden weg in die Kaserne geschickt.«

»Jawohl, Herr Leutnant«, sagte der Hauptwachtmeister, ohne sich zu erheben. Er fühlte sich gewappnet, in sicherer Position; und das »Was ich noch sagen wollte« des Leutnants hatte ihm deutlich gezeigt, daß keine übermäßigen Schwierigkeiten zu erwarten waren. »Der Kanonier Vierbein«, führte er aus, »hat sich seinen Sonntagsurlaubsschein erschlichen, mit falschen Angaben.«

»So?« Der Leutnant gab sich skeptisch.

»Der Unteroffizier Lindenberg«, sagte der Hauptwachtmeister, »ist dafür Zeuge.«

Wedelmann wußte aus Erfahrung, daß Unteroffizier Lindenberg, wenn er wirklich Zeuge war, als völlig einwandfreier Zeuge bezeichnet werden konnte. Lindenberg ließ sich eher totschlagen, als daß er, selbst über einen Untergebenen, eine unwahre Angabe machte.

»Trotzdem«, sagte der Leutnant vorsichtig tadelnd, »ist das nicht richtig. Das tut man einfach nicht, Hauptwachtmeister. Dienst ist Dienst; und auch die Freizeit ist eine Sache für sich.«

Das war ein zwar verhältnismäßig vornehm ausgedrückter, aber unverkennbar kräftiger Anschiß. Der Hauptwachtmeister würgte ihn mit Mühe hinunter. Alles wegen diesem Vierbein, dachte er. Immer dieser Vierbein! Und dann dachte er: Nur gut, daß niemand in der Nähe ist und zuhört, wie hier ein Spieß zur Sau gemacht wird.

»Jawohl, Herr Leutnant«, sagte er spürbar gekränkt. »Aber ich bitte erklären zu dürfen ...«

»Hier ist keine Erklärung mehr nötig«, sagte der Leutnant und ging.

Der Hauptwachtmeister sah ihm mit kleinen Augen nach, und er leistete es sich, da sich der Leutnant nicht mehr umdrehte, keine Ehrenbezeigung zu machen. Er fühlte sich gekränkt. Herr Leutnant, hatte er sagen wollen, dieser Vierbein, dieser Kanonier Vierbein, hat sich mit falschen Angaben seinen Urlaubsschein erschlichen, er hat vermutlich auf verbotenem Weg die Kaserne verlassen, ist verwickelt in eine Ermittlungssache wegen nachlässiger Erfüllung der Grußpflicht. Und das, Herr Leutnant, ist noch nicht alles; aber davon, von dem anderen, wollen wir erst gar nicht reden, Herr Leutnant.

Aber dieser Leutnant Wedelmann hört nicht auf ihn. Der schneidet ihm das Wort ab wie einem Schuljungen. Und das alles wegen diesem Vierbein.

Der Obergefreite Kowalski war, so wurde behauptet, eine Seele von Kamel. Aber er benahm sich nur wie ein Kamel; in Wirklichkeit hatte er den Verstand eines Fuchses. Ihm war alles, was seinen Dienst in der Wehrmacht anbetraf, scheißegal. Er tat fast alles, was ihm befohlen wurde, keinesfalls mehr. Er galt als wortkarg und als verläßlich. Er arbeitete bei Wunderlich, dem Unteroffizier für Waffen und Gerät; und da dieser niemand gebrauchen konnte, der geeignet war, Unruhe in sein beschaulich verwaltendes Dasein zu bringen, arbeitete er ausgezeichnet mit ihm zusammen. Kowalski war Bauernsohn, und der Hof seines Vaters stand in Pommern, genau mitten in einer Gegend, die die Wehrmacht dringend für Schießübungen benötigte. Der Vater wurde abgefunden, und das geschah finanziell sehr großzügig; er zog in die Stadt und arbeitete fortan in einer Großgärtnerei für Edelgemüse und verdiente dabei nicht schlecht. Kowalski, der Sohn, aber ging zur Wehrmacht, nicht gerade freiwillig, gedachte hier aber bis auf weiteres zu bleiben. Nie vorher in seinem Leben hatte er derartig wenig getan und so gut dabei verdient.

Kowalski verwaltete also Waffen und Gerät, und in seiner Freizeit trank er kräftig, legte so manches Mädchen um und investierte dann die Reste seiner gewaltigen Kraft in einige wüste Schlägereien, die ihn schnell im Standort bekannt, wenn nicht gar berühmt gemacht hatten. Der Gefreite Asch aber, mit dem er zusammen auf der gleichen Stube lag, war sein Freund. Asch war, wenn er ihm auch bei den Prügeleien nicht das Wasser reichen konnte, gewitzter und wendiger als er, aber er, Asch, ließ ihn, Kowalski, das nicht fühlen, und das war der Grundstein zu ihrer Interessengemeinschaft.

Der Obergefreite wußte nicht, was Innenleben ist; und wäre er danach befragt worden, hätte er vermutlich gesagt: »Das ist mir scheißegal.« Aber an diesem Montag spürte er deutlich, daß irgend etwas mit seinem Freund, dem Gefreiten Asch, nicht in Ordnung war. Er stellte keine Fragen, er beobachtete nur. Und ihm fiel auf, daß Asch nicht so gesprächig war wie sonst; selbst halblaute Bemerkungen während des Exerzierdienstes über direkte Vorgesetzte fielen nicht. Asch konzentrierte sich auf seinen Dienst; und eben weil er das tun mußte – dieses Auf-etwas-Konzentrieren, was man doch im Schlaf konnte – wurde Kowalski mißtrauisch.

»Was ist los mit dir?« fragte er.

»Gar nichts«, sagte Asch.

»Das ist es ja eben! Das fällt mir auf.«

Nach dem Fußdienst folgte, laut Dienstplan, von zehn Uhr fünfzehn bis zwölf Uhr das Geschützexerzieren. Und während dieser Zeit war der Gefreite Asch als Hallenmeister für den Geschützschuppen tätig. Er erledigte das mit der ihm eigenen Gründlichkeit: Er setzte sich in eine Ecke auf die Munitionskörbe, legte ein Exerziergeschoß und einen Öllappen neben sich und starrte vor sich hin. Er dachte an Elisabeth und an das, was er mit ihr erlebt hatte. Und Kowalski, der im Begriff war, ihm von der Waffenkammer unaufgefordert eine Ölkanne in den Schuppen zu bringen, hätte sich nie vorstellen können, daß irgendeine Elisabeth imstande gewesen wäre, einen ausgewachsenen Mann nachdenklich zu stimmen.

»Soll ich einen für dich verprügeln?« fragte Kowalski freundschaftlich.

»Mich!« sagte der Gefreite Asch. »Ich habe mich benommen wie ein Schwein.«

»Na – und? Ist das was Besonderes?«

Herbert Asch antwortete hierauf nicht. Er riß den Deckel eines Munitionskorbes, dessen Lederscharniere bereits beschädigt waren, ab. Er packte sich den selbstverständlich leeren, stattlich aussehenden Munitionskorb, der aber nur vier Pfund wog, auf die rechte Schulter und machte Anstalten, seinen Arbeitsplatz zu verlassen.

»Idiot!« rief Kowalski freundlich. »So geht das doch nicht.« Er kannte den Trick genau: Es war nur nötig, sich mit irgendeinem Gegenstand, einem möglichst leichten, versteht sich, zu belasten, das sah dann sofort nach Transport und Reparatur aus. Damit konnte man ungestört, ohne daß ein Vorgesetzter dumme Fragen stellte, das gesamte Kasernement in allen Richtungen durchkreuzen.

Was Kowalski ärgerte, war die Tatsache, daß Asch reichlich plump vorging: Das war ein erneuter Beweis dafür, daß sein Freund nicht auf Draht war. Man mußte nämlich immer auf alles und jeden Vorgesetzten gefaßt sein und darauf, daß einer den Drang verspürte, sich auch mal zu betätigen; und dann waren die glaubhaftesten Gründe gerade noch gut genug. Kowalski nahm daher Asch den Munitionskorb wieder ab, befeuchtete die verdächtig frische Bruchstelle und wischte mit seinem öligen Daumen darüber. »So«, sagte er dann, »jetzt glaubt dir jeder, daß eine ordnungsgemäße Reparatur fällig ist.«

»Na schön«, sagte Asch, »hoffentlich beruhigt dich das.«

»Und wie!« erklärte Kowalski. »Ich werde inzwischen hier auf den Munitionskörben ein kleines Nickerchen machen.«

Herbert Asch durchwanderte mit dem geschulterten Munitionskorb Teile des Kasernements, begab sich von der Geschützhalle, an den Kraftfahrzeugschuppen und der Turnhalle vorbei, zur Kantine I hin. Hier ging er kurz entschlossen in den Schank- und Verkaufsraum für Mannschaften, legte seinen Munitionskorb ab und verlangte ein Bier.

Der Kantinenpächter Bandurski sagte sich, als ehemaliger Unteroffizier, daß es schon ein reichlich starkes Stück sei, am hellen Vormittag, während des Exerzierdienstes, Biere in sich hineinzukippen. Zu seiner Zeit, bei der Reichswehr, wäre das nicht möglich gewesen; für Gefreite bestimmt nicht, höchstens vom Unterwachtmeister an aufwärts. Aber der Kantinenpächter in ihm stellte fest, daß Verdienst Verdienst sei; und er schenkte, ohne mit der Wimper zu zucken, ein großes Bier ein.

»Ist Fräulein Elisabeth nicht da?« fragte Asch.

»Nein«, sagte Bandurski, »sie ist heute nicht gekommen.«

»Vielleicht ist sie krank?«

Bandurski lachte. »Wer weiß«, sagte er anzüglich, »was das für eine Krankheit ist.«

Der Gefreite Asch zahlte wortlos und ging. Er verließ, mit dem leeren Munitionskorb auf der Schulter, die Kantine und wollte wieder zum Schuppen zurück. Da sah er, in Begleitung von Hauptwachtmeister Schulz, jenen Feldwebel der Infanterie, den er am Samstag mangelhaft gegrüßt und dem er einen falschen Namen angegeben hatte. Er trabte schleunigst davon, um aus dem Blickwinkel der beiden zu kommen.

An der Ecke des Schuppens machte er halt, spähte vorsichtig um einen Mauervorsprung herum und bemerkte, daß sich der Wochenendschleifer von der Infanterie, der Hauptverkehrsstraßen für Exerzierplätze zu halten schien, mit Spieß Schulz zum Wachlokal begab. Dorthin, wo sich der Kanonier Vierbein befand. Das beunruhigte Asch stark.

Er legte die letzte Strecke bis zum Geschützschuppen trotz der großen Hitze im Dauerlauf zurück. Das brachte ihm ein anerkennendes Grinsen von Wachtmeister Platzek ein, der gerade seine vier Geschützbedienungen mit dem bei ihm üblichen Hochdruck durchtrainierte.

Im Schuppen angekommen, warf Asch den Munitionskorb in hohem Bogen in eine Ecke und rief dem Obergefreiten Kowalski zu: »Los, Mensch! Du mußt sofort in das Wachlokal. Sieh zu, daß der Kanonier Vierbein keine Dummheiten macht. Beeile dich doch, du Faultier. Ich kann mich dort nicht sehen lassen.«

»Schon gut«, sagte der Obergefreite Kowalski, »schon gut.« Er unterdrückte ein Gähnen, ergriff seine Ölkanne und setzte sich in Trab. Leicht schweißglänzend erreichte er das Wachlokal. Mit geübtem Blick übersah er sofort, daß sich noch nichts Wesentliches ereignet hatte: Die Anwesenden standen wartend herum, und der Kanonier Vierbein befand sich nicht im Raum.

»Obergefreiter Kowalski zur Stelle!« rief er und stand am Eingang mit seiner Ölkanne stramm. Und um blöde Kreuz- und Querfragen auszuschalten, fügte er hinzu: »Ich soll die Scharniere der Türen und Fenster einölen.«

»Quatschen Sie nicht soviel, Kowalski, arbeiten Sie lieber«, sagte der Hauptwachtmeister. Und dann wartete er, gemeinsam mit dem Feldwebel der Infanterie, weiter auf das Erscheinen des Kanoniers Vierbein, den der Unteroffizier Schwitzke weggeschickt hatte, um Zigaretten zu holen.

Kowalski hatte inzwischen mit größter Umständlichkeit die Fenster aus ihren Scharnieren gehoben; er entfernte das alte Öl mit einem Lappen, goß neues Öl auf die blankgescheuerten Stellen, entfernte auch das.

Dann erschien der Kanonier Vierbein und machte seine Ehrenbezeigung.

»Das ist er!« rief der Feldwebel der Infanterie.

»Jawohl«, sagte der Hauptwachtmeister. »Aber nur mit der Ruhe.«

Der Kanonier Vierbein, der an der Tür stehengeblieben war, sah sich hilflos im Raum um. Alle sahen ihn an und gaben sich dabei Mühe, einen völlig unbeteiligten Eindruck zu machen; nur Kowalski, der hinter allen stand, winkte Vierbein freundlich und aufmunternd zu.

»Also!« Der Hauptwachtmeister stellte sich in Positur; er kam sich vor wie ein Richter, der die Wahrheit zu erforschen hatte. »Sie, Vierbein, gingen am Samstagnachmittag mit einem Gefreiten über die Goethestraße. Stimmt das?«

»Jawohl, Herr Hauptwachtmeister.«

»Wer war der Gefreite?«

Vierbein zögerte seine Antwort hinaus. »Ich habe aber doch Herrn Feldwebel vorschriftsmäßig gegrüßt«, sagte er.

Der Feldwebel bestätigte das. »Jawohl, das hat er! Aber nicht der andere, der mir den falschen Namen angegeben hat. Der sagte, er heiße Kasprowitz, aber bei der ganzen Artillerie gibt es keinen, der so heißt.«

In diesem Augenblick erfaßte der Obergefreite Kowalski die Situation völlig. Jetzt war ihm klar, was sich ereignet hatte: der Gefreite Asch hatte wieder einmal saumäßig gegrüßt und dann einfach einen falschen Namen angegeben; das war stark, aber gut!

»Also los!« sagte der Hauptwachtmeister. »Wer war der Gefreite?«

Der Kanonier Vierbein fühlte, daß ihm der Schweiß ausbrach. Mein Gott, was sollte er tun! Er sah hilfesuchend über seinen Hauptwachtmeister hinweg und erblickte den Obergefreiten Kowalski, der heftig mit den Schultern zuckte, was ganz unmißverständlich hieß: Ich weiß das nicht.

»Ich weiß das nicht, Herr Hauptwachtmeister«, sagte der Kanonier Vierbein mechanisch. Und bestürzend wurde ihm klar: Er hatte einen Vorgesetzten belogen; gewiß, er hatte auch seinen Freund vor Unannehmlichkeiten bewahrt, aber er hatte seinen Vorgesetzten belogen.

»So!« sagte der Hauptwachtmeister mit unverkennbarer Drohung. »Der Herr erinnert sich also nicht mehr?«

Vierbein war naß von Schweiß; wie gebadet kam er sich vor. Er versuchte, seine Position zu retten. Er sagte schnell: »Ich kannte den Gefreiten nicht. Er war nicht von unserer Batterie. Ich habe ihn zufällig getroffen, und wir gingen ein Stück gemeinsam.«

Der Obergefreite Kowalski nickte Zustimmung. Er hob die Arme und winkelte die Handflächen nach außen, als wollte er sagen: Na siehst du!

Der Spieß witterte Unrat. »Wenn das eine bewußte Aussageverweigerung ist, dann steht darauf Kriegsgericht. Ich warne Sie. Sie haben sich schon so manches zuschulden kommen lassen. Langsam geht meine Geduld mit Ihnen zu Ende. Wenn ich Sie bei irgendeiner krummen Sache erwische, lasse ich Sie unnachsichtig einsperren.«

»Würden Sie den Gefreiten wiedererkennen«, erkundigte sich der Feldwebel, »etwa bei einer Gegenüberstellung? Oder dann, wenn Sie ihm bei nächster Gelegenheit im Kasernement begegnen würden?«

»Ich weiß nicht«, sagte Vierbein stotternd. »Ich glaube schon.«

»Aber ich«, sagte der Hauptwachtmeister entschieden, »weiß genau, was ich von Ihnen zu glauben habe!«

»Soll ich jetzt auch noch die Tür ölen?« fragte der Obergefreite Kowalski.

»Quatschen Sie hier nicht dazwischen!« rief Schulz wütend. »Ihr Typ ist hier nicht gefragt. Sie versauen mir das ganze Konzept!«

Der Werkmeister Freitag, der Vater Elisabeths, war ein Sozialist aus Überzeugung, aber einer ohne Romantik. Er hatte sein Leben lang schwer und ehrlich gearbeitet. Er übte seinen Beruf verläßlich aus und liebte seine Familie mit stiller Hingabe. Nichts Menschliches war ihm fremd. Er hatte den Weltkrieg 1914/18 als einfacher Soldat glücklich überstanden, er hatte die Revolution überlebt, die Inflation, die Reaktion. Und er war überzeugt, er werde auch noch die Nazis überleben.

Tätigsein war ihm Bedürfnis. Seit seinen jungen Jahren mußte er arbeiten, und er hatte ein Leben lang nicht mehr damit aufgehört. Er war der erste in der Werkhalle und der letzte beim Mittagessen; und am Abend und an den freien Tagen arbeitete er an seinem Haus, das er sich erspart hatte: er besserte es aus, vergrößerte seinen Schuppen, pflegte den Garten, strich Fenster und Türen, baute auf dem Dachboden ein Gästezimmer.

Er hatte seine Frau alt werden und seine Kinder heranwachsen sehen. Die Torheiten seines Lebens beging er mit Augenzwinkern, und die der anderen pflegte er zu übersehen, soweit ihm das möglich war. Er hatte die Sünden seiner Jugend, oder doch den Hang dazu, nicht vergessen, selbst als Fünfzigjähriger nicht; und wo er ähnliche Zustände vorfand wie jene, die ihm einstmals nicht erspart geblieben waren, versuchte er sie mit Verständnis zu korrigieren. Er liebte die Anständigkeit, war aber einsichtig genug, nicht gleich alles, was mit den sogenannten Moralbegriffen nicht in Einklang zu sein schien, rundweg als unanständig zu bezeichnen.

Er war nie voreilig, er wußte, daß die Herstellung der besten Werkstücke immer auch eine angemessene Zeit erforderte. Er pflegte lange und gründlich nachzudenken, ehe er eine Arbeit in Angriff nahm; war das aber geschehen, arbeitete er schnell, sicher und zielbewußt.

An jenem Montagnachmittag verließ der Werkmeister Freitag seinen Arbeitsplatz zwei Stunden früher als gewöhnlich. Der Inspektor war froh, seinem besten Arbeiter einen Gefallen tun zu können, und hatte seine Erlaubnis gerne gegeben.

Freitag reinigte sich gründlich, wie vor einem Fest, und zog sich dann vor seinem Schrank um. Er nahm den Koffer heraus, den er dort stehen hatte, stellte ihn auf die Tischplatte, öffnete ihn. Nachdenklich betrachtete er die darin liegenden Bekleidungsstücke eines gewissen Herbert Asch, Gefreiter, in der 3. Batterie des Artillerieregimentes. Alle diese Angaben – und noch andere, wie Geburtstag und Ort, Größe, Haarfarbe und Farbe der Augen, besondere Kennzeichen – waren bequem auf dem blauen Dienstausweis nachzulesen gewesen, der in der oberen linken Rocktasche gesteckt hatte. Außerdem waren Name, Dienstgrad und Einheit in fast jedem Stück der Bekleidung eingenäht. Selbst ein Foto des Herbert Asch, Gefreiter, war vorhanden; es zeigte einen reichlich dumm dreinblickenden Menschen in Uniform, der scheinbar nicht bis drei zählen konnte, also aussah, wie Rekruten auszusehen pflegen.

Freitag klappte den Koffer wieder zu. Er verfügte über keine sonderlich rege Phantasie; aber Kraft genug hatte er schon, sich vorzustellen, daß die nächtliche Unruhe in seinem Haus im engen Zusammenhang stand mit den aufgefundenen Uniformteilen. Er hatte Elisabeth nicht um eine Erklärung gedrängt, er wollte es nicht, und außerdem hatte er sie nicht nötig; wäre sie von alleine zu ihm gekommen, er hätte sie gerne und nicht ohne Wohlwollen angehört. Aber er glaubte ihr Schweigen zu verstehen und respektierte ihre Gründe. Es gibt eben Dinge im Leben, und gewisse Nächte gehören dazu, an denen die Eltern keinen direkten Anteil nehmen dürfen, ohne zu zerstören. Das Wissen darum war es allein, das ihn bewog, sich unwissend zu stellen.

Der Werkmeister Freitag verließ mit dem Koffer das Reichsbahnausbesserungsgelände, bestieg sein Fahrrad und fuhr damit zur Artilleriekaserne. Daß es sich bei diesem Menschen, der Kraft genug besaß, seine Elisabeth aus dem Gleichgewicht zu bringen, um einen Soldaten handelte, störte ihn wenig. Uniformen waren ihm zuwider, und er vermochte es sich nicht vorzustellen, daß ein normaler, arbeitsamer Mensch es fertigbringen konnte, seine Zeit mit Verrichtungen zu vertrödeln, deren letzter Endzweck die Zerstörung, die Vernichtung, das Töten war. Aber in einer Zeit, in der es keine freiwillige Entscheidung gab, konnte sich unter einer Uniform einfach alles verbergen: Idealisten und Sadisten, Gleichmütige und Gepreßte, Begeisterte und Gegner, Kluge, Idioten und vorübergehend Verdummte. Zu einer dieser Gruppen konnte der Gefreite Asch gehören; und es war nicht unwichtig, zu welcher.

Der Werkmeister näherte sich dem Kasernentor, und der Posten verwies ihn in ein Wachlokal. Freitag stellte sein Fahrrad gegen die Mauer, montierte den Koffer ab und begab sich zum Wachhabenden.

Der Unteroffizier Schwitzke, der Saurier, sah in der Ankunft des kleinen, alten, freundlichen Mannes eine glatte Störung der Nachmittagsruhe. In drei Stunden etwa würde er abgelöst werden, und dann wollte er den versäumten Sonntagabend nachholen, aber gründlich; seine Thusnelda – er nannte alle Mädchen Thusnelda – hatte versprochen, in den Stadtpark zu kommen.

»Wo wollen Sie hin?« fragte er mürrisch.

»Zur 3. Batterie«, sagte der Werkmeister, der seinerzeit die Eigenheiten eines Kasernenlebens gründlich am eigenen Leibe kennengelernt hatte. Und er war bereit, weitere Fragen zu beantworten.

»Wie heißen Sie?« fragte der Saurier.

»Freitag.«

Schwitzke füllte einen Passierschein aus und reichte ihn hinüber. »Ein Posten geht mit«, sagte er dann. Er kümmerte sich nicht weiter um den Besucher, sondern begann erneut, an seine Thusnelda zu denken, an den Abend im Park, an die versteckte, aber doch sehr bequeme Bank an der Fliederhecke, wo er mehrmals schon, auch im Winter, die Liebe seiner Thusnelda – es war natürlich nicht immer dieselbe – ausgiebig genossen hatte.

Freitag folgte dem Posten, der ihn zum Block der 3. Batterie führte und dort auf der Schreibstube ablieferte. Hauptwachtmeister Schulz unterbrach seine stets umfangreich aussehende Tätigkeit und widmete sich ihm gönnerhaft; Zivilisten auf der Schreibstube versprachen immer Abwechslung.

»Zeigen Sie mal Ihren Passierschein. Stimmt. Sie sind hier richtig. Die 3. Batterie bin ich.« Schulz sah seinen Besucher herausfordernd an.

Freitag lächelte dünn. »Ich wollte nicht zu Ihnen persönlich. Ich will einen Gefreiten sprechen, der Asch heißt. Herbert Asch.«

»Und was wollen Sie von ihm?«

»Ich will ihn sprechen.«

Der Hauptwachtmeister kam interessiert näher. Er sah auf den Mann hinter der Schranke und sah auf den Koffer, den der zu Boden gestellt hatte. Ein Koffer, so folgerte er instinktiv, mit Raum genug, um darin eine Uniform mit sämtlichem Zubehör zu verbergen. Dann betrachtete er, einem augenblicklichen Einfall folgend, den Passierschein.

»Sie heißen Freitag? Sind Sie etwa verwandt mit Fräulein Elisabeth Freitag, die in der Unteroffizierskantine bedient?«

»Sie ist meine Tochter.«

Der Hauptwachtmeister wurde um Grade liebenswürdiger; er war sogar, wenn auch vergeblich, bemüht, eine herzliche private Atmosphäre aufkommen zu lassen. »Freut mich sehr«, sagte er, »Sie kennenzulernen.« Und er streckte seine große Hand aus, die der Werkmeister zögernd ergriff.

»Ich kann also den Gefreiten Asch sprechen.«

»Selbstredend«, sagte der Hauptwachtmeister, wie ein König, der seinem lieben Untertan gnädigst einen Wunsch gewährt. »Das ist doch klar. Ein Mann wird Sie begleiten. Und es hat mich, wie gesagt, gefreut.« Wieder streckte er seine große Hand aus, und der Werkmeister ergriff sie erneut; erneut zögernd. Dann verließ er die Schreibstube, und der 3. Schreiber, der ihn führen sollte, ging voran.

Der Spieß Schulz aber setzte sich an seinen aktenüberladenen Schreibtisch. Er zündete eine der Chefzigarren an, schob einen Merkzettel von sich, auf dem einzig und allein der Name Vierbein in großen Buchstaben prangte. Er dachte nach. Das also, dachte er abschweifend, war der alte Freitag, der Vater von der schicken Elisabeth, und er hatte einen Koffer bei sich, und er wollte zum Gefreiten Asch, zu dem gleichen Gefreiten Asch, der heute gegen drei Uhr früh, lediglich mit einem Hemd bekleidet, im Kasernement angetroffen wurde. Wenn nun ...

Doch er wies diesen Gedankengang, zunächst einmal, weit von sich. Aber seine in eine ganz bestimmte Richtung mit besonderer Vorliebe hinzielende Phantasie ließ ihm keine Ruhe. Es war nicht reizlos, sich vorzustellen, daß ...

Er schüttelte sich ein wenig, unklar, ob vor Wonne oder Abscheu, und rauchte heftig. Gewiß, diese Elisabeth stand auf seiner Liste an erster Stelle; ein Prachtweib war das, für sie konnte einiges riskiert und manches in Kauf genommen werden. Was jedoch den Gefreiten Asch anbelangte, so war der zunächst so gut wie tabu; er selbst hatte ihn zum Unteroffizier vorgeschlagen und eingereicht, und der Chef hatte seinen Segen, in Form der Unterschrift, nicht verweigert. Zum Teufel, man ist doch nicht kleinlich. Und außerdem hat man andere Sorgen: Vierbein – zum Beispiel.

Und die Gedanken von Schulz, durch den Genuß der Brasilzigarre gefördert, begannen zu rotieren: Elisabeth – Asch im Hemde um drei Uhr morgens – Vater Freitag mit Koffer – Vierbein, der jetzt auf Wache ist!

Er griff zum Telefon und verlangte eine Verbindung mit dem Wachlokal. »Schwitzke«, fragte er barsch, »wer hat zwischen zwei und vier Uhr die Wache am Tor gehabt?« Er horchte in den Hörer hinein, und urplötzlich flutete hohe Zufriedenheit über sein Kartoffelgesicht. Vierbein also! »Gut«, sagte er und hängte ab.

Er zog den Merkzettel zu sich, auf dem einzig und allein das Wort Vierbein in großen Buchstaben prangte. Und er schrieb, markant wie immer, hinzu: Wache am Tor von zwei bis vier. Das unterstrich er. Und fröhlich qualmte er weiter.

Währenddessen wartete der Werkmeister Freitag nicht ohne Spannung im Lesezimmer auf den Gefreiten Asch. Er saß auf einem Stuhl und hatte den Koffer neben sich abgestellt. Er sah auf die Tür, und seine Augen waren klein.

Der Gefreite Asch betrat den Raum; er war im Drillich-Anzug und hielt die Feldmütze in der Hand. Ihm war mitgeteilt worden, daß Besuch für ihn da sei; um wen es sich handele, wisse man nicht.

Asch musterte seinen Besucher, und der musterte ihn. Diese erste Prüfung schien sie beide ein wenig zu befriedigen und Asch in Besonderheit zu beruhigen.

»Guten Tag«, sagte der Gefreite.

»Guten Tag«, sagte der Werkmeister. »Ich bringe Ihnen Ihre Kleider. Ich habe sie gefunden, auf der Straße.« Und er ließ kein Auge von seinem Gegenüber.

Herbert Asch war sichtlich verlegen. »Ja«, sagte er, »das ist fein.« Und er ergriff, auf einen Wink seines Besuchers, den Koffer, öffnete ihn und überprüfte den Inhalt. »Ja«, sagte er, »es ist alles da.« Und seine Verlegenheit steigerte sich noch. »Ich danke Ihnen sehr, Herr ...«

»Mein Name ist Freitag«, half ihm der Besucher aus und beobachtete ihn scharf.

Asch ließ die Stiefel, die er dem Koffer entnommen hatte, auf den Tisch fallen. Er setzte sich. Er begann: »Ich weiß nicht, wieweit Sie ...« Dann unterbrach er sich und sagte fest: »Ich glaube, ich bin Ihnen eine Erklärung schuldig, Herr Freitag.«

Der lächelte. »Das ist nicht nötig«, sagte er. »Auch ich war jung, ich war sogar einmal Soldat. Ich kann mir vorstellen, was passiert ist. Die Nacht war schön, und das Mädchen erschien Ihnen schön, die Gelegenheit war günstig, und Sie nutzten sie aus, oder besser: Sie gaben sich ihr hin. Mein Gott, das ist nun einmal so! Wem wollen Sie da die Schuld geben? Dem Mond? Ihrem

Blut? Der günstigen Gelegenheit? Ich habe später Ihre Kleider irgendwo auf der Straße gefunden, seien Sie doch froh, daß ich das war – und nicht etwa der Vater des Mädchens.«

Asch wich zurück. Ihm war ganz klar, daß der Mann, der da gelassen vor ihm saß, alles andere als ein Trottel war. Er war Elisabeths Vater, und er gefiel ihm. Asch spürte ganz deutlich, daß der weit mehr wußte oder ahnte, als er sagte. Er wollte ihm eine goldene Brücke bauen; er wollte einen möglichen Irrtum, eine Verirrung, nicht bis zur letztmöglichen Konsequenz ausgenutzt sehen. Er, der Vater Elisabeths, gab ihm eine Chance.

»Ich muß Ihnen«, sagte Asch entschlossen, »nähere Einzelheiten erzählen. Sie sollen wissen ...«

»Nicht doch!« sagte der Werkmeister und erhob sich. »Ich habe jetzt sehr wenig Zeit. Aber wenn Sie wollen, können Sie mich morgen abend besuchen. Essen Sie Abendbrot mit uns – wenn Sie wollen.«

»Gerne«, sagte Herbert Asch verwirrt.

»Sie können dann, wenn Sie wollen, meine Familie kennenlernen.«

»Ich komme bestimmt.«

»Ich würde mich darüber freuen«, sagte der Werkmeister Freitag schlicht und verabschiedete sich.

Die Tür wurde aufgestoßen. Der Hauptwachtmeister schaute herein, übersah die Ehrenbezeigung des Gefreiten, spähte zum Tisch hinüber, auf dem der offene Koffer mit den Bekleidungsstücken stand. »Weitermachen«, rief er gönnerhaft und schlug die Tür wieder zu.

»Also dann«, sagte der Werkmeister Freitag, »auf morgen! Wenn Sie wollen.«

Die Wache durfte wegtreten. Die Soldaten produzierten eine gute Kehrtwendung, schoben die Gewehre unter den Arm und gingen auf den Batterieblock zu. Der Kanonier Vierbein sah an einem weitgeöffneten Fenster im zweiten Stock den Unteroffizier Lindenberg stehen; der stand da wie aus Stein gehauen.

Vierbein beschleunigte seine Schritte. Er war zwar sicher, daß Lindenberg auf seine Rückkehr gewartet hatte. Das bedrückte ihn. Denn das spürbare Interesse seines Unteroffiziers, des »ewigen Soldaten«, konnte nur eine Kette von ausgedehnten Komplikationen bedeuten; und die konnte er gerade heute am wenigsten gebrauchen, denn er war mit Ingrid verabredet.

Während er die Treppen hinaufeilte, sah er auf die Uhr, die über einer Pendeltüre hing. Er hatte fast noch zwei Stunden Zeit bis zum Rendezvous mit Ingrid – aber was waren schon zwei Stunden für Unteroffizier Lindenberg? Wenn der nur wollte – und alle Anzeichen wiesen darauf hin, daß dem so war! –, dann konnte er seine Kontrollen völlig mühelos und niemals ohne letzte Berechtigung bis zum Zapfenstreich ausdehnen.

Vor der Tür wartete der Gefreite Asch auf ihn. »Gut gemacht«, rief er ihm entgegen. »Das mit dem Infanteriehengst hast du gut gemacht.«

»Lindenberg scheint auf mich zu warten«, sagte Vierbein und ging auf ihn zu.

»Das haben wir kapiert«, sagte der Gefreite. »Das hat sich schon herumgesprochen! Kettenreaktion! Der Spieß schickt seine besten Pferde in die Arena. Das sicherste ist, du machst dich sofort aus dem Staub.«

»Lindenberg kann jeden Augenblick hier aufkreuzen.«

»Das wird er nicht tun«, versicherte Asch vielerfahren. »Lindenberg weiß, was sich gehört. Er tut nichts, was sich nicht durch Vorschriften oder Dienstanweisungen verantworten läßt. Du hast Wache gehabt, und jetzt gibt er dir die Gelegenheit, deine Wachklamotten, einschließlich Gewehr, in Ordnung zu bringen. Dann erst wird er erscheinen und dir im Handumdrehen nachweisen, daß du sie gar nicht in Ordnung gebracht hast.«

»Ich weiß«, sagte Vierbein resignierend. »Dann geht das Theater los.«

Asch lachte unbekümmert auf: »Wir lassen es erst gar nicht dazu kommen. Vorher hast du mir geholfen, jetzt helfe ich dir. Ich übernehme alle deine Wachklamotten und garantiere für Sauberkeit. Du aber ziehst dich sofort auf der Toilette um und verschwindest dann, so schnell du kannst.«

»Lindenberg wird toben«, sagte Vierbein zögernd.

»Der wird nicht toben, der nicht; dazu hat er viel zuviel Selbstbeherrschung. Er wird sich nur mächtig aufregen, aber er wird das nicht zeigen. Und bis morgen früh hat er sich wieder abgeregt.«

»Glaubst du?«

»Davon bin ich überzeugt. Also los! 'rein in das Scheißhaus. Ich hole dir deinen Ausgehanzug.«

Der Gefreite Asch schob Vierbein vorwärts; der eilte zum entgegengesetzten Ende des Korridors, wo die Toilette lag. Er schloß sich ein und begann sich hastig auszuziehen. Der Stahlhelm schepperte, das Gewehr rutschte aus und polterte über die Fliesen. Vierbein erschrak; er überprüfte sofort im Zwielicht, ob Teile seines Gewehrs bestoßen worden waren, aber zu seiner Erleichterung fand er nichts. Er lehnte sich gegen die Holzwand und fühlte, daß ihm der Schweiß ausgebrochen war. Kurz darauf trommelte der Gefreite Asch gegen die Tür. »Hier sind deine Sachen«, sagte er. »Ausgehanzug, Schirmmütze, Halbschuhe und Extrakoppel. Sonst noch was?«

»Ich danke dir«, sagte Vierbein aufrichtig.

»Nichts zu danken.«

Vierbein zog sich in Eile an. »Wenn du mir nicht geholfen hättest, wäre ich heute niemals aus der Kaserne herausgekommen.«

»Noch bist du nicht draußen. Und wenn du weiter soviel redest, geht dir nur wertvolle Zeit verloren.«

»Ich bin heute abend mit deiner Schwester verabredet«, sagte Vierbein durch die Holztür der Toilette. »Ich hoffe, du hast nichts dagegen.«

Asch antwortete nicht sofort. Dann sagte er gedehnt: »Wenn ich das gewußt hätte ...«

»Dann hättest du das nicht getan?«

»Nein«, sagte Asch unfreundlich, »dann hätte ich dich lieber in die Hände von Lindenberg fallen lassen. Der ist weit harmloser als meine Schwester.«

»Das verstehe ich nicht«, sagte Vierbein.

»Weil du ein Idiot bist«, sagte Asch freundlich. »Aber in einer klaren Stunde wirst du das schon noch merken. Hoffentlich ist es dann nicht zu spät.«

Vierbein trat umgezogen aus der Toilette in den Vorraum. Er war ein wenig verwirrt, außerdem hatte er es eilig. Er übergab seinem Freund und Kameraden die Wachklamotten.

Asch musterte ihn; er fand, auf den ersten Blick, nichts, das beanstandet werden konnte. »Hast du alles mit?« fragte er. »Truppenausweis? Geld? Taschentuch?«

Vierbein bejahte diese Fragen.

»Dann wollen wir die Lage peilen.« Asch trat auf den leeren Korridor, schlenderte bis zur Flügeltür und sah in das Treppenhaus.

Er zog seinen Kopf zurück und rief gedämpft zu Vierbein, der aus der Tür der Toilette spähte: »Lindenberg kommt!«

Dann riß er, außerordentlich diensteifrig erscheinend, die Flügeltüren weit auf und produzierte eine tadellose Ehrenbezeigung.

Der Unteroffizier Lindenberg schritt in der bei ihm jederzeit selbstverständlichen tadellosen Haltung vorbei; er erwiderte den Gruß des Gefreiten mit schöner Korrektheit. Dann klapperten seine schweren Nagelstiefel über den Steinfußboden. Sichtlich entschlossen, aber ohne auch nur im geringsten seine Eile zu verraten, strebte er auf jene Tür zu, hinter der er den Kanonier Vierbein vermutete.

Kaum hatte Unteroffizier Lindenberg den Korridor verlassen und die Mannschaftsstube betreten – dort wurde dröhnend »Achtung« gerufen –, lotste Asch seinen Kameraden Vierbein aus der Toilette: »Los, Mensch! Jetzt lauf! Die Gelegenheit ist günstig.« Und der Kanonier Vierbein trabte, ohne sich weiter zu besinnen, an dem Gefreiten vorbei. Er lief die Treppe hinunter. Er sah sich nicht mehr um. Er lief seinem Rendezvous mit Ingrid entgegen.

Der Gefreite Asch gab der gutgeölten Flügeltür einen mächtigen Schwung. Sie pendelte scharrend hin und her. Dann setzte auch er sich langsam in Bewegung und ging auf seine Stube zu.

Hier stand der Unteroffizier Lindenberg, mitten im Raum, breitbeinig und wie erstarrt. Zum erstenmal war in seinem Gesicht die Spur einer Gemütserregung zu lesen: er war verwundert. Er hatte alle anwesenden Stubenangehörigen, einzeln, nach Vierbein befragt, und jeder hatte behauptet, nichts von Vierbein zu wissen. Das aber, so wollte es Lindenberg scheinen, konnte nur noch als faustdicke Lüge bezeichnet werden, denn er selbst, höchstpersönlich, hatte doch Vierbein im Wachanzug vor einer Viertelstunde den Block betreten sehen – er mußte also dasein, mußte hier sein; vom Erdboden verschwunden konnte er doch nicht sein!

Lindenberg fühlte sich also belogen; und eben das empörte ihn vorerst gar nicht einmal, es wunderte ihn nur maßlos. Er vermochte es einfach nicht zu fassen, daß man jemals wagen könnte, ihn zu belügen.

»Und Sie«, fragte er den eintretenden Gefreiten Asch, »wissen Sie auch nichts davon?«

»Nein, Herr Unteroffizier«, sagte der Gefreite Asch prompt.

»Wovon wissen Sie nichts?«

»Von nichts, Herr Unteroffizier.«

»Zum Teufel!« brüllte Lindenberg los. Er war selbst höchst verwundert darüber, sich brüllen zu hören, und er sah, daß die Soldaten seiner Korporalschaft, die sich vor ihm bewegungslos aufgebaut hatten, erschraken. Das gab ihm sein Gleichgewicht wieder.

»Also auch Sie, Asch, wagen zu behaupten, daß der Kanonier Vierbein, nachdem er vom Wachdienst entlassen worden war, diese Stube nicht betreten hat? Wagen Sie das zu behaupten?«

»Jawohl, Herr Unteroffizier«, sagte der Gefreite durchaus wahrheitsgemäß.

Der Unteroffizier Lindenberg verschwand und schlug die Tür mit einem gewaltigen Krach hinter sich zu. Auf dem Korridor blieb er stehen und atmete gepreßt; er vermochte nicht zu begreifen, was hier vor sich ging. Und er stürzte sich wie eine wilde Hummel durch den Kasernenblock, um Vierbein zu suchen.

»Den hat es gepackt«, sagte der Gefreite Asch unbekümmert zu seinen Kameraden. »Der wurde ja geradezu menschlich!«

Sie trafen sich vor einem Uhrengeschäft auf dem Paradeplatz; und Johannes Vierbein konnte sich so leicht davon überzeugen, wie überaus pünktlich Ingrid Asch war. Sie begrüßten sich und schlenderten auf die Schloßteichpromenade zu.

Vielen Vorgesetzten begegnete der Kanonier, der gekommen war, um mit einem Mädchen zu plaudern. Er grüßte mit Ausdauer und vorschriftsmäßiger Haltung. Die ganze Stadt schien nur aus Vorgesetzten zu bestehen; und es war, als bestünde deren ganze Lebensaufgabe darin, auf einen Gruß zu warten.

»Wenn Sie erst Offizier sind«, sagte das Mädchen an seiner Seite, »dann wird alles viel bequemer sein.«

»Ich will aber gar kein Offizier werden«, sagte Johannes Vierbein.

»Nein?« Ingrid schien verwundert zu sein. »Ich denke, Sie haben Ihr Abitur gemacht?«

»Natürlich. Aber doch nicht, um Offizier zu werden. Ingenieur will ich werden.«

»Na ja – das ist ja auch ganz schön.« – Ingrid schien ein wenig verstimmt zu sein, und er wußte nicht recht, weshalb das so war. Er gedachte ihr eine Freude zu bereiten, um sie so zu versöhnen; und er erlaubte sich die Anfrage, ob sie bereit sei, mit ihm eine Tasse Kaffee zu trinken und ein Stück Kuchen zu essen.

»Aber gerne«, sagte Ingrid, »gehen wir in die Konditorei Liedtke. Dort gibt es eine ausgezeichnete Torte.«

Johannes nickte zustimmend und war ehrlich bemüht, Freude zu zeigen, aber das fiel ihm nicht leicht, denn die Konditorei Liedtke war teuer, und seine Finanzen warer rar. Hinzu kam, daß in der Konditorei Liedtke auch, was sich herumgesprochen hatte, die Offiziere des Standortes zu verkehren pflegten, und zwar offiziell, mit den zu ihnen gehörigen Damen.

Das Publikum war nicht zahlreich, schien aber auserlesen zu sein. Ingrid fühlte sich sichtlich wohl, und das freute ihn. Er gab vor, keine Torte zu mögen, und er ließ es mit Haltung geschehen, daß sie gleich zwei Stücke mit großem Appetit verspeiste. Die Augen einiger Vorgesetzter in Offiziersrang ruhten kurz prüfend auf ihm, verrieten dann gedämpfte Duldung.

»Sie wollen also Ingenieur werden«, sagte sie. »Wann werden Sie Ihren Doktor machen?«

»Vermutlich überhaupt nicht«, sagte Johannes Vierbein. »Ich will Bauingenieur werden, also so etwas wie Ingenieur und Architekt zugleich.« Er kam nicht dazu, auf ihre Reaktion zu achten, denn ein Zahlmeister drängte sich suchend durch die Tischreihen. Vierbein war bestrebt, eine Ehrenbezeigung durch Stillsitzen und Blickwendung zu produzieren; sie gelang und wurde anerkannt – der Zahlmeister nickte freundlich.

»Wenn Sie aber wenigstens Reserveoffizier wären ...« begann Ingrid abermals.

Der Zahlmeister ging nach vergeblichem Suchen wieder am Tisch vorüber, an dem Johannes und Ingrid saßen, und der Kanonier sah sich gezwungen, abermals zu grüßen. Er verwünschte ein wenig seinen Eifer; Asch wäre das nicht passiert, und vielen anderen auch nicht, die taten immer grundsätzlich so, als seien sie schwer beschäftigt. Sie grüßten also in Restaurants so gut wie überhaupt nicht, und nur höchst selten fand sich ein Vorgesetzter, der das an Ort und Stelle zu rügen wagte.

»Wollen wir noch ein wenig spazierengehen?« fragte Vierbein. »Vielleicht irgendwohin, wo es dunkel ist.«

»Wo es dunkel ist?«

»Ich meine: irgendwohin, wo man nicht andauernd zu grüßen braucht.«

»Mich stört das nicht«, sagte Ingrid. »Das muß ja wohl so sein. Aber wenn Sie durchaus wollen, dann nehmen wir ein Boot und rudern auf den Schloßteich hinaus.«

»Aber gerne«, sagte Vierbein. Und er rechnete sich aus, daß eine Bootsfahrt an Stelle eines Spazierganges seine Ausgaben um mindestens zwei Mark vergrößern würde; aber für Ingrid war ihm nichts zu teuer, und Hauptsache: Das Geld reichte aus.

Sie gingen auf den Schloßpark zu. Die Lampen, die über dem Promenadenweg hingen, leuchteten matt. Die beginnende Nacht umhüllte sie mit Wärme. Er mußte sie ansehen und vergaß zu grüßen. Aber der Vorgesetzte, den er übersehen hatte, war glücklicherweise in eine ähnliche Beschäftigung vertieft.

Der Bootsverleiher musterte den Kanonier und dann seine Begleiterin. »Sie können ein Boot haben«, sagte er darauf. »Zwei Mark die Stunde und zehn Mark Pfand.« Und als er sah, wie Vierbein zögerte, fügte er grinsend hinzu: »Wenn Sie zufällig keine zehn Mark bei sich haben, genügt mir auch Ihr Truppenausweis als Pfand.«

Vierbein zögerte noch immer; und Ingrid sagte ein wenig ungehalten: »Wir müssen ja nicht unbedingt Boot fahren.«

Aber der Kanonier hatte bereits seinen Truppenausweis aus der Brusttasche gezogen und gab ihn dem Bootsverleiher; er tat das widerstrebend, denn es war verboten, einen Truppenausweis aus der Hand zu geben, soweit es sich nicht um Vorgesetzte oder bevollmächtigte Streifen handelte.

»Und zwei Mark im voraus, bitte«, sagte der Bootsverleiher.

Vierbein gab sie ihm in Eile. Dann wurde ihnen ein Boot zugewiesen, das den Namen »Sonnenschein« trug. Ingrid setzte sich ans Steuer.

Der Bootsverleiher schleppte zwei Ruder herbei und übergab sie nicht ohne Feierlichkeit. »Und nichts für ungut«, sagte er bieder. »Das mit dem Truppenausweis ist nicht zu vermeiden. Man erlebt so viel Unangenehmes. Immer wieder brennen mir welche durch; viele versuchen, mich um die Leihgebühr zu prellen, besonders Soldaten, kurz vor der Löhnung. Und vor zwei Jahren hat sich einer in einem Boot erschossen; er hatte nicht nur das Boot verunreinigt, sondern es auch noch beschädigt. Und er hatte keinen Truppenausweis, und ich stand da mit der Leiche und wußte nicht wohin.«

»Schon gut«, sagte Vierbein und stieß sich ab. »Schon gut.«

Er ruderte auf den Teich hinaus, mit kurzen, kräftigen Schlägen. Er wollte fort vom Ufer, fort von fremden Menschen; er wollte mit Ingrid allein sein. Nach einigen Minuten hörte er auf zu rudern. Das Boot trieb durch das stille Wasser.

Ingrid hatte sich ein wenig zur Seite gebeugt und betrachtete die dunkel glänzende Oberfläche des Teiches. Sie tauchte eine ihrer kleinen Hände in das Wasser. Sie lachte hell auf.

Johannes freute sich darüber. Er betrachtete sie zärtlich; und es war ihm, als sehe er sie erst jetzt zum ersten Male an diesem Abend. Sie trug ein ärmelloses, weißes Sommerkleid mit großen roten Blumen; es war in der Hüfte gerafft und oben weit ausgeschnitten. Wenn er sich vorbeugte, atmete er die Wärme ein, die ihr Körper verströmte, ein süßduftendes Parfüm und der faulige Geruch des Teichwassers. Er war wie berauscht.

»Es ist hier schön«, sagte er. Und er sah über die leuchtenden Bänder hinweg, die die Lampen des fernen Ufers über den Spiegel des Wassers gelegt hatten. Er fühlte sich geborgen, und er war nicht allein. Und er wünschte sich, das möge ewig so bleiben und nicht schon in einer knappen Stunde vorbei sein.

»Lassen Sie mich ein wenig rudern«, sagte sie.

Er versuchte, wie es sich für einen Kavalier gehörte, zu protestieren.

»Ich tue das gern«, sagte sie.

Sie wechselten vorsichtig die Plätze. Er ergriff behutsam ihren Arm, um sie zu stützen. Seine Hand glitt aus, geriet flüchtig in ihre Achselhöhle. Das bereitete ihm Wonne. Und er war froh, daß es nicht hell war; sie hätte sonst sehen können, daß er errötete. Ihm wurde sehr heiß, und er bat um die Erlaubnis, sich den Waffenrock aufknöpfen zu dürfen, wogegen sie nichts einzuwenden hatte.

Sie saß breitbeinig im Boot und stemmte ihre Füße in den luftigen und hellen Sandalen gegen die Querstreben der Bootswand. Sie winkelte den Oberkörper vor, ihre Arme griffen weit aus; sie dehnte sich und stemmte sich gegen die Ruder nach rückwärts. Einen Augenblick war es so, als habe sie sich vor ihm lang ausgestreckt hingelegt. Und er mußte an das Bild denken, das er ihr entwendet hatte und das sie im nassen Badeanzug zeigte, wie sie dem Wasser entstieg. Aber dann schnellte sie wieder vor, um weiter zu rudern.

Das Boot glitt jetzt schnell und zischend durch das Wasser. Ihr Mund hatte sich ein wenig geöffnet, und sie atmete stark. »Ach«, rief sie. »Das tut gut.« Er bewunderte sie maßlos.

Dann hörte sie, genauso plötzlich, wie sie angefangen hatte, mit dem Rudern auf. Sie zog die Beine wieder ein und sah ihn mit glänzenden Augen an. Und er ertappte sich bei dem heftigen Verlangen, nach ihr zu greifen; und er errötete abermals.

»Warum eigentlich nicht?« sagte sie nachdenklich.

»Ja?«

»Warum sollten Sie eigentlich nicht Offizier werden?«

Er wich ein wenig zurück. Er war überrascht. Und er sagte, härter als er es sagen wollte: »Der Beruf liegt mir nicht.«

»Sie haben doch hoffentlich nichts gegen diesen Beruf?« fragte sie unduldsam.

»Halten Sie denn viel davon?« fragte er zurück. »Gefallen Ihnen derartige Uniformen, der Umgangston in diesen Kreisen, die Lebensform, die dazugehört?«

»Sie können doch wenigstens versuchen, Reserveoffizier zu werden.«

»Warum eigentlich? Ich will Ingenieur werden und Architekt. Das ist doch auch ein Lebensziel – oder?«

»Ich will Sie nicht kränken«, sagte Ingrid freundlicher. »Aber ich war immer überzeugt, Sie denken wesentlich anders als mein Bruder.«

»Ihr Bruder hat ganz gute Gedanken, scheint mir.«

»Eben nicht! Er ist ein unpatriotischer Mensch.«

»Er verfügt über viel gesunden Menschenverstand, Fräulein Ingrid. Und schließlich können ja nicht alle Patrioten sein.«

»Doch, doch!« sagte sie voll Eifer; und sie ereiferte sich ehrlich, ohne einen Gedanken daran, ihn kränken zu wollen. »Wer kein Patriot ist, ist kein wertvoller Mensch. In einer Zeit wie der unseren, wo alles darauf ankommen wird, daß wir uns behaupten, ist mir völlig unverständlich, daß ein normaler, gesund denkender und empfindender Mann auch nur annähernd solche Ansichten vertreten kann wie mein Bruder.«

»Ihr Bruder würde vermutlich nicht sehr erfreut sein, wenn er hören könnte, was Sie von ihm halten.«

»Er weiß genau, wie ich über ihn denke. Und über alle, die so sind wie er. Aber Sie sind ja nicht so wie er, Johannes, Sie nicht; das weiß ich, das fühle ich. Nicht wahr, das ist doch so?«

»Ich muß jetzt nach Hause«, sagte er. Und er verbesserte sich sofort. »Ich muß jetzt wieder in die Kaserne. Ich habe keinen Nachturlaub.«

»Sind Sie mir böse?« fragte sie naiv.

»Wie kann ich Ihnen böse sein?«

»Sind Sie traurig?«

»Ich bin fast immer traurig.«

»Habe ich Sie enttäuscht?« – »Aber nein.«

»Und Sie müssen mir doch zugeben, daß ich recht habe.«

»Natürlich haben Sie recht«, sagte er müde.

Sie war rührend bemüht, ihn zu überzeugen. Sie glaubte fest an das, was sie gesagt hatte. Mit ihrem ganzen glühenden, jugendlichen Idealismus glaubte sie an diese erhabenen Dinge, die sie gelesen und immer wieder gehört hatte und die in der Erkenntnis gipfelten: Der Mann ist der Beschützer von Frau und Kind, der Verteidiger ihrer Ehre, der Förderer ihrer Wohlfahrt. Nur der wehrhafte Mann ist der wahrhafte Mann. Sie wollte einen solchen oder keinen. Daß man Menschen zu Sklaven machte, wenn man sie wehrhaft werden ließ, davon ahnte sie nichts.

Er ruderte sie an Land, übergab das Boot, nahm seinen Truppenausweis in Empfang und machte dann Anstalten, sich zu verabschieden.

»Ich kann leider nicht über meine Zeit verfügen«, sagte er bitter, »denn ich bin Soldat. Ich habe nichts zu befehlen, ich habe nur zu gehorchen.«

»Ich verstehe Sie doch«, versicherte Ingrid.

»Und das alles wird sich nicht ändern, solange ich Soldat bin. Denn ich werde vermutlich niemals Offizier werden und somit über meine Freizeit verfügen können. Leben Sie wohl.«

»Ich habe es nur gut gemeint«, sagte Ingrid ein wenig hilflos.

»Ich glaube es Ihnen. Aber vielleicht ist es gerade das, was mich so traurig macht.«

Er riß sich von ihr los und lief davon. Er war maßlos enttäuscht. Er fühlte sich betrogen, weggestoßen und verlassen. Er rannte, wie getrieben, auf die Kaserne zu. Und die Kaserne erwartete ihn bereits.

Für Unteroffizier Lindenberg war jeder Befehl heilig; seine Bibel bestand aus Dienstvorschriften und Verfügungen. Er kannte keinerlei Kompromisse, nur bedingungslosen Gehorsam. Und er war auch jederzeit bereit, alles das zu tun, was er von anderen zu verlangen in der Lage war.

Lindenberg hatte von Hauptwachtmeister Schulz den überaus eindeutigen Befehl erhalten, »eingehend die Sauberkeit der während des Wachdienstes von Kanonier Vierbein benutzten Bekleidungs- und Ausrüstungsgegenstände zu überprüfen«, was in der prosaischen Sprache des Spießes ganz einfach gelautet hatte: Machen Sie ihm kräftig Feuer unter den Schwanz!

Dieses war ein Befehl gewesen, der an Deutlichkeit nichts zu wünschen übriggelassen hatte. Und da es Lindenberg, zu seiner eigenen Verblüffung, nicht gelungen war, diesen Befehl sofort, also unmittelbar nach dem Abschluß des Wachdienstes von Vierbein, auszuführen, handelte es sich hier also um einen nicht ausgeführten, besser: um einen noch nicht ausgeführten Befehl. Somit war es also jetzt notwendig, entweder diesen Befehl zu widerrufen, was nur der tun konnte, der ihn gegeben hatte, oder aber darauf zu warten, bis sich die Möglichkeit ergab, ihn dennoch verspätet durchzuführen.

So ging denn der Unteroffizier Lindenberg mit seinem Befehl schwanger. Er durchsuchte zunächst den ganzen Kasernenblock der 3. Batterie vom Boden bis zum Keller; natürlich ergebnislos. Er brüllte nach Vierbein, wie eine Kuh nach Futter brüllt; aber Vierbein meldete sich nicht. Mehrmals kreuzte er auf der Stube seiner Korporalschaft auf, sein heftiges Verlangen bekundend, Vierbein zu sehen; doch die Mannschaften gaben ihm immer dieselbe negative Antwort, und ihn beschlich das ferne Gefühl, daß er nicht sonderlich gern gesehen sei.

Dafür hatte er, korrekt, wie er war, durchaus Verständnis. Freizeit war Freizeit, und der gute Soldat hatte sie nicht nur verdient, er sollte sie auch erhalten; zumal eine Verfügung des Oberkommandos extra auf diesen »Anspruch«, wenn auch reichlich verschwommen, hingewiesen hatte.

Nein, dieser Befehl war sein Befehl; er hatte ihn bekommen, er allein mußte ihn ausführen. Denn nicht zuletzt war es seine Aufgabe, ein Beispiel zu geben. Keine Feuersbrunst, davon war er überzeugt, wäre jemals imstande gewesen, ihn von der Durchführung seiner Pflichten abzuhalten. Immerhin hatte er am heutigen Abend die Absicht gehabt, in der Militärbadeanstalt für das Rettungsschwimmerabzeichen zu trainieren; wenn es ihm nicht bald gelang, den Kanonier Vierbein aufzuspüren, ging ihm seine wichtige Trainingsstunde in die Binsen.

Er sträubte sich lange, ehe er Anlauf nahm, sich zu dem Entschluß durchzuringen, den Hauptwachtmeister aufzusuchen. Natürlich kam gar nicht in Frage, dem Hauptwachtmeister zu melden, daß er seinen Befehl nicht ausgeführt habe; das war unmöglich, das gab es einfach nicht. Es blieb nur übrig, zu versuchen, dem Hauptwachtmeister beizubringen, daß sich hier die Ausführung eines Befehls verzögere; worauf immerhin die Möglichkeit bestand, daß auf eine weitere Durchführung des Befehls verzichtet wurde.

Lindenberg vervollständigte seinen Dienstanzug durch Mütze, Koppel und Handschuhe, was in der Bekleidungsvorschrift »Kleiner Meldeanzug« genannt wurde, und begab sich in das Erdgeschoß, wo die Privatwohnung von Schulz lag. Er schellte in einem für Unteroffiziere vereinbarten Rhythmus. Dann wartete er in korrekter Haltung.

Schulz öffnete nach einigen Minuten. Ein knallroter Bademantel umkleidete seine stämmige Figur. Als er Lindenberg sah, verzogen sich seine bierernsten Züge zu freudigem Grinsen. »Na?« fragte er dröhnend. »Haben Sie ihm das Fell über die Ohren gezogen?«

Lindenberg berichtete in wohlgesetzten, aber vorbildlich kurzen Wortgebilden von seinem Mißgeschick. Er sah, wie Hauptwachtmeister Schulz den Mund öffnete und ihn dann wieder zuklappte. Und es war, als sei der Spieß bestrebt, in der gleichen knalligen roten Farbe anzulaufen, die seinen Bademantel beherrschte.

»Was soll das heißen?« fragte Schulz nach bedrohlichem Schweigen. »Dieser Kerl hat nach dem Wachdienst seine Stube überhaupt nicht mehr betreten? Er ist einfach abgehauen?«

»Jawohl, Herr Hauptwachtmeister.«

»Das ist doch Irrsinn!«

»Jawohl, Herr Hauptwachtmeister.«

»Und Sie sind ein Idiot!«

Unteroffizier Lindenberg hielt es für richtig, diesen Ausspruch seines Hauptwachtmeisters nicht durch ein dröhnendes »Jawohl« zu bestätigen. Natürlich dachte er nicht im entferntesten daran, beleidigt zu sein oder gar einen Protest in Erwägung zu ziehen. »Idiot« war Jargon, gehörte zu den sogenannten Kasernenhofblüten, war keinesfalls strafbar, wie in einschlägigen Vorschriften nachgelesen werden konnte.

Hauptwachtmeister Schulz knallte wutentbrannt die Tür zu. Lindenberg registrierte das, ohne mit der Wimper zu zucken. Er empfand die Handlungsweise des Hauptwachtmeisters zwar als durchaus verständlich, aber er mißbilligte dennoch den Mangel an Selbstbeherrschung. Aber vermutlich hatte es sich hier um Temperament gehandelt, was bekanntlich im Ernstfall zum Draufgängertum zu führen pflegte.

Jedenfalls sah sich Lindenberg gezwungen, annehmen zu müssen, daß diese Besprechung den vorher gegebenen Befehl nicht aufgehoben hatte. Somit gehörte es immer noch zu seinen Aufgaben, die Ausrüstungs- und Bekleidungsgegenstände, die der Kanonier Vierbein auf Wache getragen hatte, »so schnell wie möglich« zu überprüfen.

Noch einmal, zum fünftenmal, begab sich Lindenberg auf die Stube seiner Korporalschaft. Natürlich war Vierbein immer noch nicht da. Lindenberg stand nachdenklich vor dem Schrank seines Kanoniers, an dem ein großes Sicherheitsschloß hing. Er bedauerte kurz, daß seine Vollmachten nicht ausreichten, dieses Schloß zu öffnen. Aber auch die besten Vorschriften, fand er, hatten ihre Lücken.

So blieb ihm denn nichts anderes übrig: Er mußte seine abendliche Trainingsstunde aufgeben und warten. Er, der Unteroffizier, mußte auf einen Kanonier warten! Und er wartete; eine Stunde, zwei Stunden, drei Stunden, vier Stunden. Er saß unruhig in seinem Zimmer, eine Vorschrift vor sich auf dem Tisch, und fand nicht genügend Konzentration, um die Aufsatztabelle für Erdschießen richtig auswendig zu lernen.

Er ging an das Fenster und sah auf den Appellplatz. Dann setzte er sich wieder. Hierauf begab er sich auf den Korridor. Er absolvierte einige Klimmzüge an einer Reckstange, die in der Nähe der Toilette angebracht war. Später putzte er seine Stiefel, sein Koppel und seine Zähne. Noch später bürstete er an der Teppichstange, die sich unmittelbar neben dem Eingang zum Batterieblock befand, seinen Extraanzug aus, obwohl der einwandfrei sauber war.

Er glaubte, an sich eine gewisse Nervosität zu bemerken; das war ihm neu, und er fand es beunruhigend. Und er folgerte, nicht ohne Betrübnis, daß es der Kanonier Vierbein sei, der hier an seinen Nerven zerrte. Und er sagte sich, daß das nicht sein dürfe! Er habe, so sagte er sich weiter, über der Sache zu stehen, allzeit korrekt zu sein, unparteiisch, beispielhaft. Aber leicht fiel ihm das nicht.

Kurz vor Zapfenstreich begab er sich abermals auf die Stube der Korporalschaft, nunmehr zum neuntenmal. Drei Mann spielten Skat, zwei aßen zum drittenmal, einer war im Waschraum, die anderen lagen bereits in ihren Betten. Vierbein war immer noch nicht da. Unteroffizier Lindenberg sah auf seine Armbanduhr und nickte schwer. »Noch zwanzig Minuten«, sagte er.

Lindenberg ging nicht mehr auf seine Stube zurück. Er hielt sich im Korridor auf. Er fühlte, während er pendelnd einherschritt, einen würgenden Ärger in sich aufsteigen. Das aber, so rügte er sich, darf nicht sein! Er zwang sich dazu, tief Luft zu holen. Zehn weitere lange Minuten vergingen.

Dann tauchte der Kanonier Vierbein atemlos auf. Sein Gesicht glänzte; offenbar war er gelaufen. Er eilte auf seine Stube zu und prallte fast auf Unteroffizier Lindenberg.

»Vierbein«, sagte der in korrektem, streng dienstlichem Tonfall – es machte ihm erhebliche Mühe, sich vollkommen zu beherrschen, aber es gelang ihm tatsächlich –, »Sie haben heute Wache gehabt?«

»Jawohl, Herr Unteroffizier.«

»Es ist Ihnen bekannt, Vierbein, daß ein Befehl besteht, ein schriftlich gegebener Befehl, wonach jeder, der von Wache kommt, sofort seine Ausrüstungs- und Bekleidungsstücke in einwandfreien, das heißt bei mir appellfertigen Zustand zu bringen hat. Ist Ihnen das bekannt?«

»Jawohl, Herr Unteroffizier.«

»Dann zeigen Sie mir mal«, sagte der Unteroffizier, sich zur Sachlichkeit zwingend, »Koppel, Patronentaschen, Seitengewehrsteg«. Das sagte er, abgezirkelt und karg, er hielt keine Vorträge, er schleuderte keine Anklagen heraus, er erging sich nicht in Vermutungen. Lindenberg wollte, daß nur die Tatsachen redeten; und sie würden, davon war er überzeugt, eine deutliche Sprache sprechen.

Vierbein, immer noch heftig atmend, eilte an seinen Schrank. Er zog die Schlüssel aus seiner Hosentasche, die ihm der Gefreite Asch soeben heimlich übergeben hatte, und öffnete das Sicherheitsschloß. Er riß die Tür des Schrankes auf. Lindenberg spähte ungeduldig hinein. Die allgemeine Ordnung war, auf den ersten Blick, nicht schlecht.

Die Patronentaschen hingen an den Haken. Sie glänzten. Das Koppel wand sich um die halbkreisförmige Auflage. Es glänzte. Der Seitengewehrsteg lag, einschließlich Seitengewehr, auf einem sorgfältig ausgebreiteten Putzlappen. Alles glänzte.

Unteroffizier Lindenberg brauchte mehrere Sekunden, um sich zu fassen. Kanonier Vierbein fühlte sich erleichtert; seine Stubenkameraden hatten offenbar ganze Arbeit geleistet. Der Gefreite Asch grinste aus seinem Bett heraus.

»Die Stiefel«, sagte Unteroffizier Lindenberg.

Sie wurden ihm unter die Nase gehalten; und siehe, sie waren blank. Er hob sie hoch und betrachtete die Schuhsohlen. Sie waren sorgfältig abgewaschen worden. Er fahndete, ob sich Dreck zwischen den dickköpfigen Nägeln befand. Er fahndete vergebens. Er fühlte, daß ihn das maßlos aufregte.

»Das Gewehr«, sagte der Unteroffizier, nur noch mühsam beherrscht.

Vierbein eilte auf den Ständer zu und entnahm ihm sein Gewehr. Er hielt es vorschriftsmäßig mit der linken Hand, die Schloßteile dem Betrachter zugekehrt. Lindenberg ließ den Blick prüfend von der Mündung bis zum Kolben gleiten. Auf Anhieb fand er nichts auszusetzen.

»Mündungsschoner ab, Schloß 'raus, Kastenboden 'raus!« befahl er. Er gedachte nunmehr, mit der näheren Überprüfung zu beginnen. Er war jetzt entschlossen, irgend etwas zu finden; und er wußte aus Erfahrung, daß es gar kein Gewehr gab, an dem er nicht Mängel entdecken würde, wenn er sie entdecken wollte.

Da sagte der Gefreite Asch, aus seinem Bett heraus, mit freundlicher Stimme: »Bitte Herrn Unteroffizier darauf aufmerksam machen zu dürfen, daß bereits Zapfenstreich ist.«

Lindenberg erfaßte nicht sofort, was mit dieser Bemerkung bezweckt werden sollte. »Was ist los?« fragte er konsterniert.

»Es ist Zapfenstreich«, sagte der Gefreite Asch verbindlich und lüftete seine Decken ein wenig.

Und der Obergefreite Kowalski, der in der hintersten Ecke lag, tat so, als befinde er sich bereits im Halbschlaf und wisse nicht, was auf der Stube im Augenblick vor sich gehe. »Ruhe im Puff!« rief er gähnend.

Lindenberg verstand. Er wußte, daß es verboten war, die Mannschaft nach Zapfenstreich und vor dem Wecken zu beschäftigen; und er wußte auch, daß die Mannschaft genau darüber informiert war. Allerdings hatte er niemals erwartet, daß sich jemals jemand finden könnte, der ihn, wenn auch indirekt, darauf aufmerksam machen würde. Das gefährdete sein Gleichgewicht erheblich. Er fühlte die nackte Wut in sich aufsteigen, und es kostete ihn große Anstrengung, sie wieder hinunterzuwürgen.

»Wir sprechen uns morgen«, sagte er und verschwand.

»Gute Nacht, Herr Unteroffizier«, rief ihm der Gefreite Asch freundlich nach.

Vater Freitag war Frühaufsteher. Sein Dienst im Reichsbahnausbesserungswerk begann um acht Uhr. Er erhob sich bereits um fünf Uhr und begann sofort zu werken, um sich, wie er sagte, Appetit für das Frühstück zu machen.

Er ging, nur mit Hose und Hemd bekleidet, in seinen Garten. Er war ein leidenschaftlicher Anhänger des Frühgießens; er schloß den Schlauch an, rollte ihn aus und drehte den Hahn voll auf. Gedankenträchtig stand er so da, den Strahl kunstvoll nach allen Seiten lenkend.

In dieser frühen Morgenstunde war es ihm, als sei er allein auf der Welt. Kein Nachbar, der dumme Fragen stellte, keiner von der Familie, der ihn zu anderweitiger Beschäftigung rief – nur er und seine Blumen, seine Obstbäume und sein Gemüse. Und im Hintergrund die Kaserne, die rumorend zu erwachen begann.

Er war länger in dieser Gegend als die Artilleriekaserne. Er hatte sich dieses Grundstück weit vor der Stadt vor mehr als zehn Jahren gekauft. Aber die Stadt wälzte sich ihm nach, und die Kaserne schien fast über Nacht aus dem Boden gebrochen zu sein, so als sei ein Vulkan überraschend in Tätigkeit getreten. Er nahm das hin wie ein Naturereignis.

In der Kaserne schrillte der Lärm der UvD-Pfeifen. Kleinere Trupps versammelten sich mit Kaffeekannen vor den Blocks. Einige Gruppen absolvierten einen kurzen Frühsport, mit Freiübungen und Rundlauf, auf dem Exerzierplatz. Vereinzelte Befehle klangen in Fetzen bis zu Freitag hin, der fast regungslos seinen Garten besprengte.

Nachdem das geschehen war, begab sich Freitag zu seinem Geräteschuppen, in dem er auch eine Werkbank aufgestellt hatte. Er schnitzte für eine Harke neue Holzzinken. Seine kräftigen Hände, die abwechselnd das Messer führten, arbeiteten geschickt. Er sang dabei mit unterdrückter, rauher Stimme.

Gegen sechs Uhr weckte er seine Frau. Er selbst begab sich in die Waschküche, wo er zu seinem Privatvergnügen eine Riesenbrause aufmontiert hatte. Hier rasierte er sich ungestört und mit Ausdauer und ließ dann Wasser in großen Mengen auf sich niederregnen. Dann wanderte er in die Küche und fing an, mit seiner dicklichen, allzeit freundlichen Frau zu schäkern. Sie lachte unterdrückt und stellte sich böse, was ihn immer wieder sehr erheiterte. Er half ihr auch beim Zubereiten des Frühstücks, füllte seine Thermosflasche, die er zur Arbeit mitzunehmen pflegte, selbst und las ein wenig in dem Haushaltsbuch seiner Frau.

Um sieben Uhr wurde dann die Tochter Elisabeth geweckt. Danach deckte Vater Freitag mit seiner Frau den Frühstückstisch. Um sieben Uhr fünfzehn saßen die drei Menschen einträchtig beieinander. Elisabeth schenkte den Kaffee ein.

Vater Freitag betrachtete seine Tochter freundlich. »Findest du nicht auch, Mutter«, sagte er freimütig, »daß Elisabeth eine richtige Frau geworden ist. Sie ist reif wie ein Apfel, der vom Baum genommen wird.«

»Hast du kein anderes Gesprächsthema?« fragte seine Frau.

»Laß ihn nur, Mutter«, sagte Elisabeth. »Ich weiß selbst, daß ich nicht ewig ein Kind bleiben kann.«

Vater Freitag nahm eine Schnitte Brot. »Nicht mehr Kind sein«, sagte er, »ist oft gleichbedeutend damit, ein Kind zu bekommen.«

Elisabeth sah ihren Vater groß an. Frau Freitag war ehrlich empört: »Hast du wirklich kein anderes Gesprächsthema, Vater?«

Der alte Freitag lachte unbekümmert: »Na schön, wenn du glaubst, daß das ein anderes Thema ist – was gibt es heute abend zu essen?«

»Heute ist Dienstag«, sagte seine Frau, zwar erleichtert darüber, daß ihr Mann seine groben Späße einstellte, aber dennoch nicht sonderlich freundlich, wollte sie doch zu erkennen geben, daß sie für derartige Scherze kein Verständnis habe. »Jeden Dienstag gibt es bei uns Erbsen mit Speck, wie du weißt. Seit zehn Jahren, auf deinen besonderen Wunsch.«

»Auf meinen besonderen Wunsch? Wie kommst du darauf? Es ist dein Wunsch.«

»Mein Wunsch? Ich mache mir nicht viel aus Erbsen mit Speck.«

»Ich auch nicht.«

»Und ich dachte immer, ich mache dir eine Freude, wenn ich sie koche.«

»Und ich dachte immer, ich mache dir eine Freude, wenn ich sie esse.«

Beide sahen sich verblüfft an und lachten dann schallend. Auch Elisabeth fiel mit ihrer hellen, glücklich klingenden Stimme ein; sie liebte ihre Eltern sehr und hatte nur den Wunsch, einmal so zu leben wie sie.

»Wir sind herrliche Narren«, sagte Vater Freitag. »Aber ich bin dafür, daß das so bleibt. Wir essen weiter jeden Dienstag Erbsen mit Speck und nennen sie Narrensuppe. Natürlich auch heute abend; nur mußt du heute mehr kochen als sonst. Ich erwarte einen Gast, einen ganz bestimmten Gast.«

»Und dem willst du unsere Narrensuppe vorsetzen?«

»Gerade dem! Er soll uns so kennenlernen, wie wir sind. Nur kein Galasouper.«

»Wer ist es denn?« fragte Frau Freitag neugierig. »Einer aus deinem Betrieb?«

»Nein«, sagte Freitag und sah seine Tochter freundlich an. »Es ist einer aus Elisabeths Betrieb.«

Elisabeth setzte die Tasse ab, aus der sie gerade trinken wollte. Sie richtete sich erstaunt auf: »Wer ist es, Vater?«

»Ein recht interessanter junger Mann. Ich habe ihn gestern kennengelernt. Ich glaube, Mutter, er könnte dir gefallen. Daß er Elisabeth gefällt, davon bin ich fast überzeugt. Es ist ein Gefreiter von der Artillerie. Er heißt Asch, Herbert Asch.«

Elisabeth richtete sich auf und lehnte sich zurück. Sie sah ihren Vater mit großen Augen offen an. Sie war gar nicht einmal sonderlich überrascht; und sie war jederzeit darauf gefaßt, daß die Gedanken ihres Vaters kühne Sprünge machten. »Hast du ihn etwa aufgefordert zu kommen?« fragte sie. »Hast du ihn womöglich indirekt dazu gezwungen?«

Mutter Freitag verstand nicht im mindesten, was hier gespielt wurde; sie war außerordentlich neugierig geworden. »Kennst du ihn denn, Elisabeth?«

»Warum sollte sie ihn denn nicht kennen?« Vater Freitag tat so, als ereigne sich hier die selbstverständlichste Sache von der Welt. »Er macht in der gleichen Kaserne Dienst, in der Elisabeth arbeitet. Nur achthundert Soldaten werden dort sein – also warum sollte sie ihn nicht kennen?«

»Vater«, sagte Elisabeth entschlossen und mit großem Ernst, »ich sehe ein, es war ein Fehler von mir, daß ich dir nichts gesagt habe.«

Der alte Freitag schüttelte energisch den Kopf. »Du mußt mir nicht alles sagen«, erklärte er.

Frau Freitag bekam große Augen: »Was geht hier eigentlich vor?«

»Nichts, das unnatürlich wäre, Mutter.« Freitag nahm sich eine frische Schnitte Brot. »Es ist der junge Mann, dessen Kleider ich gestern früh auf der Straße gefunden habe.«

»Und so einen kennst du, Elisabeth?« fragte Frau Freitag scharf.

Elisabeth nickte. »Den kenne ich, Mutter.«

»Und ich habe nichts dagegen«, sagte Freitag.

»Aber ich will ihn nicht sehen«, sagte Elisabeth leise, aber dennoch deutlich.

»Sehr richtig!« rief Frau Freitag; und sie gab sich Mühe, das mit großer Entschiedenheit zu rufen, was ihr gar nicht gelang, denn sie war eine herzensgute Frau.

Vater Freitag teilte sein Marmeladenbrot in vier gleichgroße Stücke und steckte sich eins davon in den Mund. Er kaute mit Genuß. Hierauf verzehrte er das zweite Stück. Es schien ihm ausgezeichnet zu schmecken.

»Was hast du eigentlich«, fragte er seine Tochter, »gegen ihn einzuwenden?«

»Sehr viel!«

»War das schon immer so?«

»Warum fragst du danach, Vater? Du weißt doch genau, wie es war.«

Frau Freitag verstand noch immer nicht, worum es hier ging. Sie verfügte über nur wenig Phantasie; und schon gar nicht besaß sie das, was gemeinhin als »schlechte Phantasie« bezeichnet wird. Für sie war Elisabeth ein Kind, ihr Kind; und so würde es immer bleiben. »Willst du mir nicht sagen, Vater, was das alles bedeuten soll?«

»Aber gerne«, sagte der. »Ich habe den Gefreiten Asch kennengelernt, den auch Elisabeth kennt. Er wird uns besuchen, das hat sich so ergeben; ich habe ihn nicht dazu gezwungen, er hat sich nicht aufgedrängt. Ich kann noch nicht sagen, daß er mir gefällt, aber ich halte ihn für bemerkenswert.«

»Aber ich will nichts mehr mit ihm zu tun haben!« rief Elisabeth; und es war ihr spürbar ernst mit dem, was sie soeben gerufen hatte.

Sie fühlte sich durch Herbert Asch betrogen. Er hatte sie einfach liegen lassen und war gegangen. Er hatte gestern, am Montag, den ganzen Tag nicht den geringsten Versuch gemacht, mit ihr zu sprechen. Er hatte sie einfach vergessen! Er hatte sie in eine fürchterlich peinliche Situation gebracht und dann einfach vergessen. Und ihr Vater mußte kommen und ihn mit Gewalt herbeizitieren. Das wollte sie nicht. Das beschämte sie. Das hatte sie nicht erwartet, und deshalb durfte es auch nicht eintreten.

»Ich glaube fast«, sagte Vater Freitag nachdenklich, »du kennst ihn gar nicht richtig.«

»Ich kenne ihn ganz genau!«

»Ich fürchte, du kennst nur einen Teil von ihm, und zwar den, in dem sich die meisten Männer am wenigsten voneinander unterscheiden. Du glaubst womöglich, dieser Asch ist ein leichtsinniger Hund, einer, der überall zupackt, wo etwas auftaucht, das sich greifen läßt. Aber so ist der gar nicht. Wenn du mich jetzt noch ein Stück begleiten willst, denn es ist höchste Zeit, daß ich zur Arbeit gehe, dann erzähle ich dir, warum ich annehme, daß dieser Asch alle Anlagen zu einem Ehrenmann hat.«

Mutter Freitag erhob sich verärgert. »Macht, daß ihr hier 'rauskommt«, sagte sie resolut. »Eure Heimlichkeiten sind mir lästig.«

Der alte Freitag tätschelte gut gelaunt ihren vorzüglich gepolsterten Rükken. Sie schnurrte wie eine Katze, machte aber unfreundliche Augen. Er verstaute seine Mittagsbrote und die Thermosflasche in eine Aktentasche; dabei blinzelte er seiner Tochter zu, die bemüht war, seinem Blick auszuweichen, um ungestört ernst sein zu können.

»Heute abend«, sagte der alte Freitag, »wird also hier eine Einheitsuniform aufkreuzen, und darin wird ein Mann stecken, der sich für klug, wenn nicht gar gerissen hält, der aber beinahe ein Kindergemüt hat. Du mußt dir folgendes vorstellen, Mutter: Der Mann hat das gemacht, was man als Dummheit oder Leichtsinn bezeichnen könnte, und er war bereit, und zwar mehr als zwölf Stunden danach, also nicht etwa auf frischer Tat ertappt oder unter Druck gesetzt, dafür einzustehen, und zwar mit allen Konsequenzen, die unser kleinbürgerlicher Ehrenkodex vorsieht. Und was folgt daraus? Entweder hat er gar keine Dummheit gemacht, oder er hat das, was man vielleicht Gewissen oder vielleicht Charakter nennen könnte.«

»Schon gut«, sagte Frau Freitag. »Geh jetzt endlich, oder du kommst zu spät. Und dieser Asch soll heute abend seine Erbsensuppe kriegen.«

»Ich finde, Vater«, sagte Elisabeth kühl, »daß es gar nicht nötig ist, daß du eine Lobeshymne auf ihn singst. Ich kenne ihn besser.«

»Mein liebes Kind«, sagte der alte Freitag, »du merkst nicht, daß ich gar keine Lobeshymne auf ihn singe. Dieser Mann mag sich vielleicht wie ein Rüpel, wie eine Axt im Walde oder wie ein rauher Krieger benehmen, aber er hat das Gemüt eines Kindes und den heimlichen und sehr gefährlichen Idealismus eines Knaben. Ich habe keine Spur von einem Realisten in ihm gefunden. Er scheint mir einer von der Sorte zu sein, die, sobald sie den richtigen Anstoß bekommen, es glatt fertigbringen, gegen Windmühlenflügel anzurennen. Ich habe einmal ein Buch von einem Mann in Spanien gelesen . . .«

»Mach endlich, daß du 'rauskommst!« sagte seine Frau. »In deinem ganzen Leben hast du nicht so viel Unsinn zusammengeredet wie an diesem Morgen. Aber habe ich dich nicht immer gewarnt? Das kommt davon, wenn du Bücher liest!«

Und sie schob ihren Mann durch die Tür. Sie sah ihm nach, wie er von seiner Tochter begleitet, lebhaft redend die Straße entlangging. Sie schüttelte ihren Kopf. Sie sagte: »Er spinnt, aber er ist ein guter Mensch.«

Es verging nur kurze Zeit, und Hauptwachtmeister Schulz war, von seinem Standpunkt aus, fest davon überzeugt, daß es sich bei diesem Unteroffizier Lindenberg sozusagen um einen glatten Versager handelte. Der war einfach überdreht; der war nicht nur ein »vollkommener« Soldat, der war ein militärisches Monstrum. Kurz: Lindenberg hatte, der Überzeugung von Hauptwachtmeister Schulz nach, keinen Sinn für die Praxis des Alltags. Er beherrschte nicht das A und O eines Ausbilders von Rang; er konnte nicht schleifen!

Die Montagabendpanne des »ewigen Soldaten«, wo er sich von dem schäbigsten Kanonier des Standortes, wenn nicht des gesamten Heeres, die Würmer aus der Nase ziehen ließ, mochte noch hingehen; man könnte das als internen Betriebsunfall registrieren und alsbald vergessen. Aber daß der Unteroffizier Lindenberg hieraus keine Lehre zog, sondern den ganzen Dienstagmorgen buchstäblich vertrödelte, weil er lediglich scharf überwachte, aber nicht die Kunst beherrschte, nachdrücklich zu beschleunigen – dieses Versagen war einfach nicht mehr zu entschuldigen.

Der Kardinalfehler von Unteroffizier Lindenberg war, immer nach der Überzeugung von Hauptwachtmeister Schulz, daß es ihm nicht gelang, Phantasie zu entwickeln. Er klebte zu eng an den Vorschriften; er wollte »korrekt« sein, war aber nur ein Trottel. Er beherrschte nicht die Kunst der Ausdeutung oder gar die der Improvisation. Er vermochte sich nicht vorzustellen, was etwa alles allein unter dem Begriff »Förderung der Manneszucht« möglich war.

Der Spieß hatte also erkennen müssen, und zwar schweren Herzens, daß Lindenberg bedauerlicherweise nicht der Mann war, der seiner Korporalschaft das dringend nötige Feuer unter die behäbigen Hintern würde machen können. Das bereitete ihm lebhafte Sorgen. Er rief den Unteroffizier zu sich, um noch einmal einen letzten dringlichen Appell an ihn zu richten: »Gestern abend, Lindenberg, haben Sie sich von Ihrem schäbigsten Rekruten zur Sau machen lassen.«

»Ich bitte Herrn Hauptwachtmeister darauf aufmerksam machen zu dürfen, daß mein Vorgehen durchaus korrekt war. Die Bekleidungs- und Ausrüstungsgegenstände des Kanoniers Vierbein waren in Ordnung. Ich hatte weder Veranlassung, ihn scharf zu rügen, noch gar ihn zu melden.«

»Sie haben sich übers Ohr hauen lassen, Lindenberg. Das wissen Sie doch selbst am besten. Dieser Lümmel Vierbein hat sich herumgetrieben – schon wieder mit einem Weib, vermutlich –, und die anderen haben seine Sachen gereinigt.«

»Das, Herr Hauptwachtmeister, könnte man sogar mit Kameradschaft bezeichnen.«

»Sie sind ein Rindvieh, Lindenberg«, sagte der Spieß überzeugt. »Sie haben noch gar nicht gespannt, worum es sich hier dreht. Die Kerle haben sich doch nur ›kameradschaftlich‹ betätigt, um Sie, ihren Unteroffizier, über den Löffel zu barbieren. Nur ein Hirnverbrannter kann das Kameradschaftsgeist nennen; ich nenne das gemeinsame Vorbereitung zur Meuterei.«

Lindenberg schwieg. Seine Meinung entsprach, wie schon oft, nicht der seines Hauptwachtmeisters, aber er blieb stets Soldat genug, um nicht massiv zu widersprechen. Er war diesmal nur bestrebt, seinen ein wenig abweichenden Standpunkt zu vertreten. »Bisher habe ich nichts auch nur andeutungsweise erlebt, was einer direkten Befehlsverweigerung nahekam.«

»Weil Sie die Schliche dieser Burschen nicht kennen!« rief der Hauptwachtmeister. »Oder was glauben Sie wohl, warum sich heute früh der Obergefreite Kowalski und der Gefreite Asch krank gemeldet haben?«

»Der eine hat Durchfall, der andere Gleichgewichtsstörungen, Herr Hauptwachtmeister.«

»Beide wollen sich vor dem Infanteriedienst drücken, Sie Kamel! Denn beide kennen die Spielregeln besser als Sie, Lindenberg. Die wissen genau, was jetzt fällig ist. Die haben nämlich das Zeug dazu, Unteroffizier zu werden. Sie aber sind nur ein Vorschriftenhengst geworden.«

Lindenberg schwieg verbittert. Das hatte er nicht verdient, das nicht. Er war einer der besten Unteroffiziere des Regiments, bestimmt aber einer der korrektesten. Das wußte er. Er war unbestechlich und tat streng seine Pflicht. Jetzt war er zutiefst gekränkt.

Hauptwachtmeister Schulz entließ ihn mit einer Handbewegung. Diese Unterredung hatte ihn befriedigt. Er versprach sich viel davon, vor allen Dingen ein schärferes Durchgreifen von Lindenberg, also Schliff, nicht nur Drill. In den kommenden zwei Stunden des Infanteriedienstes mußte die Korporalschaft Lindenberg die Engel im Himmel singen hören. Und zwar die ganze Korporalschaft! Das war das Prinzip. Sie alle mußten spüren, daß ihnen nur wegen Vierbein, allein wegen diesem Vierbein, der Arsch mit Grundeis ging. Nur so würden auch sie mithelfen, ihn fertigzumachen, zumindest moralisch, um dann wieder ihre Ruhe zu haben.

Lindenberg war also auf volle Touren gebracht worden. Aber es bestand immer noch die Möglichkeit, daß das nicht ausreichen würde, der Korporalschaft, und damit Vierbein, den Rest zu geben. Ein besonderer Glücksfall war, daß die Gesamtleitung des Infanteriedienstes in den bewährten Händen von Wachtmeister Platzek lag. Platzek hieß nicht umsonst der »Schleifer-Platzek«; und nicht per Zufall war er mit Schulz eng befreundet. Platzek wird schon dafür sorgen, sagte sich der Spieß, daß den Kerlen die Hammelbeine langgezogen werden, insbesondere natürlich die von Vierbein.

Diesen Vierbein verabscheute der Hauptwachtmeister. Er war ihm der Inbegriff des Unsoldatischen, des Disziplinlosen, des Krummbeinigen, kurz: des Zivilistischen. Nicht deshalb, weil dieser Vierbein seine schmutzigen Pfoten nach seiner Frau ausgestreckt hatte, verabscheute er ihn, nicht deshalb allein, wenn auch schon darin ein deutliches Zeichen von Respektlosigkeit zu erblicken war.

Diese tiefschürfenden Gedanken erinnerten ihn kurz an seine Frau und daran, daß er sich vorgenommen hatte, ihr bei jeder sich bietenden Gelegenheit klarzumachen, wer eigentlich der Herr im Hause sei. Er ging in seine Privatwohnung und verlangte eine Tasse Kaffee. Lore war bemüht, seinen Wunsch schnell zu erfüllen.

»Du willst mich wohl gleich wieder loswerden?« fragte Schulz.

Sie antwortete nicht darauf; sie wußte: hätte sie langsam gearbeitet, würde er auch das gerügt haben. Aber um es ihm recht zu tun, ließ sie sich nunmehr Zeit.

»Schneller geht es wohl nicht?« fragte er prompt. »Schließlich habe ich noch andere Dinge zu tun.«

Er trank hastig seinen Kaffee aus, dann ging er, nicht ohne noch schnell auf dem obersten Küchenregal Staub gesucht und auch gefunden zu haben, was ihn sehr befriedigte. »Das kommt davon«, sagte er, »wenn man immer andere Gedanken im Kopf hat.«

Dann ging er durch den Batterieblock und sah aus dem rückwärtigen Fenster im zweiten Stock auf den Exerzierplatz. Er nickte nicht unzufrieden vor sich hin. Die Korporalschaft Lindenberg hatte sich abgesondert und übte komplizierte und recht anstrengende Gewehrübungen. Der Unteroffizier übte, wohl um eins seiner berühmten Beispiele zu geben, kräftig mit. Die Korporalschaft bestand aus zehn Mann.

Das erinnerte ihn wieder daran, daß sich Kowalski und Asch vorsorglich krank gemeldet hatten. Er grinste darüber, denn er kannte den Trick. Die beiden wollten sich nur vom Infanteriedienst drücken; aber sie hatten nicht mit ihm gerechnet. Er eilte in sein Dienstzimmer und ließ sich mit dem Sanitätsfeldwebel verbinden.

Währenddessen übte Lindenberg mit der Korporalschaft seine sagenhaften Gewehrübungen. Und um nicht in den Ruf eines Schleifers zu kommen, machte er diese Übungen nicht nur vor, sondern auch mit. Seine Haltung dabei war über jede Kritik erhaben. Seine vorzügliche körperliche Konstitution ließ das auch mühelos zu.

Seine Spezialität waren Kniebeugen in acht Zeiten mit vorgestreckten Armen, die das Gewehr, das Gewehr 98 k, hielten. Eine vorzügliche Übung, die die Arme zum Flattern und die Beine zum Schlottern brachte. Er korrigierte mit lauter Stimme, in der kaum eine Anstrengung spürbar war. Er registrierte, daß, neben anderen, der Kanonier Vierbein bereits kräftig schwitzte und langsam rot im Gesicht anlief. Er registrierte das nicht etwa mit Triumph, eher mit einer gewissen Besorgnis. Ihm mißfiel, wie unerfreulich wenig Widerstandskraft die ihm anvertrauten Soldaten besaßen. Aber er war entschlossen, sie zu stählen.

Wachtmeister Platzek, der Schleifer-Platzek, näherte sich interessiert der Korporalschaft. Er sah eine Zeitlang zu, spürbar mißbilligend, und sagte dann: »Viel zu lahmarschig, Lindenberg.«

Er ließ völlig offen, wen er mit dieser beliebten Spezialbezeichnung meinte. Der Unteroffizier jedenfalls war hierauf bemüht, das Tempo seiner Übungen zu steigern, und die Stimme, die sie befahl, noch um einen Grad lauter werden zu lassen, was ihm auch gelang. Die Soldaten aber bemühten sich um Eifer und Exaktheit, denn sie wußten aus Erfahrung, daß es nicht ratsam war, Wachtmeister Platzek zu reizen. Sie schwitzten und keuchten.

Aber sie ahnten auch, daß jede Anstrengung vergeblich war. Sie spürten fast körperlich, daß Platzek fest entschlossen schien, sie auf Hochtouren zu bringen. Und der sagte jetzt: »Krumm, viel zu krumm, dieser Vierbein. Ein Schlappschwanz! Wer weiß, wo Sie sich gestern abend herumgetrieben haben. Alles wegen diesem Vierbein an den Zaun, marsch, marsch!«

Damit begann eine von Platzeks »Festlichkeiten«. Er ließ den Unteroffizier Lindenberg einfach stehen und jagte dessen Gruppe kreuz und quer über die hinteren Teile des Exerzierplatzes. Die Soldaten warfen sich gottergeben in den Dreck, dabei bemüht, ihre Kräfte soweit wie möglich zu schonen. Allein Vierbein gab sich verbissen Mühe, jeden Befehl exakt und mit größtmöglicher Schnelligkeit durchzuführen. Er schoß wie eine Rakete über den Exerzierplatz und bohrte sich wie eine Granate in den Dreck. Es war völlig vergeblich. Immer wieder tönte Platzeks anfeuerndes: »Alles wegen diesem Vierbein . . .«

Fünfzehn Minuten später taumelten die ersten wie Traumtänzer. Vor Vierbeins Augen flimmerte es heftig und grell. Die Stimme von Platzek wurde langsam heiser. Lindenberg stand steif und abweisend im Hintergrund; hier wurden, so wollte ihm scheinen, die Vorschriften nicht eingehalten – er mißbilligte das in seinem Inneren.

Der heiser gewordene Platzek, der um seine Stimme zu fürchten begann, fing an, mit der Trillerpfeife zu arbeiten. Ein Pfiff ersetzte einen Befehl. Folgende Reihenfolge war einzuhalten: Pfiff: Hinlegen – Pfiff: Auf, marsch, marsch – Pfiff: Knien – Pfiff: Auf, marsch, marsch – Pfiff: Hinsetzen – Pfiff: Auf, marsch, marsch – zwei Pfiffe: Kehrt – drei Pfiffe: Achtung – langanhaltendes Pfeifen, was aber nur selten vorkam: Rührt euch! Nach den ersten zehn Minuten in dieser Spielart brach Vierbein zum erstenmal zusammen und wurde in eine Ecke getragen.

»Schlappschwanz«, sagte Wachtmeister Platzek verächtlich; und es konnte ihm angemerkt werden, daß er sehr zufrieden mit sich war.

Hauptmann Derna, der Chef der 3. Batterie, war sozusagen ein lebendiger Beitrag des österreichischen Brudervolkes zum großdeutschen Wehrgedanken. Er hatte einst erfolgreich der k. u. k. Armee angehört, sich dann zeitweilig als Gelegenheitskaufmann, Landvermesser und Versicherungsvertreter betätigt. Nach dem glücklich vollzogenen Anschluß nahm ihn die großdeutsche Wehrmacht mit offenen Armen auf; er wurde wieder Offizier und geriet mitten unter die Preußen.

Derna, Joseph, hatte Wiener Charme, eine sanfte, wohlklingende Stimme und gut abgerundete Bewegungen. Den echten Preußen unter den Offizieren war er, wie die sich sanft auszudrücken beliebten, ein Brechmittel; aber sie duldeten ihn und empfanden ihn sogar im Kasino nicht als ausgesprochen unangenehm. Sie ließen ihn an ihrer Kameradschaft teilnehmen; daß er sich eifrig Mühe gab, ihnen nachzueifern, erfreute sie sogar.

Joseph Derna, Hauptmann, bewegte sich in der preußischen Kaserne wie in einem Minenfeld; er war jederzeit darauf gefaßt, in die Luft zu fliegen. Er war eifrig bemüht, so leise wie nur möglich aufzutreten. Er richtete sich immer und in allem nach den anderen Offizieren des Regiments, und er war glücklich, wenn sie an ihm und seinen Maßnahmen nichts auszusetzen fanden.

Ihm war alles neu. Er hatte in den letzten Monaten des Weltkrieges eine halbwegs intakte österreichische Haubitzenbatterie geführt. Dann hatte er um Pension und zivile Posten gekämpft. Er kannte nicht die Spielregeln des Kasernenhofes, und schon gar nicht waren ihm die Finessen preußischer Prägung geläufig. Im Außendienst war er Leutnant Wedelmann und den Ausbildungsoffizieren, im Innendienst dem Hauptwachtmeister Schulz auf Gedeih und Verderb ausgeliefert. Wedelmann nahm ihn lediglich hin; Schulz aber versuchte ihn auszunehmen wie eine Weihnachtsgans.

Der Hauptwachtmeister hatte auf Anhieb erkannt, wes Wehr-Geistes Kind der neue, reaktivierte Hauptmann aus Österreich war. Er duldete das Anlehnungsbedürfnis des unter die Preußen gefallenen Wieners. Schulz wußte genau, was verlangt und erwartet wurde, und das hatte er Derna frühzeitig klargemacht. Den Papierkrieg führte er ganz alleine; er stellte Dienstpläne auf, entwarf Beurteilungen, genehmigte Urlaubsanträge – und Derna unterschrieb alles, was sein Hauptwachtmeister ihm vorlegte.

Schulz war klug genug, Derna nie spüren zu lassen, wie sehr er ihm überlegen war; und der Hauptmann gab sich ehrliche Mühe, seinem Hauptwachtmeister zu zeigen, wie sehr er ihm vertraute. Sie lebten wie in Flitterwochen. Sie überboten sich in Aufmerksamkeiten und glaubten allen Grund zu haben, sich von Zeit zu Zeit zu versichern, wie sehr sie einander schätzten.

»Guten Morgen, Herr Hauptmann«, brüllte Schulz stramm und freudig. Er riß die Tür zum Chefzimmer auf und produzierte eine Ehrenbezeigung, die, wovon Derna überzeugt war, echten preußischen Geist atmete. Er ergriff die Hand, die ihm entgegengestreckt wurde, und strahlte Zutrauen aus.

Dann blieb Derna etwa zehn Minuten allein in seinem Dienstzimmer. Er setzte sich in seinen Schreibtischstuhl und sah vor sich den Tagesrapport des Hauptwachtmeisters liegen. Er zeichnete ihn ab, bevor er ihn durchlas; daß er sich auf Schulz verlassen konnte, wußte er. Er versuchte, sich die Zahlen einzuprägen: Sollstärke, Iststärke, Kommandierte, Beurlaubte, Kranke. Es hätte doch sein können, daß Major Luschke, der Abteilungskommandeur, Veranlassung finden würde, danach zu fragen. Und bei den Preußen, das hatte ihm Schulz klargemacht, muß man derartige Zahlen auswendig können.

Das Telefon vor ihm begann freundlich zu schnarren und unterbrach seine ehrlichen Bemühungen, dem Geist preußischer Dienstauffassung näherzukommen. Seine Stimme klang überaus verbindlich, als er sich meldete.

Das näselnde und zischende, aber sehr eindringliche und überaus deutliche Organ seines Kommandeurs war zu vernehmen. Und Major Luschke, den die Soldaten der Kaserne, mit Ausnahme von Derna, versteht sich, allgemein nur Knollengesicht nannten, wollte zunächst von seinem Batteriechef wissen, ob er eigentlich das Gefühl habe, sich in einem Kaffeehaus zu befinden.

»Nein, Herr Major«, sagte Derna verbindlich und verwundert zugleich.

Luschke erklärte sodann, daß dieser bedauerliche Eindruck durchaus bei ihm entstehe, denn immer dann, wenn sich Derna am Telefon melde, klinge das so, als sei er gerade dabei, bei irgendeinem Oberkellner eine Virginia zu bestellen. Daß das, verlautbarte Luschke sodann, nicht der rechte Umgangston für eine Kaserne sei, sollte sich doch auch endlich einmal bis zu ihm, Derna, herumsprechen.

»Jawohl, Herr Major«, sagte Derna ergeben.

Knollengesicht wollte hierauf wissen, ob sich eigentlich Derna darüber im klaren wäre, daß die Krankmeldungen seiner Batterie zumeist an Montagen stattfänden oder doch nur dann, wenn morgens Infanteriedienst angesetzt sei. Ob das ihm, Derna, schon mal aufgefallen sei?

»Nein, Herr Major«, sagte Derna zerknirscht. »Ich werde aber sofort ...«

Der Major unterbrach den Batteriechef und empfahl ihm mit sanfter Stimme, er solle sich zwar um jeden Dreck kümmern, aber in Zukunft gefälligst ausschließlich *vor* seinem Abteilungskommandeur. Hinterher sich am Riemen reißen, das wäre vielleicht in Wien üblich, aber doch nicht bei den Preußen. Und was heißt denn schon: »Ich werde aber sofort!« Wolle Derna etwa seine, des Majors, Angaben bezweifeln?

»Nein, Herr Major.«

Oder halte er sie vielmehr für korrekt, also für einwandfrei festgestellt?

»Jawohl, Herr Major.«

Derna hatte das vernichtende Gefühl, Blut und Wasser zu schwitzen, wie immer, wenn er mit Major Luschke in Berührung kam. Der Kommandeur war einfach unberechenbar: eine Art Gewitterwolke über der Kaserne, von der niemand wußte, ob und wann sie sich entladen würde! Jedenfalls war er heilfroh, als Major Luschke das Gespräch ohne Übergang schroff beendete.

Derna entfaltete ein blütenweißes Taschentuch, betupfte sich damit die Stirn und verweilte, sich sammelnd, einige Minuten regungslos. Daß er ausgerechnet in die Hände dieses Luschke fallen mußte ... Aber er verbannte derartige Gedanken und versuchte, sich wieder auf die Unterlagen zu konzentrieren, die ihm der gute Hauptwachtmeister Schulz unterbreitet hatte.

Und hier fand schließlich Derna, als letzte Notiz unter den Aufstellungen, einen Zettel mit folgendem Wortlaut: Kanonier Vierbein – Disziplinarstrafe – mehrere Delikte. Das war etwas Neuartiges für ihn; dergleichen war ihm bisher noch nicht begegnet. Er versuchte, sich vorzustellen, was Schulz damit gemeint haben könne. Er kam zu keinem rechten Resultat, er fand nur, daß ihn das Wort »Disziplinarstrafe« irritierte. Neulich noch hatte Major Luschke, der Abteilungskommandeur, gesagt: »Eine Disziplinarstrafe ist das letzte Mittel, nachdem alle anderen Methoden versagt haben; wer sie in seinem Bereich anwendet, muß sich den Verdacht gefallen lassen, daß er die gängigen Methoden unzulänglich beherrscht.«

Derna klingelte seinen Hauptwachtmeister herbei; er war nahezu fest entschlossen, einiges zu tun, um zu vermeiden, daß die Aufmerksamkeit von Major Luschke unnötig stark auf ihn und seine Tätigkeit gelenkt wurde.

Der Hauptwachtmeister baute sich vor ihm auf und gab sich Mühe, ihm treu und ergeben in die Augen zu sehen.

»Na, was ist denn mit diesem Vierbein, mein lieber Schulz?«

»Der muß bestraft werden, Herr Hauptmann«, sagte der Spieß mit entwaffnender Selbstverständlichkeit.

»Mein lieber Schulz«, sagte Derna väterlich, »ich bin kein ausgesprochener Freund von Disziplinarstrafen. Sie sind das letzte Mittel, nachdem alle anderen Methoden versagt haben. Und wir wollen doch nicht in den Verdacht geraten, mein lieber Schulz, daß wir die gängigen Methoden unzulänglich beherrschen.«

Schulz badete sich, ohne das auch nur im geringsten zu verraten, in seiner haushohen Überlegenheit. Er wußte genau, daß hier einer der Lieblingsaussprüche des Abteilungskommandeurs nachgeplappert wurde. Er dachte: Du bist ein Papagei, mein lieber Schwan! Er sagte: »Eine Bestrafung ist unvermeidlich, Herr Hauptmann. Ich schlage drei Tage geschärften Arrest vor. Ich habe mir erlaubt, eine Begründung zu entwerfen.« Er entnahm seinem dicken Notizbuch einen Zettel und legte ihn auf den Tisch des Hauptmanns.

»Sehr tüchtig«, sagte Derna ein wenig benommen. »Wirklich sehr tüchtig, mein lieber Schulz.«

Ihm war nicht sehr wohl in seiner Haut. Alles sträubte sich in ihm, eine Bestrafung, die noch dazu seine erste Bestrafung sein würde, auszusprechen.

Daß Major Luschke, der Abteilungskommandeur, ein geschworener Feind von Disziplinarstrafen war, kam hinzu. Er vermied es, einen Blick auf den Zettel des Hauptwachtmeisters zu werfen oder gar ihn aufzunehmen. »Was hat der Kerl denn angestellt?« fragte er.

»Mehreres«, sagte Schulz, und er ließ seine Unzufriedenheit mit dem Zögern des Hauptmanns behutsam durchblicken. »Der Kanonier Vierbein hat sich seinen Sonntagsurlaubsschein durch falsche Angaben erschlichen. Er hat die Kaserne auf verbotenem Weg verlassen. Er hat seinen Wachdienst nachlässig, wenn nicht gar fahrlässig versehen. Er hat nach dem Wachdienst die Kaserne verlassen, ohne seine Ausrüstungs- und Bekleidungsstücke vorschriftsmäßig instand zu setzen. Überhaupt ist dieser Vierbein ein unmöglicher Soldat. Es wird höchste Zeit, daß Herr Hauptmann ihn bestrafen.«

Derna lehnte sich zurück. »Ja«, sagte er gedankenschwer und begann auf der Tischplatte den Radetzkymarsch zu trommeln. »Allerhand«, sagte er. Er öffnete das Holzkästchen, das vor ihm stand, und entnahm ihm eine seiner selbstgedrehten Zigaretten. Schulz gab ihm Feuer.

»Ja«, sagte der Hauptmann wiederum und stieß den Rauch aus. Und er spürte ganz deutlich: Der Spieß wollte sein Opfer haben! Der war ganz hart, ganz entschlossen. Es würde schwer sein, ihm das auszureden. Und es würde vermutlich noch schwerer sein, Major Luschke gegenüber, der gelegentlich auch »der Alte Fritz« genannt wurde, eine Disziplinarstrafe überzeugend zu begründen.

Der Hauptmann fühlte sich wie durch Zentnergewichte belastet. Selbst sein Charme litt darunter. Er war kurz davor, unfreundlich zu werden, aber er dachte noch rechtzeitig daran, daß es Irrsinn, beinahe schon Selbstmord wäre, sich mit dem allwissenden, unentbehrlichen Schulz einer Lappalie wegen zu überwerfen. »Führen Sie den Kerl vor«, sagte er.

Schulz dachte: Na also, warum nicht gleich so! Er machte eine seiner vorbildlichen Ehrenbezeigungen und verschwand. In gehobener Stimmung gab er den Befehl, den Kanonier Vierbein vorzuführen. Dem würde er es schon zeigen!

Hauptmann Derna blätterte inzwischen in der Disziplinarstrafordnung. Er fand sie kompliziert, unübersichtlich, lückenhaft. Er telefonierte mit dem Adjutanten des Abteilungskommandeurs und erfuhr, nach einleitendem, überaus verbindlichem Kasinogeplauder, daß in den letzten sechs Monaten im Bereich von Major Luschke keine Disziplinarstrafe ausgesprochen worden war. »Der Alte«, sagte der Adjutant, »ist für Disziplin, aber nicht für Disziplinarstrafen.«

Derna fand diesen Gedankengang bemerkenswert, aber auch, in seiner Situation, recht bequem. Er hätte seinem Schulz gerne diesen kleinen Gefallen getan, immer vorausgesetzt, daß er berechtigt war. Aber er konnte doch unmöglich eine Grunderkenntnis seines Abteilungskommandeurs einfach negieren. Es wäre der reinste Selbstmord, bei Luschkes Anordnungen auch nur »piep« zu sagen. Er mußte geschickt lavieren. Er mußte der preußischen Unbeugsamkeit die österreichische Verbindlichkeit entgegensetzen und beide miteinander harmonisch zu verschmelzen suchen.

Er musterte den eintretenden Kanonier Vierbein, hinter dem sich der Hauptwachtmeister breit aufgebaut hatte, mit aller Kühle, die ihm zur Verfügung stand; viel war das nicht, aber dennoch erwies es sich als nicht unwirksam. Er schwieg zunächst, denn er hatte gelernt, daß Schweigen bedeutsam war, bedrohlich und bedrückend. Er ließ seine Augen forschend über des Kanoniers bleiches Gesicht wandern, das unter dem mächtigen Stahlhelm klein und krank aussah.

»Ungesund die Gesichtsfarbe«, stellte der Hauptmann fest.

»Das kommt von seinem Lebenswandel«, sagte der Hauptwachtmeister im Hintergrund.

»Sie sollten sich schämen«, sagte Derna und meinte damit den Kanonier. »Sie haben die Ehre, Soldat zu sein und den Waffenrock zu tragen, aber Sie benehmen sich wie . . . wie . . .«

»Wie eine gesprenkelte Sau«, half Schulz bereitwillig aus.

Derna nickte. Er fand zwar, daß die Bemerkung des Hauptwachtmeisters ein wenig zu weit ging, aber er zog es vor, das nicht zu rügen, schon gar nicht in Gegenwart eines Untergebenen. Er musterte den graubleichen Kanonier eingehend; wie ein Meuterer sah der nicht aus, wie ein schlechter Soldat schon eher. Und in Gegenwart dieses Haufens Unglück, der ihm hier unter die Augen gekommen war, fühlte er sich groß und stark. Sein Stolz brach wieder einmal durch, der Stolz darauf, Offizier der Wehrmacht zu sein, ein Österreicher auf preußischer Erde, nach entbehrungsreichen, nahezu würdelosen Jahren. Er fühlte sich grenzenlos überlegen; und das machte ihn gutmütig.

»Was ist Ihr Vater von Beruf?« fragte er.

Der Hauptwachtmeister im Hintergrund fühlte sich unangenehm berührt. Was soll das? fragte er sich. Will der hier eine Unterhaltung starten oder eine Disziplinarstrafe aussprechen? Der betreibt Familienkunde – wo es doch allein darauf ankommt, ein Machtwort zu sprechen!

»Polizeibeamter, Herr Hauptmann«, sagte Vierbein.

Derna blickte erstaunt auf, als sehe er vor sich ein Weltwunder. »Das«, sagte er kopfschüttelnd, »ist doch kaum zu glauben. Ihr Vater ist also ein ehrenwerter, ein verläßlicher Beamter, ein Hüter der Ordnung, ein öffentliches Vorbild sozusagen. Und was sind Sie? Sie sind ein schlechter Soldat, ein ungewöhnlich schlechter Soldat sogar, wie mir der Hauptwachtmeister widerstrebend gemeldet hat. Ihr Vater würde sehr traurig sein, wenn er Sie hier so sehen könnte. Schämen Sie sich nicht?«

»Hören Sie schlecht, Vierbein?« rief der Hauptwachtmeister verärgert.

»Der Hauptmann fragt Sie, ob Sie sich schämen.«

»Jawohl, Herr Hauptmann«, sagte der Kanonier.

Derna versuchte, unerbittliche Strenge spüren zu lassen. »Wenn Ihr Vater wüßte«, sagte er, »was Sie für ein schlechter Soldat sind, würde auch er sich schämen. Erinnern Sie mich daran, Hauptwachtmeister, daß ich in Erwägung ziehe, einen ausführlichen Brief an Herrn Vierbein zu schreiben.«

»Jawohl«, sagte Schulz widerwillig. Auch er verspürte ein wenig das Gefühl, sich schämen zu müssen, und zwar für Hauptmann Derna. Der soll eine gepfefferte Disziplinarstrafe aussprechen und redet dabei von Briefwechsel! Das ist kein Chef, das ist ein Seelsorger. Aber was soll aus Österreich schon Gutes kommen!

»Unser Hauptwachtmeister«, sagte Derna mit wohlwollendem Seitenblick auf Schulz, »hat mir Ihre Vergehen melden müssen, Vierbein. Er hat es nur widerstrebend unternommen, aber er mußte seine Pflicht tun.«

Schulz, im Hintergrund, verlor völlig jede Haltung. Er schüttelte sogar mit dem Kopf. Er war fest davon überzeugt, sein sonst so vorzügliches Gehör lasse ihn im Stich. Denn das konnte doch nicht wahr sein! Das durfte nicht wahr sein. Sie befanden sich doch in einer Kaserne und nicht in einem Kinderheim.

»Ich habe an eine strenge Disziplinarstrafe gedacht«, sagte Derna. »Eine hohe Arreststrafe war Ihnen sicher, aber ich will noch einmal Gnade vor Recht ergehen lassen, nicht zuletzt, weil es der Wunsch Ihres Hauptwachtmeisters ist.«

»Herr Hauptmann«, sagte Schulz dezent protestierend.

»Natürlich«, sagte Derna eilig, »geht die Sache nicht so einfach ab. Vierzehn Tage Urlaubssperre sind das mindeste. Notieren Sie das, Hauptwachtmeister.«

»Vierzehn Tage Ausgangsverbot«, sagte der, seinen Hauptmann mit letzter Konzentration korrigierend.

»Und wenn noch einmal irgend etwas vorkommt«, versuchte Derna zu brüllen, wobei sich seine Stimme in hohem Diskant überschlug, »dann sperre ich Sie unbarmherzig ein. Mein Wort darauf.«

Hauptwachtmeister Schulz brummte unwillig und unüberhörbar. Das war ja ein Affentheater! Immerhin hatte sich der Alte festgelegt. Er hat sein Wort gegeben. Wenn noch irgend etwas vorkommt, hat er gesagt, wird er Vierbein einsperren. Nun, das wird sich machen lassen. Der wird nicht allzu lange darauf zu warten brauchen, bis er sein Wort einlösen kann.

Vierbein durfte wegtreten. Er entfernte sich mit weichen Knien. Er hatte das Gefühl, sein Magen sei soeben ausgepumpt worden. Er wankte auf die Toilette und übergab sich dort.

Hauptmann Derna lächelte seinem Hauptwachtmeister mühsam zu. »Das wird dem eine Lehre sein«, sagte er betont forsch.

Der Hauptwachtmeister würdigte diese Bemerkung keines Kommentars.

Beide waren unzufrieden mit sich und betrachteten sich gegenseitig mit verstecktem Vorwurf. Der Hauptmann bangte darum, die wohltuende Dienstbereitschaft seines Untergebenen einzubüßen; der Hauptwachtmeister befürchtete, den entscheidenden Einfluß auf seinen Vorgesetzten zu verlieren. Beide dachten mißmutig: Und alles wegen diesem Kanonier, der Vierbein heißt.

Ingrid Asch hatte keine unruhige Nacht verbracht, sie war weder aufgeregt noch sonderlich betrübt, sie war nur verwundert. Sie war bisher zumeist verwöhnt worden; sie wußte, daß sie gut aussah und nahm alle Spielarten der Huldigung, Verehrung und Zuneigung gelassen entgegen. Aber daß es jemand gab, der sie einfach stehenließ und davonlief, das verstand sie nicht. Das war ihr noch niemals passiert.

Sie führte das auf den Einfluß ihres Bruders zurück. Dessen Liebe bestand offenbar nur darin, sie zu bevormunden und ihr alle Freude an den schönen und großen Dingen zu nehmen. Und er hat es vermutlich verstanden, diese seine Vorurteile ihr gegenüber auch auf seinen sonderbaren Freund Vierbein zu übertragen. Das war bedauerlich, denn irgendwie gefiel ihr dieser Vierbein. Es war wirklich schade, daß er so sehr im Fahrwasser ihres unidealistischen Bruders schwamm.

Ingrid ordnete die Rechnungen des vergangenen Tages. Das Geschäft blühte, das Café Asch hatte einen Umsatz, der sich sehen lassen konnte. Seltsamerweise machte in letzter Zeit die Besorgung der Zutaten für das Feingebäck einige Schwierigkeiten. Der Kreisbäckermeister, der sich beim Reichsnährstand nach den Hintergründen erkundigt hatte, bekam zur Antwort, daß ein derartiger Engpaß einmal durch den Zuwachs der Reichsgebiete bedingt sei, dann aber auch durch das ständige Anwachsen der Vorratslager für die Wehrmacht, die noch immer auf den Ernstfall vorbereitet sein müsse.

Sie schob die Rechnungen zur Seite und dachte ein wenig nach. Das Wort »Ernstfall« übte eine magische Anziehungskraft auf sie aus. Sie stellte sich ihren Bruder und seinen Freund Vierbein im Krieg vor. Sie war fest davon überzeugt, daß beide dort ihren Mann stehen würden, Lob, Beförderung und Dekoration war ihnen sicher; und sie stellte sich weiter vor, daß das eine Zeit voller Harmonie und guter Gedanken werden könnte, mit Briefen, die Kraft gaben, und Urlaubstagen voll gemeinsamer Schönheit und bedingungsloser Zuneigung. Das alles hatte sie gelesen und glaubte daran.

Sie beendete, ein wenig erregt von derartigen Gedanken, ihre tägliche Büroarbeit früher als sonst. Sie begab sich nach unten in das Restaurant und suchte ihren Vater auf. »Kann ich heute Schluß machen?« fragte sie.

Der alte Asch nickte. »Selbstverständlich«, sagte er. »Wo willst du hin? Einkaufen? Ins Kino? In deinen großdeutschen Kindergarten?«

»Bitte, Vater, sprich nicht so vom BDM«, sagte Ingrid ernsthaft.

»Pardon«, sagte der alte Asch gemütlich. »Ich vergesse immer wieder, daß der BDM von heute die NS-Frauenschaft von morgen sein wird. Und für die NS-Frauenschaft habe ich, wie du weißt, einiges übrig: denn die Parteidamen sind bei mir Stammkunden.«

»Ich will in die Kaserne, Vater.«

»Worin willst du dich ausbilden lassen? Oder gedenkst du deinen lieben Bruder zu besuchen?«

Ingrid zog es vor, weder die eine noch die andere Frage zu beantworten. »Du warst doch auch Soldat?«

Der Cafetier Asch, der hinter dem Büfett neben dem Speisenaufzug stand, sah sich um. Das Café war nur mittelmäßig besucht, denn es war bereits fünf Uhr, eine Zeit, in der der Nachmittagsandrang abzuflauen pflegte. Seine Serviermädchen waren beschäftigt. Er konnte also noch eine kurze Zeitspanne ungestört plaudern. »Du interessierst dich in letzter Zeit reichlich stark für das Militär«, sagte er.

»Ich interessiere mich für Menschen, die zufällig Uniform tragen. Alle Männer müssen das tun, es sei denn, sie sind gebrechlich oder sonst irgendwie minderwertig.«

Der Cafetier sah seine Tochter ohne Erstaunen an. Er kannte deren Auffassung von den sogenannten »großen Dingen« zur Genüge, um noch verwundert zu sein. Er hatte seines Geschäftes wegen und weil seine Frau früh gestorben war, weit weniger Zeit für seine Tochter gehabt als die Organisationen der Partei; daraus resultierte alles. »Du hast gestern abend«, sagte er, »eine Kahnpartie mit einem Soldaten gemacht. Einer meiner Angestellten hat mir das erzählt.«

»Es war Herr Vierbein, der Freund von Herbert, Vater. Hast du was dagegen?«

»Aber nein«, sagte Asch unbekümmert. »Mit dem kannst du Kahnpartien machen. Der ist in meinen Augen kein Soldat.«

»Warum beleidigst du ihn, Vater?« fragte Ingrid ehrlich betrübt.

Asch war verwundert. »Aber ich beleidige ihn doch gar nicht! Ich spreche ein Kompliment aus. Es ist immerhin möglich, daß mit Gestalten wie Vierbein Kriege geführt werden können, aber für ein wohlgeordnetes Kasernenhofdasein ist er nicht primitiv genug.«

»Ich verstehe dich nicht, Vater«, sagte Ingrid.

»Leider«, sagte der Cafetier achselzuckend und nahm wieder seine Arbeit auf. »Aber vielleicht solltest du darüber nachdenken, ehe es vielleicht – wer weiß, für wen? – zu spät ist.«

Ingrid Asch verließ ihren Vater voller Unzufriedenheit. Er war ein guter Kaufmann, gewiß, und er war auch, soweit ihm das möglich gemacht wurde, ein guter Vater. Aber daß er auch noch ein guter Deutscher war, konnte nicht unbedingt von ihm gesagt werden. Sie nahm ihm das nicht übel, es betrübte sie nur ein wenig. Was sie aber verwirrte, war, daß sie über die einfachste und klarste Sache von der Welt, über das Soldatsein nämlich, völlig verschiedenartige und sich widersprechende Angaben erhielt. Danach war alles kompliziert, geradezu gefährlich verworren. Und ausgerechnet der Mann, von dem sie sich gewünscht hätte, er möge ihrem Idealbild entsprechen, Vierbein nämlich, schien weit komplizierter zu sein als alle anderen.

Sie ging in ihr Zimmer und zog sich um. Sie betrachtete sich im Spiegel. Sie hatte eine zierliche, aber doch schon ausgeprägte Figur; vielleicht waren ihre Schenkel ein wenig zu dünn und ihre Hüften nicht breit genug. Beim Hygieneunterricht im BDM war ihr taktvoll klargemacht worden, daß sie vielleicht einmal Schwierigkeiten haben würde, komplikationslos Kinder zu gebären. Aber sie sah keine Veranlassung, das allzu tragisch zu nehmen. Dafür waren ihre Brüste voll und fest und drängten sich stolz hervor; manches Mannes Blick hatte schon nachdenklich auf ihnen geruht.

Sie kämmte ihr Haar mit Ausdauer, bis es seidig, glatt und mattglänzend nach hinten herunterhing. Sie wählte ein einfaches graugrünes Seidenkleid, von dem sie wußte, daß es ihre Figur gut zur Geltung brachte. Dann verließ sie das Haus.

Ingrid schlenderte über den Marktplatz, den Paradeplatz, die Freiheitsstraße hinunter und ging auf die Vorstadt zu. Sie hatte es nicht eilig, denn sie wußte nicht genau, was sie machen wollte. Sie hätte gerne Vierbein gesehen, mit ihm gesprochen, ihm zu verstehen gegeben, daß sie bereit sei, ihm seine überstürzte Flucht von gestern abend zu verzeihen. Das wünschte sie, aber sie wußte noch nicht, wie es zu verwirklichen war.

Sie ging an dem Lokal »Bismarckshöh« vorbei, von dem sie wußte, daß es keinen sehr guten Ruf genoß, und kam auf die Chaussee, die direkt an der Kaserne vorüberführte. Hier verlor die Stadt erheblich an Umfang und Höhe, Felder begannen sich auszubreiten; Schrebergärten waren dazwischen zu sehen, eine Gärtnerei, vereinzelte Arbeiterhäuser. Und rechts daneben lag, den Horizont verdeckend, groß, gewichtig und grau, die Artilleriekaserne: sechs Blocks quer, zwei Blocks parallel zur Chaussee; dahinter Hallen und der Exerzierplatz.

Ingrid verlangsamte ihre Schritte abermals. Sie schritt nur noch zögernd aus. Aus den dreistöckigen Blocks quoll betriebsamer Lärm, vereinzelt Gesang, eine scharfe Kommandostimme. In den Fenstern tauchten braungebrannte Gesichter auf, die sie anstarrten. Sie sah sogar ein Fernglas, das auf sie gerichtet war. Zwei Mann lachten und winkten ihr zu. Sie ging plötzlich schneller.

Sie ging, um nicht mehr angestarrt zu werden, auf das offene Tor zu. Aber auch der Posten, der dort stand, starrte sie an; aber sie nahm an, daß ihn dienstliche Interessen dazu bewogen hatten.

Der Posten war freundlich und wies sie in das Wachlokal. Hier saß ein Unteroffizier und sah sie ebenfalls prüfend an. Es war ihm deutlich anzumerken, was er dachte: Verdammt schicker Besuch! Und mit Wohlwollen fragte er: »Zu wem wollen Sie denn, Fräulein?«

»Zum Gefreiten Asch«, sagte Ingrid. »3. Batterie.«

Der Unteroffizier sah umständlich auf die Uhr, die im Wachlokal hing. »Es ist erst kurz vor sechs«, sagte er. »Die 3. Batterie hat heute Dienst bis achtzehn Uhr dreißig, normalerweise.«

»Es dauert bestimmt nicht lange«, sagte Ingrid. »Ich bin die Schwester des Gefreiten Asch.«

»Ach so«, sagte der Unteroffizier, offenbar ein wenig enttäuscht. »Dringende Familienangelegenheiten, was?«

Sie bestätigte das unbedenklich und erhielt einen Passierschein. Ein Mann der Wache begleitete sie und lieferte sie beim UvD der 3. Batterie ab. Der ersuchte sie, im Lesezimmer zu warten.

Im Lesezimmer saß, gelangweilt in Zeitschriften blätternd, der Leutnant Wedelmann. Laut Dienstplan hatte er die Oberaufsicht beim Waffenreinigen. Es blieb ihm also nichts anderes übrig, als irgendwo anwesend zu sein. Er verließ sich, wie gewöhnlich und durchaus mit Recht, auf die Tätigkeit der Unteroffiziere und schlug die Zeit damit tot, daß er in dem zur Zeit leeren Lesezimmer mehr oder weniger erbauliche Bilder von leichtbekleideten Mädchen oder schwergepanzerten Kampfwagen betrachtete.

Als er Ingrid Aschs ansichtig wurde, stand er spontan auf und verbeugte sich stumm. Ihm wollte scheinen, eines der betrachtenswertesten Bilder, die er soeben gesehen hatte, sei lebendig geworden. Daß das Mädchen ungewöhnlich war, merkte er auf den ersten Blick. Sein sonst überaus öder Tagesablauf erhielt so, völlig unerwartet, ein erfreuliches Glanzlicht. Er wußte das zu würdigen und lächelte angenehm, aber dezent.

Ingrid fühlte sich ein wenig geschmeichelt. Sie erwiderte den Gruß des Leutnants durch ein kurzes Kopfnicken. Dann versuchte sie, ihn zu übersehen. Und der Leutnant war taktvoll genug, keine plumpen Annäherungsversuche zu wagen.

Sie mußte warten, denn der Gefreite Asch wurde gesucht. Sie blätterte in einigen Militärzeitschriften, die auslagen und kaum Spuren eifriger Benutzung aufwiesen. Der Leutnant trug aufmerksam interessante Zeitschriften herbei, und sie dankte ihm zurückhaltend. Nahezu eine Viertelstunde verging, ehe der Gefreite Asch erschien.

Asch stürzte herein, stutzte und schien enttäuscht zu sein. »Du bist es«, sagte er.

»Hast du denn wen anders erwartet?«

»Allerdings«, sagte Asch. Dann erst sah er Leutnant Wedelmann und machte eine mittelprächtige Ehrenbezeigung. Wedelmann erwiderte sie prompt, aber nicht ohne Mißbilligung. Und Asch begriff sofort, warum der Leutnant sein Verhalten mißbilligte; mußte doch er, der Asch mit Elisabeth am Samstag abend in »Bismarckshöh« zusammen gesehen hatte, annehmen, der Gefreite sei dabei, sich einen Harem anzulegen. Und er wollte nicht, Elisabeths wegen nicht, daß das von ihm gedacht werde.

»Hat dich deine schwesterliche Sehnsucht zu mir getrieben?« fragte er. »Oder hat dich der Vater geschickt?«

Der Leutnant Wedelmann erhob sich sofort. Er lächelte jetzt gewinnend freundlich. »Ich will das Familientreffen nicht stören«, sagte er galant. Er verbeugte sich vor Ingrid und winkte Asch zu. Dann ging er und postierte sich auf dem Korridor.

»Was willst du eigentlich?« fragte Asch wenig freundlich. »Du störst hier meine ganzen Kreise. Ich war auf der Bekleidungskammer schwer beschäftigt und war dort sicher wie in Abrahams Schoß, bis sieben Uhr. Um sieben Uhr wird der ganze Rummel hier vorbei sein, schätze ich. Aber nein, da mußt du kommen und mußt Wachtmeister Werktreu in Bewegung setzen! Und der tut das, was er nur einmal tut, und was er um sieben Uhr tun sollte: Er sperrt mich aus der Bekleidungskammer aus. Jetzt bin ich gezwungen, an der ganzen Abend-Extra-Vorstellung teilzunehmen, gegen die ich mich nach allen Regeln der Kunst abgesichert hatte. Was denkst du dir eigentlich? Was willst du hier?«

»Ich verstehe dich nicht«, sagte Ingrid.

»Das wäre ja auch das Neueste!«

»Ich wollte eigentlich zu deinem Freund Vierbein.«

»Ach nein!« Asch konnte soviel Naivität einfach nicht begreifen. »Du wolltest zu Vierbein! Und der, glaubst du, wartet nur auf dich? Nach allem, was du anscheinend gestern wieder mit ihm angestellt hast, wird er vermutlich vor Glück in die Knie gehen, wenn er dich nur sehen darf. Sag mal, was denkst du dir eigentlich? Glaubst du, dieser Vierbein ist eine Stoffpuppe, mit der du nach Belieben Fußball spielen kannst? Der ist mir viel zu schade für deine idealistischen Treibhausgedanken. Laß deine manikürten Finger von ihm, wenn du ihn nicht richtig behandeln kannst.«

»Du verstehst mich nicht, Herbert«, sagte sie bestürzt. »Ich bin nicht so, wie du denkst. Ich will nicht so sein. Kann ich ihn sprechen?«

Asch betrachtete seine Schwester nachdenklich und voller Zweifel. Sie wollte also Vierbein sprechen. Und jetzt, in diesem Augenblick, reinigte Vierbein, der müde, abgekämpfte, graugesichtige Vierbein, den ein schlotternder, schmutziger Drillichanzug umhüllte, sein Gewehr, Vierbein, dem einen Tag lang nach allen Regeln die Knochen einzeln im Leibe gebrochen worden waren. Und ihn, den Zerschmetterten, sollte er einer strahlend schönen Ingrid gegenüberstellen?

»Nein«, sagte er hart und entschieden.

»Dann nicht«, sagte Ingrid und fühlte sich zurückgestoßen.

Sie stand auf und verließ den Raum. Auf dem Korridor prallte sie mit Leutnant Wedelmann zusammen, der dort gewartet hatte. Er lächelte verbindlich.

»Erlauben Sie«, fragte er, »daß ich Ihnen den Weg zeige?«

»Bitte«, sagte Ingrid. Und es war, als habe sie soeben einen kühnen Entschluß gefaßt.

Der »Abendsegen« kam für die Korporalschaft Lindenberg frühzeitig und war mehr als reichlich bemessen. Der Hauptwachtmeister Schulz hatte sich eine Veranstaltung eigener Art ausgedacht und war stolz auf Erfindungsreichtum und Improvisationstalent.

Den eigentlichen Anstoß hierzu hatte ihm, wenn auch indirekt, Lore, seine Frau, gegeben, als sie, nachdem sie Hilfestellung beim Ausziehen der Stiefel geleistet hatte, ihn aufforderte, »endlich doch wieder einmal die Füße zu waschen.« Dieses »Endlich doch wieder einmal« war natürlich übertrieben, aber das »Waschen« löste in ihm einen bemerkenswerten Gedankengang aus, und zwar in der Reihenfolge: waschen, baden, schwimmen, freischwimmen.

Schulz regte hierauf bei Hauptmann Derna an, den bisher arg vernachlässigten Schwimmunterricht intensiv zu pflegen, mit dem eindeutigen Ziel, eine Batterie von Freischwimmern zu schaffen. »Auch Herr Major Luschke hat einen derartigen Wunsch mehrmals ausgesprochen.«

Hauptmann Derna, erfreut über den Diensteifer seines Spießes, ehrlich bemüht, besonders nach dem Zwischenfall am Vormittag, diesem sein Vertrauen zu sichern, sagte: »Das ist ein ganz ausgezeichneter Gedanke, mein lieber Schulz. Auch die Jahreszeit empfinde ich dafür als besonders günstig. Fangen Sie also ruhig damit an.« Und er fügte vorsichtig hinzu: »Aber überstürzen Sie nichts.« Worauf Schulz bieder versicherte: »Ich fange mit kleineren Gruppen an.«

Die erste dieser »kleineren Gruppen« war natürlich die Korporalschaft Lindenberg, die einen höllischen Tag halbwegs mit Anstand hinter sich gebracht hatte. Alle waren müde; Vierbein, den es besonders hart getroffen hatte, war so gut wie erledigt. Sie hingen über ihren Gewehren und reinigten sie im Zeitlupentempo. Der Unteroffizier Lindenberg, der das zwar nicht billigte, der das aber verstand, ohne daß man hätte sagen können, er habe Verständnis dafür gehabt, stand am Fenster und schien angeregt hinauszusehen.

Er war ein Mann der Disziplin, aber er war kein Schleifer. Er hat, wie von ihm erwartet worden war, einen harten Dienst gemacht, aber er hat seine Soldaten nicht unter psychischen Druck gesetzt. Er hat sie ausgepreßt wie Zitronen, aber er hat sie nicht durch den Dreck geschleift. Er hat mehrfach das Letzte aus ihnen herausgeholt, beim Infanteriedienst, beim Geschützdienst, beim Sport mit anschließendem Geländelauf, aber das war als sinnvolle Kraftanstrengung, als Stählung des Körpers gedacht und hatte nicht das mindeste, seiner maßgeblichen Meinung nach, mit systematischem »Fertigmachen« zu tun.

Jetzt, beim Waffenreinigen am späten Nachmittag, war er durchdrungen von der Überzeugung, seine Pflicht getan und die ihm zugeteilten Soldaten nachdrücklich dazu angehalten zu haben. Ein stolzes Gefühl schwellte ihn: seine Tagesarbeit war mustergültig gewesen. Die brutalen Eingriffe von Wachtmeister Platzek mißbilligte er, zumal hierin ein indirektes Mißtrauensvotum gegen ihn erblickt werden konnte.

Hauptwachtmeister Schulz betrat den Raum der Korporalschaft Lindenberg kurz vor Schluß des Waffenreinigens. Er strahlte Zufriedenheit aus, was allgemeine Beunruhigung hervorrief. »Wer«, fragte er freudig, »hat sich noch nicht freigeschwommen?«

Von den anwesenden elf Soldaten meldeten sich sieben, darunter der Kanonier Vierbein. Der Gefreite Asch, der gerade vom Lesezimmer, wo er den Besuch seiner Schwester empfangen hatte, zurückgekehrt war, drückte sich mißmutig in eine Ecke. Er ahnte bereits, was sich hier anzubahnen schien; und er verfluchte heimlich seine Schwester, die ihn um seinen Aufenthalt auf der relativ sicheren Bekleidungskammer gebracht hatte.

»Nur sieben Mann?« fragte der Spieß in ungetrübt guter Laune. Er wußte, daß der Schwimmbetrieb innerhalb der Batterie stark vernachlässigt worden war und daß genau hier die Schlinge lag, in der er alle fangen konnte, die er fangen wollte. »Und die anderen? Sie etwa, Asch?«

»Ich«, sagte der Gefreite Asch, »habe mich bereits voriges Jahr freigeschwommen.«

Der Spieß grinste freudig. »Das«, sagte er, »zählt natürlich nicht. Wer garantiert mir denn dafür, daß Sie überhaupt noch schwimmen können? Selbstverständlich muß die Freischwimmerprüfung jedes Jahr erneut abgelegt werden. Ein guter Soldat kann eben schwimmen. Fertig. Nicht wahr, Unteroffizier Lindenberg? Sie sind doch auch Freischwimmer?«

»Ich bin Rettungsschwimmer, Herr Hauptwachtmeister«, sagte der etwas steif.

»Na also! Dazu kann ich der Korporalschaft nur gratulieren. Ist etwa unter Ihren Leuten einer, der überhaupt nicht schwimmen kann?«

»Nein, Herr Hauptwachtmeister«, versicherte Lindenberg. Die wenigen Schwimmstunden, die stattgefunden hatten, waren von ihm intensiv genutzt worden. In seiner, eines geprüften Rettungsschwimmers Umgebung, gab es keine bleiernen Enten.

»Prachtvoll, prachtvoll!« rief Schulz geschäftig. »Dann wollen wir nicht zögern. Ihre Korporalschaft wird sich also heute noch freischwimmen.«

»Heute noch?« fragte der Unteroffizier ehrlich verwundert.

»Hören Sie etwa schlecht?« fragte Schulz ungnädig zurück. »Es ist jetzt kurz nach sechs, erst um halb neun wird es dunkel. Bis dahin können die sich dreimal freischwimmen.«

Lindenberg war mit dieser Anordnung nicht einverstanden; und die Differenz zwischen seinen und den Ansichten des Hauptwachtmeisters war diesmal sogar so groß, daß er einen Einwand vorzubringen wagte. Er erlaubte sich zu bemerken: »Ein gewisses Training, Herr Hauptwachtmeister, halte ich für empfehlenswert.«

Die Angehörigen der Korporalschaft verfolgten, mit Ausnahme von Vierbein, der ergeben vor sich hin sah, nicht ohne Spannung diese für sie völlig ungewohnte Auseinandersetzung. Der Gefreite Asch bewegte sich sogar vor, um eine bessere Übersicht zu gewinnen.

»Sie wollen also trainieren«, sagte der Hauptwachtmeister; und es war nicht die mindeste Trübung seiner ausgezeichneten Stimmung festzustellen. »Das können Sie haben. Ihr Vorschlag ist sogar ganz ausgezeichnet. Sie veranstalten also zuerst eine halbe Stunde Trockenschwimmen, sagen wir von achtzehn Uhr dreißig bis neunzehn Uhr. Dann machen Sie einen kurzen Geländelauf zur Militärbadeanstalt, und dort beginnen Sie, um neunzehn Uhr fünfzehn, mit dem Freischwimmen. Die Aufsicht hat Wachtmeister Platzek. Ich werde auch dabeisein. Verstanden?«

»Jawohl, Herr Hauptwachtmeister«, würgte Lindenberg hervor.

Schulz entfernte sich fröhlich, nicht ohne vorher den Kanonier Vierbein streng und bedeutsam gemustert zu haben. Er begab sich sofort zu Wachtmeister Platzek, dem Schleifer-Platzek, um mit ihm wirksame Einzelheiten zu besprechen.

Die Angehörigen der Korporalschaft Lindenberg brüteten finstere Gedanken aus. Einige warteten nicht ohne Neugier auf eine Äußerung ihres Unteroffiziers. Aber der schwieg. Für den war ein Befehl ein Befehl, Kritik stand ihm nicht zu, Kommentare über einen Vorgesetzten vor Untergebenen verabscheute er. »Aufhören mit Waffenreinigen!« befahl er. »Fertigmachen zum Trockenschwimmen. Badezeug ist mitzunehmen.«

Die Angehörigen der Korporalschaft gehorchten widerwillig. Der ermattete Vierbein schloß kurz die Augen und atmete tief; er bewegte sich nahezu automatisch. Asch murmelte halblaut: »Verdammte Scheiße!«

»Sagten Sie was, Gefreiter Asch?« fragte Lindenberg streng.

»Jawohl, Herr Unteroffizier. Ich sagte: Hoffentlich ist das Wasser nicht zu kalt.«

Lindenberg nahm diese Erklärung hin. Er beobachtete Vierbein besorgt. Der Mann gefiel ihm nicht; der war nicht widerstandsfähig genug. »Daß Sie mir nicht weich werden, Vierbein! Wenn Sie sich zusammenreißen, werden Sie das auch noch überstehen.«

Der Kanonier fühlte seine müden Knochen kaum noch. Er sah wie durch

Schleier und ging wie auf Seife. Seine Bewegungen waren mechanisch und ohne Kraft. Er zog sich um, stellte Schemel und Kopfpolster bereit und lehnte sich dann matt gegen seinen Schrank.

Der Gefreite Asch sah das. Er ging auf Vierbein zu, preßte seine Hand um dessen Arm und sagte: »Beiß die Zähne zusammen und halte dich an mich.«

Vierbein nickte automatisch. Er war kaum noch imstande, klar nachzudenken. Der Tag war anstrengend für ihn gewesen. Der Schleifer-Platzek hatte sich fast ausschließlich auf ihn konzentriert. Die Strafpredigt von Hauptmann Derna hatte ihn geängstigt; danach mußte er befürchten, nicht nur gemaßregelt, sondern sogar eingesperrt zu werden. In der Mittagszeit mußte er, auf Befehl von Hauptwachtmeister Schulz, in der Küche arbeiten. Beim Sport hatte er endlos lange Klimmzüge üben müssen, dann Hochsprung über das Pferd, dann das Klettern an Stricken, dann Boden- und Kastenturnen, schließlich Ringkampf und Geländelauf. Jetzt war er zum Umfallen erschöpft. Und wenn er kurze Sekunden fand, in denen er nachdenken konnte, dann dachte er an Ingrid und daran, daß sie ihn nicht verstand.

Unteroffizier Lindenberg setzte seine Trillerpfeife in Tätigkeit. Die Soldaten griffen Schemel und Kopfpolster auf, drängten sich durch die Tür auf den Korridor, liefen auf den Appellplatz hinunter und stellten sich dort auf. Kanonier Vierbein ließ sich durch das Gedränge vorwärts stoßen. Er stolperte über die Treppen und wäre gefallen, wenn ihn Asch nicht aufgefangen hätte.

Wachtmeister Platzek erwartete die Trockenschwimmer bereits. Er grinste genußvoll, ließ, wie zu Freiübungen, ausschwärmen, warf einen stolzen Blick auf die mit neugierigen Soldaten angefüllten Fenster und begann.

Die Soldaten legten das Kopfpolster auf die vor ihnen aufgestellten Schemel und warfen sich auf Pfiff darüber. Nach dem monotonen Kommando »Eins – und – zwei!« vollführten sie vorschriftsmäßige Brustschwimmbewegungen; sie dauerten, mit schöner Regelmäßigkeit, lange Minuten. Es war nicht leicht, den Körper im Gleichgewicht zu halten; es war noch schwerer, Arme und Beine dabei exakt zu bewegen. Die Bauchmuskeln schmerzten.

»Dieser Vierbein«, brüllte Platzek freudestrahlend, »bewegt sich wie ein besoffener Krebs. Wegen diesem Vierbein werden wir noch stundenlang so weitermachen müssen.«

Johannes Vierbein bewegte sich mit letzter Kraft. Er versuchte, das exakt zu tun, aber Arme und Beine pendelten fast hilflos um den Schemel herum. Vierbein sah unter sich die graue Zementschicht der Fahrbahn; sie war rauh, ausgespült, abgewetzt. Sie schien in Wellen auf ihn zuzufluten.

»Kopf hoch, Vierbein!« rief Platzek. »Sie wollen doch hier nicht etwa ein Nickerchen veranstalten!«

Vierbein zwang sich dazu, den Kopf zu heben. Die Muskeln in seinem Nacken versuchten, ihn abwärts zu drücken. Vierbein stieß das Kinn vor. Der Zementboden entschwand aus seinem Blickfeld, er sah spärlichen Rasen, die niedrige Mauer, den hohen Zaun aus Eisenstangen und dahinter die Straße, die in die Stadt hineinführte. Er sah Soldaten, die dort gingen. Er sah den Leutnant Wedelmann mit einem Mädchen. Und er riß die Augen weit auf, ein stechender, aufflammender Schmerz wurde spürbar, und dann war es, als würden die Schleier, die vor ihm wehten, auseinandergefetzt.

Und er sah, daß das Mädchen, das neben Leutnant Wedelmann ging, Ingrid Asch war. Er schien erstarrt zu sein; dann sackte er zusammen.

»Vom Untertauchen«, rief Platzek dröhnend, »ist nichts befohlen worden. Reißen Sie gefälligst Ihre Knochen zusammen, Sie Pfannkuchen!«

Vierbein überstand auch diesen kritischen Punkt. Seine Glieder bewegten sich wie Teile einer schlechtgeölten, auf halben Touren laufenden Maschine. Asch, der ganz hinten, links außen, vage Andeutungen von Schwimmbewegungen produzierte, war bereit, ihm zu Hilfe zu kommen, aber es schien nicht notwendig.

Pünktlich um neunzehn Uhr wurden die Schemel zusammengestellt. Lindenberg setzte sich an die Spitze seiner Korporalschaft und lief mit ihr in gemächlichem Tempo zur Militärbadeanstalt. Wachtmeister Platzek folgte pfeifend auf dem Dienstfahrrad.

Hauptwachtmeister Schulz war geruhsam vorangegangen und wartete bereits. Er wurde ungeduldig, als Unteroffizier Lindenberg den Start zum Freischwimmen hinauszögerte. Lindenberg, der Vierbein, den zermürbten, ermatteten, sich mechanisch dahinschleppenden Vierbein nicht mehr aus den Augen ließ, bestand darauf, daß sich seine Korporalschaft abkühlte, massierte, abduschte. Dann erst war er bereit, mit dem Freischwimmen zu beginnen.

Der Hauptwachtmeister sah auf seine Uhr. »Es kann also losgehen«, sagte er. »Zwanzig Minuten tadelloses Brustschwimmen, beginnend mit einem Kopfsprung vom Ein-Meter-Brett, endend mit einem beliebigen Sprung vom Drei-Meter-Brett. Auf ›los‹ geht es los.«

Die Soldaten sprangen nacheinander kopfüber in das Wasser. Sie mußten hintereinander, in Reihe, im großen Kreis herumschwimmen. Schulz stand auf der zweiten Querbrücke, und neben ihm stand Unteroffizier Lindenberg; beide beobachteten, aus recht verschiedenen Gründen, nur einen einzigen Mann intensiv: den Kanonier Vierbein.

Nachdem die Soldaten zehn Minuten geschwommen hatten, sah Schulz auf seine Uhr und rief fröhlich: »Fünf Minuten sind bereits um!«

Fast alle quälten sich durch das Wasser; sie hatten einen anstrengenden Tag gehabt, und das war nicht ohne Folgen geblieben. Einer machte den Versuch aufzugeben, aber Schulz brach in ein herzhaftes Gelächter aus und rief: »Sie schwimmen so lange, bis Sie absaufen. Wir holen Sie dann schon 'raus.«

Der Gefreite Asch zog zwei Runden, gemächlich und in brauchbarem Stil; er war ein guter Schwimmer, aber er wollte nicht einsehen, daß es notwendig sei, sich überflüssigerweise anzustrengen. Außerdem gedachte er, auf Vierbein aufzupassen. Er beobachtete Hauptwachtmeister und Unteroffizier aufmerksam; und in einer günstigen Minute verließ er den Kreis, schwamm einfach unter die Brücke, auf der die beiden Vorgesetzten standen, hängte sich an einen Querbalken und ruhte aus.

Johannes Vierbein bewegte sich nur noch matt. Er vermochte nicht mehr klar zu sehen. In seinen Ohren brauste ein Taifun, vor seinen Augen flimmerte ein wässerigroter Nebel. Ein gewaltiges Gewicht drückte ihn sanft abwärts. Ihm war, als löse er sich auf und zerfließe. Er sackte ab wie ein Stück Blei.

Lindenberg, der das hatte kommen sehen, schwang sich auf das Geländer der Brücke. Schulz wollte ihn zurückhalten. »Der Kerl markiert doch nur. Der kommt schon wieder hoch.«

Aber der Unteroffizier hörte nicht darauf; er wollte nicht darauf hören. Er sprang ins Wasser und schwamm mit schnellen Stößen auf Vierbein zu. Auch Asch hatte sich von seinem Brückenbalken gelöst. Beide schleppten Vierbein an Land.

»So ist das«, sagte Schulz grimmig. »Keine Kraft, keine Energie, ein Schlappschwanz und ein Drückeberger. Aber sich herumtreiben und seine Pfoten nach fremden Weibern ausstrecken! Aber das werden wir ihm schon austreiben.«

Das Essen stand pünktlich bei Freitags auf dem Tisch, aber der Gefreite Asch, der Gast des Abends, kam nicht. Der alte Freitag sah über seine Zeitung, in der zu lesen er sich vergeblich bemüht hatte, hinweg und betrachtete die Uhr. Dann tat er wieder so, als lese er weiter.

»Da siehst du«, sagte Elisabeth streitbar, »was das für ein Mensch ist. Er hält seine Verabredungen nicht ein.«

»Das muß nicht seine Schuld sein«, sagte der Werkmeister Freitag. »Wer Soldat ist, ist nicht einmal Herr seiner Freizeit; das hat sich dort so eingebürgert.«

Frau Freitag stand unruhig am Herd. »Das Essen ist fertig«, sagte sie. »Wenn wir noch lange zögern, verliert es an Geschmack.«

»Fangen wir also ruhig an«, sagte Vater Freitag.

»Und wenn er nicht früher kommen konnte?« fragte Elisabeth leicht nervös.

Freitag lächelte sie an; er fand ihre nur mühsam versteckte Unruhe völlig in Ordnung. Erst hatte sie Asch angegriffen, dann verteidigt; das war sprunghaft, aber durchaus verständlich; das war – Freitag besann sich noch recht gut darauf – eine Begleiterscheinung der Liebe. Es tat ihm wohl, das zu spüren. Gleichgültigkeit wäre ihm ein Greuel gewesen.

»Vielleicht warten wir noch fünfzehn Minuten«, schlug Elisabeth zaghaft vor.

»Wir fangen an«, sagte der Werkmeister. »Er wird gar nicht erwarten, schätze ich, daß wir unser Privatleben den Gepflogenheiten der Kaserne anpassen. Oder kannst du ohne ihn nicht essen, Elisabeth?«

»Wir sollten nicht eine Minute länger warten«, sagte sie.

Das Essen wurde aufgetragen. Es duftete stark und gut. Vater Freitag ließ sich die Teller reichen und füllte sie feierlich. »Wir wollen hart arbeiten«, sagte er, »aber auch brauchbar essen; wir wollen einen ruhigen Schlaf tun und keine großen Sorgen um die Zukunft haben.«

Sie begannen zu essen. Sie löffelten den dicken, wohlschmeckenden Erbsenbrei fast wortlos. Ihr Appetit war gut. Nur Elisabeth aß wenig und sah auf den leeren Stuhl, der an der einen Seite ihres Tisches stand.

Noch bevor Freitag zum zweitenmal die Teller zu füllen begann, erschien der Gefreite Herbert Asch. Er war ein wenig außer Atem. Freitag machte ihm seinen Auftritt leicht. Er wies ihm den leeren Platz am Tisch an und behandelte ihn, als sei er schon lange da und schon oftmals Gast im Hause gewesen.

Frau Freitag fand, daß er nicht unsympathisch war, vielleicht ein wenig zu laut, zu unbekümmert, aber nicht unangenehm. Elisabeth vermied es, ihn anzusehen. Vater Freitag fragte ruhig: »Hat der Dienst sich heute so lange ausgedehnt?«

»Ich mußte mich erst noch schnell mal freischwimmen«, sagte Asch.

Freitag nickte verständnisvoll. »Eile wird notgetan haben«, sagte er.

»Genau das«, stimmte Asch ein. Es schmeckte ihm ausgezeichnet, und das sagte er auch. Er begründete sogar, warum es ihm ausgezeichnet schmeckte; und Mutter Freitag fand, daß er einiges vom Kochen verstehen müßte, was sie sehr bemerkenswert fand.

Elisabeth verhielt sich zurückhaltend. Sie redete Herbert nicht an; und auch der hielt es für richtig, Elisabeth nicht direkt anzureden. Beide wußten nicht recht, ob es angebracht war, sich in Gegenwart der Eltern Freitag zu duzen; und sie wußten, daß sie sich in dieser Situation nicht das sagen konnten, was sie sich zu sagen wünschten. So schwiegen sie lieber.

Nachdem Asch seinen dritten Teller mit großem Genuß und zur Freude von Mutter Freitag leer gegessen hatte, forderte ihn der Werkmeister auf, mit ihm in den Garten zu gehen und dort eine Zigarre zu rauchen. Das taten sie auch. Sie schlenderten an den Beeten entlang, während die Frauen in der Küche das Geschirr spülten.

»War das früher eigentlich auch so?« fragte Asch. »Ich nehme an, Sie haben gedient.«

»Vor dem Weltkrieg«, sagte der alte Freitag. »Und was soll früher so gewesen sein wie heute? Die Alltagsschikane zur sogenannten Förderung der Manneszucht? Lieber Freund, manchmal habe ich das Gefühl, ihr lebt wie in einem Sanatorium.«

»Es war noch schlimmer?«

»Es war konsequenter. Ich möchte sagen: selbstverständlicher. Es war etwas dabei von einem rauhen Männerspiel. Sehr viele machten, körperlich unverbraucht und von der Kultur unbeleckt, wie sie waren, nicht einmal ungern mit. Nur verhältnismäßig wenigen stand die Sache bis zum Hals. Heute ist das wesentlich komplizierter; was damals noch als eine Art männlich rauhes Vergnügen angesehen werden konnte, ist heute zur seelischen Vergewaltigung geworden. Die Menschen sind empfindsamer geworden, deshalb haben diese Schleifer es schwerer. Sie müssen sich immer brutaler durchsetzen, und so prallen denn die Gegensätze hart aufeinander.«

»Und dennoch hat niemand eingesehen, wie sinnlos diese ganze Schleiferei ist.«

»Das ist nicht so einfach«, sagte Freitag. »Es läßt sich einiges dafür anführen, daß damals der Drill unter Umständen auch sinnvoll, zumindest aber zweckmäßig sein konnte. Ich selbst habe ein solches Beispiel erlebt, gleich 1914. Bei einem Gegenangriff geriet ein Truppenteil, bei dem auch ich mich befand, in Panikstimmung. Die ersten warfen ihre Gewehre in den Dreck und wollten türmen. Und was geschah? Ein Kasernenhofhengst erhob sich, brüllte die Flüchtenden an und begann mit ihnen herumzuexerzieren, mitten auf dem Schlachtfeld. Und so beruhigten sich die Soldaten, was schlicht heißt: Sie stellten sich dem Feind.«

»Na und?« fragte Asch. »Was beweist das? Beim Alten Fritz marschierten die Truppen auf dem Schlachtfeld wie auf einem Exerzierplatz. Aber die Zeit steht nicht still.«

»Die kleinen Vorgesetzten des Weltkrieges sind die großen Vorgesetzten von heute. Der Schlachtfeldkasernenhofhengst von damals, ein Leutnant, wird vermutlich heute Oberst sein. Und alle diese Leute wollen mit den Erfahrungen des letzten Krieges in den nächsten steigen. Sie denken nicht voraus, sie denken zurück. Sie passen sich nicht an, sie verwerten lediglich, soweit es überhaupt geht, die alten Methoden. Genau besehen, haben alle diese Burschen Pleite gemacht, aber sie finden immer wieder Dumme, die ihnen abermals uneingeschränkten Kredit einräumen.«

»Und wir«, sagte Asch bitter, »müssen die Zeche bezahlen.«

»Mit Drill«, sagte der alte Freitag bedächtig, »läßt sich eben verhältnismäßig viel auf die bequemste Weise erreichen. Das war schon immer so. Drill ist das Paradies der Minderwertigen. Die wertvolleren und komplizierten Naturen werden dabei eingeebnet; das ist das ganze Geheimnis.«

»Und dagegen, meinen Sie, ist nichts zu machen?«

Freitag fand dieses Thema amüsant: »Wenn es einmal einem Revolutionär gelingen sollte, General zu werden – dann vielleicht eher. Aber ich vermag mir nicht vorzustellen, wie so was Erfolg haben könnte. Bei uns ist damals, vor dem Weltkrieg, folgendes passiert: Ein Schütze forderte einen Feldwebel auf, ihn am Arsch zu lecken. Eine Kriegsgerichtsverhandlung war die

Folge. Aber hierbei erklärte der Schütze, er habe niemals einen derartigen Ausspruch getan; und das Kriegsgericht glaubte ihm aufs Wort. Zeugen gab es nicht, der Schütze galt als guter Soldat, und niemand vermochte sich vorzustellen, daß ein Mensch normalen Verstandes jemals auf die Idee käme, derartige Ungeheuerlichkeiten auch nur zu denken, geschweige denn auszusprechen.«

»Und dieser Schütze hieß, vermute ich, Freitag.«

»Wir wollen«, sagte jetzt der Werkmeister Freitag mit verkniffenem Lächeln, »wieder hineingehen. Es wird kühl. Außerdem wartet die Weiblichkeit auf uns.«

Sie betraten das Haus und setzten sich im Wohnzimmer um den großen Tisch herum. »Wir wollen eine Flasche Johannisbeerwein trinken«, sagte der alte Freitag. »Er ist nicht besonders gut, aber wir haben ihn selbst gemacht und Johannisbeeren aus unserm Garten dazu verwendet.«

Sie probierten den Wein, und Herbert Asch fand, daß er zwar keineswegs schlecht sei, aber doch etwas zu lange, etwa zwei Wochen zu lange im Gärballon gelagert habe.

»Sie rauben mir die Reste meiner Autorität«, sagte Freitag augenzwinkernd. »Sie unterstützen meine Frau, denn sie wollte tatsächlich, entgegen meiner Meinung, den Wein zwei Wochen früher auf Flaschen füllen.«

»Ihre Frau hat recht«, versicherte der Gefreite Asch überzeugt.

Mutter Freitag strahlte Wohlwollen aus. Dieser Herbert Asch war ihr nicht nur nicht unsympathisch, sie fand sogar, daß er überaus erfreulich war. Ein junger Mann mit guten Manieren, nicht überheblich, aber auch nicht liebedienerisch; er benahm sich so, als sei er hier zu Hause. Das tat ihr gut. Es war doch nicht alles frech und eingebildet, was Uniform trug.

Sie tranken die eine Flasche Johannisbeerwein in guter Stimmung aus und öffneten noch eine zweite. Die beiden jungen Menschen waren immer noch bemüht, aneinander vorbeizureden. Kurz nach halb elf Uhr verabschiedete sich Asch. »Ich muß in die Kaserne zurück«, sagte er.

»Ich hätte Ihnen mit Wonne das Geleit gegeben«, versicherte der alte Freitag, »aber ich muß morgen wieder früh aus den Federn. Elisabeth wird Sie gerne begleiten, vermute ich.«

Elisabeth gab vor, zu zögern. »Wenn du darauf bestehst, Vater!«

Vater Freitag lächelte sie an. »Ich zwinge dich nicht dazu.«

Mutter Freitag lachte gemütlich, und Asch war verlegen. Ihn beruhigte nur, daß Elisabeth noch verlegener war als er. Er verabschiedete sich, erhielt die Genehmigung, jederzeit wiederkommen zu dürfen, und versprach das auch.

Langsam ging er auf die Kaserne zu, die in der Nacht wie ein mächtiges dahintreibendes Schiff auf der Weite des Ozeans aussah. Elisabeth schlenderte neben ihm dahin und war bemüht, Abstand zu halten.

Asch blieb stehen. »Elisabeth«, sagte er, »wodurch habe ich dich gekränkt?«

»Du hast mich nicht gekränkt«, sagte sie, »du hast dich nur nicht um mich gekümmert, und ich habe mich danach gerichtet.«

»Ich hatte keine Zeit dazu«, sagte der Gefreite. »Ich hatte einfach keine Zeit dazu.«

»Ich war immer nur ein paar hundert Meter von dir entfernt. Du hättest bestimmt kommen können, wenn du nur wolltest.«

»Gestern, am Montag«, sagte Herbert Asch, »bist du nicht zu erreichen gewesen. Ich habe mehrmals versucht, dich zu sprechen. Erst am Abend habe ich erfahren, daß du überhaupt nicht zum Dienst in der Kaserne erschienen warst.«

»Ich war zu Hause, und das ist auch nicht aus der Welt. Man geht von der Kaserne zehn Minuten bis zu uns.«

»Ich konnte doch nicht zu dir nach Hause kommen«, verteidigte sich Herbert Asch. »Nach dem, was alles passiert war, konnte ich das nicht.«

»Was war denn passiert?« fragte Elisabeth kühl. Und sie war bemüht, ihn hierauf nicht antworten zu lassen. Sie setzte eilig hinzu: »Aber heute war ich den ganzen Tag in der Kaserne, und du hast nicht einmal den Versuch gemacht, mich zu sehen.«

»Heute bin ich den ganzen Tag beschäftigt worden. Ich mußte mich schleifen lassen oder hatte doch schwer zu tun, mich davor zu drücken. Ich habe keinen ruhigen Atemzug tun können. Mein Wort darauf.«

Elisabeth beugte sich ein wenig vor. »War das meinetwegen?« fragte sie, und das klang besorgt. »Hast du Schwierigkeiten gehabt, weil du in der Nacht vom Sonntag zum Montag . . . Ich meine: War das, weil du deine Kleider liegenlassen mußtest?«

»Das war wohl nur komisch«, sagte Asch, und er mußte unwillkürlich lachen. Und er vernahm erstaunt, daß auch sie lachte, leise, unterdrückt, aber unüberhörbar. Dann lachten sie beide, gemeinsam.

Er griff nach ihrem Arm, und sie überließ ihn ihm. Er spürte ihr warmes, festes Fleisch durch den dünnen Stoff. »Es war ein starkes Stück, was?«

Sie nickte zutraulich. Es war zuviel Gemeinsames zwischen ihnen; sie konnte ihm nicht auf die Dauer böse sein. Er hatte nicht allzuviel Zartgefühl, jedenfalls bei weitem nicht so viel, wie sie es sich immer erträumt hatte; aber sie liebte ihn eben.

»Was meinst du?« fragte er. »Hat dein Vater irgend etwas gemerkt? Ich meine: Weiß er, was passiert ist?«

Sie löste sich sofort von ihm. »Machst du dir deshalb Sorgen?« fragte sie voller Mißtrauen. »Ist das alles, was dich interessiert? Da kann ich dich beruhigen. Du kannst getrost so weiter leben, als ob nichts passiert sei. Mein Vater weiß von nichts, und ich habe alles vergessen.«

»Das ist ein Mißverständnis«, sagte Asch hastig und sah auf die Uhr. Es war höchste Zeit, in die Kaserne zurückzukehren.

»Du kannst ruhig gehen«, sagte Elisabeth unfreundlich. »Es war nicht einmal ein Mißverständnis. Nicht das geringste ist passiert. Ich habe dich, wenn dich das beruhigt, nie gesehen. Und wenn man mich sogar fragen sollte, ob ich den Mann kenne, der bei mir geschlafen hat, dann sage ich nein. Du kannst dich darauf verlassen.«

»Aber Elisabeth, ich ... Ich erkläre dir das morgen. Ich muß jetzt laufen.«

»Geh nur in deine Kaserne«, sagte sie, »da gehörst du hin.«

»Herrgott, kannst du blöd sein!« rief er empört aus, ließ sie stehen und lief davon.

Der Tag, der mit müden Gliedern heraufkroch, hatte ein rosiges Gesicht. Er staunte die Kaserne an, die ihm im Wege lag wie ein Tier aus Stein! In ihrem Innern begann es zu rumoren, aber das Tier bewegte sich nicht.

Der Kanonier Vierbein lag wie leblos in seinem Bett. Das Pfeifen des Unteroffiziers vom Dienst riß ihn hoch. Halbaufgerichtet starrte er in die Stube. Seine Glieder waren wie Blei, und um seinen Kopf schienen Faßreifen gelegt worden zu sein. Ihm war, als brodele die Luft um ihn in dicken, dumpfriechenden Schwaden.

Die Soldaten wälzten sich gemächlich aus ihren Betten; sie hielten das für einen enormen Fortschritt, denn als sie noch, vor wenigen Monaten, Rekruten waren, pflegten sie aus ihren Decken zu springen wie eine Sprungfederpuppe aus dem Kasten. Heute waren sie schon »alte« Soldaten und ließen sich daher ein wenig Zeit, zumal Unteroffizier Schwitzke, der Saurier, Dienst hatte. Schwitzke riß niemand den Kopf ab, wenn nicht ein besonderer Grund vorhanden war oder ein ausdrücklicher Befehl vorlag.

Die erbaulichen Morgengespräche begannen nur mühsam, unter Gähnen. Zwei stritten sich darum, wie weit die Türen der Schränke geöffnet werden dürften, ohne störend zu wirken. Ein anderer riß alle Fenster mit geradezu ehrenrührigen Bemerkungen weit auf, was die, die in den Ecken lebten, begrüßten, die von der Fensterfront aber mißbilligten. Der Obergefreite Kowalski und der Gefreite Asch schliefen noch ein Viertelstündchen, was für sie ziemlich ungefährlich war, da ihre Betten durch Schränke getarnt und nicht auf Anhieb zu überblicken waren.

»Ich habe ihr gestern«, berichtete der als überaus stramm bekannte Wagner, »gezeigt, was eine Harke ist. Sie war begeistert. Bei mir kommt jede auf ihre Kosten, und das hat sich langsam herumgesprochen.«

Einige verlangten Details zu erfahren. Aus der linken Ecke wurde ein Stiefel auf Wagner geworfen. »Ruhe!« brüllte Kowalski aus seinem Verschlag, »oder ich trete euch in eure nackten Hintern.«

Vierbein saß immer noch todmüde auf seinem Bett. Er fand nicht die

Kraft, sich zu regen. Der Morgenlärm der Stube umbrodelte ihn wie dicker Tabaksqualm, der heftige Kopfschmerzen verursachte. Er schien zu taumeln.

Unteroffizier Schwitzke riß die Tür auf, um vorschriftsmäßig zu kontrollieren, ob dem Wecken allgemein Folge geleistet worden war. Er wollte die Tür sofort wieder schließen, aber er sah den Kanonier Vierbein wie einen Ölgötzen auf seinem Bett sitzen.

»Immer wieder dieser Vierbein!« rief Schwitzke triumphierend.

Unteroffizier Schwitzke, der Saurier, war eine Seele von Kamel, vom Herrgott in die Wehrmacht gesteckt, um hier eine ruhige Kugel zu schieben. Aber dieser Schwitzke konnte das Gras wachsen hören: mit sechstem Sinn erspürte er, was seinen unmittelbaren Vorgesetzten eine Herzensangelegenheit war. Und obwohl er niemals sonderlich viel tat, war doch alles, was er tat, sinnvoll und höchst zweckmäßig. Keinem anderen war es so wie ihm gegeben, mit einem Minimum an Kraftentfaltung ein Maximum an Vorgesetztenwohlwollen zu erreichen. Und er wußte genau, daß dieser Vierbein der wunde Punkt, die augenblickliche Achillesferse (wenn dieser gewagte Vergleich gestattet sein sollte) des Hauptwachtmeisters war.

Kanonier Vierbein sprang aus dem Bett und versuchte im Nachthemd stillzustehen. Er taumelte aber erneut und mußte sich stützen. Er sah übermüdet aus. Seine Augen blickten ausdruckslos in die dunstige Stube.

»Der schlappe Kerl kann nicht aus den Augen sehen!« rief Schwitzke gemütlich. »Hat wohl diese Nacht wieder einmal heftig von der Liebe geträumt, was?« Er sah um sich und erwartete, ein beifälliges Gelächter zu hören, aber niemand regte sich. »Das werde ich Ihnen schon austreiben, Sie Pennbruder. Sie melden sich nachher zum Revierreinigen bei mir.«

»Jawohl, Herr Unteroffizier«, sagte Vierbein gehorsam.

Schwitzke musterte ihn noch einmal grimmig-freundlich, rief »Schlappschwanz« und verließ dann befriedigt die Stube. Er beschloß, Vierbein zu einer Arbeit einzuteilen, bei der er dem Hauptwachtmeister oder doch zumindest Wachtmeister Platzek über den Weg laufen mußte, was bestimmt Freude und Zustimmung erwecken würde.

Der Kanonier Vierbein stieg in seine Hosen, warf das Nachthemd über das Bett und eilte in den Waschraum. Er drängte sich an ein Becken und ließ das kalte Wasser einlaufen. Er steckte seinen Kopf tief hinein; das erfrischte ihn ungemein, ohne aber die Bleischwere seiner Glieder auslöschen zu können.

Inzwischen hatten sich auch Kowalski und Asch erhoben. Das muntere Geschrei des Unteroffiziers hatte sie endgültig geweckt. Sie blinzelten sich zu und begannen sich anzuziehen.

»Eigentlich«, sagte Asch, »hat Vierbein heute Stubendienst.«

Kowalski nickte. »Verstehe«, sagte er. »Ich werde einen anderen einteilen. Selbstverständlich.«

Er blickte sich suchend um.

Gerade war der stramme Wagner dabei, seinem spärlichen Publikum den kommenden Abend auszumalen. »Ich werde ihr noch einmal zeigen, was eine Harke ist«, sagte er. »Die muß merken, daß sie bei mir an den Richtigen herangeraten ist.«

»Und ob du der Richtige bist!« rief Kowalski. »Du machst heute Stubendienst.«

Der stramme Wagner war empört. »Ich? Wie komme ich dazu? Stubendienst hat Vierbein, die lahme Ente. Ich nicht.«

»Wenn du nicht sofort deine große Schnauze hältst«, versicherte Kowalski, »dann breche ich dir sämtliche Knochen im Leib, dann bist du nicht einmal mehr eine lahme Ente, dann bist du ein invalides Stinktier.«

Der stramme Wagner wußte aus Erfahrung, daß mit Kowalski nicht zu spaßen war. Er maulte und fluchte, aber er kam der Anordnung des Stubenältesten nach. Der lachte: »Wer so stramm ist wie du und mit so vielen Mädchen fertig wird, der wird doch auch noch so eine schäbige Stube schaffen.«

Vierbein hatte nicht einmal Zeit, sich für das Revierreinigen in einiger Ruhe anzuziehen. Er schnappte sich, beim Anpfiff, Besen, Schaufel und Eimer, lief auf den Appellplatz hinunter. Noch im Laufen bemühte er sich, die Drillichjacke zuzuknöpfen.

Schwitzke tat ganz so, als sei Vierbein zu spät gekommen. Aber er war einfach zu faul, um ausführlich zu schimpfen. Er rief nur: »Latrine, unterer Korridor.« Das war ein Ort, der neben seinem Dienstzimmer lag und den er daher bequem überwachen konnte; außerdem war anzunehmen, daß ihn, den Ort, der Hauptwachtmeister, der sich gerne früh im Batterierevier zu zeigen liebte, aufsuchen würde. Natürlich hatte der Spieß die gleiche Örtlichkeit auch in seiner Privatwohnung, aber es war bekannt, daß er bei jeder sich bietenden Gelegenheit seine dienstliche Anwesenheit zu demonstrieren pflegte, also in diesem Falle das Angenehme mit dem Nützlichen zu verbinden strebte.

Aber Schwitzke vergaß Vierbein zunächst, teils aus Bequemlichkeit, teils aus Gutmütigkeit. Wäre der Spieß aufgetaucht, Schwitzke hätte ihm ein Schauspiel geboten. So aber ließ er alle viere gerade sein und hatte nichts dagegen, daß ihm Vierbein, das arme Schwein, zunächst einmal durch die Lappen ging.

Dennoch hatte Vierbein, auf alles mögliche gefaßt, vorbildlich gearbeitet: Auf allen vieren, mühsam keuchend, den Schrubber über die Fliesen stoßend, den Lappen schwingend, Ströme von Wasser in Bewegung gesetzt Als er fertig war und Schwitzke, wider Erwarten, immer noch nicht kam, eilte er hinauf in die Stube.

Die Belegschaft kaute das Morgenbrot und schlürfte den lauwarmen Malzkaffee. Der stramme Wagner versuchte dabei zu stören und wollte mit dem Reinigen der Stube beginnen, aber Kowalski drohte, ihm die Kaffeekanne auf dem Holzkopf zu zerschmettern. Zähe Gespräche wurden geführt.

»Das beste wird sein«, sagte Asch zu Kowalski, »wenn sich Vierbein krank meldet.«

»Nicht schlecht«, sagte der. »Die reißen ihm sonst heute noch den Hintern bis zum Kragen auf. Aber an was soll er erkrankt sein?«

»Da wird sich schon was finden«, meinte Asch. »Schließlich ist er gestern zweimal zusammengebrochen.«

»Hm.« Kowalski schöpfte aus der Fülle seiner Erfahrungen. »Die allgemeine Bezeichnung für diese Art Krankheit könnte nur Schwindelanfälle oder Ermattungszustände heißen. Beides klingt nicht gut.«

»Sagen wir Herzkrämpfe«, schlug Asch vor. »Irgendwie stimmt das auch. Außerdem ist das nicht so leicht nachzuweisen und erfordert umständliche Untersuchungen. Währenddessen kann sich hier der Sturm gelegt haben.«

»Gemacht«, sagte Kowalski. Und dann wandte er sich an Vierbein, der gerade mit dem Essen beginnen wollte. »Hör mal, Kleiner«, sagte er, »du meldest dich krank. Wir haben das so beschlossen.«

»Aber ich bin doch nicht krank«, sagte Vierbein.

»Allein deine Weigerung zeigt mir ganz deutlich, daß du krank bist.« Kowalski war ein Mann, der keine Widersprüche zu dulden pflegte, wenn er überzeugt war, im Recht zu sein. »Du haust sofort ab und meldest dich krank. Herzkrämpfe. Oder bist du etwa vergnügungssüchtig? Was meinst du denn, was heute noch alles passieren wird? Heute ist Gewehrschießen, draußen in Wilhelmsruh. Das ist eine ruhige Sache, da werden einige sehr viel Zeit für dich haben, mein Junge. Und auf dem Hin- und Rückmarsch wirst du ein Packesel sein. Denn ich wette mit dir, daß wir, die Korporalschaft Lindenberg, den ganzen Plunder tragen werden, und du wirst, wenn du mitkommst, das meiste tragen. Das ist so sicher wie das Amen in der Kirche. Also verschwinde schon.«

Der Kanonier Vierbein ließ sein Frühstück stehen und lief hinunter. Er meldete sich beim Unteroffizier krank. Schwitzke, der eingedöst war, sah seinen Besucher an. Er duzte ihn, und das war ein sicheres Zeichen, daß er grimmiger Stimmung war. »Was denkst du dir eigentlich, du Strolch?« sagte er. »Weißt du nicht, daß man sich gleich morgens krank melden muß, wenn der UvD zum zweitenmal die Stuben durchgeht?«

»Jawohl, Herr Unteroffizier, aber ...«

»Du weißt das also, du Dreckfink! Sieh mal einer an! Du weißt das also ganz genau. Und was hast du dir dabei gedacht, daß du jetzt hier angeschissen kommst? Na, du Rindvieh? Du willst mir wohl an den Wagen pinkeln, was? Aber da mußt du dir einen anderen Dummen suchen.«

Vierbein versuchte seinen Mund aufzumachen, aber Schwitzke ließ ihn erst gar nicht dazu kommen. Er schlug das UvD-Meldebuch auf. »Schau mal her, du Grasaffe. Was steht hier? Hier steht: Krankmeldungen keine. Ist das klar? Du hast dich eben nicht rechtzeitig krank gemeldet, also bist du auch nicht krank. Da mußt du eben bis morgen warten, du gesprenkelte Wildsau.«

Der Kanonier wollte abtreten. Aber Schwitzke, ehrlich darüber empört, daß es jemand gewagt hatte, brutal seine Morgenruhe zu stören, und darüber hinaus anmaßend genug gewesen war, von ihm zu erwarten, er werde seine Morgenmeldung abändern, war richtiggehend aktiv geworden. »Sie haben doch«, sagte er, »die untere Latrine gereinigt. Das will ich sehen.«

Er wanderte mit Vierbein auf die Latrine, untersuchte sie eingehend und fand das Resultat keineswegs erfreulich oder gar erbaulich. Er befahl eine erneute, ausgedehnte Reinigung und war sogar entschlossen, ihr beizuwohnen. Dabei hob sich seine Stimmung zusehends. Denn ihm war eine ausgezeichnete Idee gekommen, nach welcher er dem Spieß ein Geschichtchen erzählen würde, von einem Kanonier, der sich krank melden wollte, vermutlich um sich zu drücken, den er aber gar nicht dazu kommen und ihn dafür auf allen vieren durch das Scheißhaus krauchen ließ! Der Spieß würde darüber sicher wiehern vor Lachen!

Diese Idee eines Morgengeschichtchens stimmte Schwitzke derartig heiter, daß er Vierbein einige Minuten früher entließ, als er es beabsichtigt hatte. Er brannte darauf, seine Kranken- und Latrinenstory an den Mann zu bringen. Vierbein schoß davon wie ein Pfeil.

Unterwegs sah der Kanonier auf die Uhr und stellte fest, daß er nicht mehr dazu kommen würde, zu frühstücken. Er verspürte auch keinen Hunger. Er ging zu Kowalski und Asch und erstattete ihnen Bericht. Beide sahen sich gegenseitig nur an; das sagte alles. Dann machte sich Vierbein für das Gewehrschießen fertig.

Er näherte sich dabei Asch. »Ich hätte dich gestern abend gerne noch gesprochen.«

»Ich konnte nicht«, sagte Asch. »Ich mußte mich ärgern gehen.« Er schützte eine wichtige Arbeit vor und beugte sich ganz tief in seinen Schrank. Er konnte nicht in das bleiche, überanstrengte, versorgte Gesicht seines Freundes sehen, irgendwie kam er sich dabei schuldbewußt vor.

»Ich habe«, sagte Vierbein, und er sagte das leise, mit matter Stimme, und so, als tue es ihm weh, »gestern abend deine Schwester gesehen.«

Asch unterbrach seine Arbeit, aber er richtete sich nicht auf. »So«, sagte er nur. »Du hast sie also gesehen.« – »Ja. Mit Leutnant Wedelmann.«

Jetzt richtete Asch sich langsam auf. Er dachte: Du armer, elender, ängstlicher Kerl, dir bleibt auch nichts erspart; du hast das also gesehen! Und er sagte: »Mach dir nichts daraus, Johannes. Die Weiber sind nun einmal so. Und Ingrid ist da alles andere als eine Ausnahme.«

»Schon gut«, sagte Vierbein schwach.

Aber Asch fand, daß das alles andere als gut war. Er wollte Vierbein nicht schonen, er wollte ihn hart machen; er wollte nicht zusehen, wie der in seinen Gefühlen erstickte, er wollte ihn aus dem Sumpf der seichten Sentimentalität herausreißen. Und er sagte, so brutal er das vermochte: »Sie ist es nicht wert, daß du ihr auch nur eine Träne nachweinst. Sie ist ein kaltes, eitles, egoistisches Luder. Eine großdeutsche Treibhauspflanze. Je höher der Dienstgrad, um so größer ist ihre Liebe. Werde General, und sie erstarrt vor Ehrfurcht!«

Vierbein kam gar nicht dazu, irgendeine Erwiderung zu finden. Er versuchte es ehrlich, aber es gelang ihm nicht. Asch ließ ihn einfach stehen. Im gleichen Augenblick brachte ein Läufer die Post. Im gleichen Augenblick pfiff draußen Unteroffizier Schwitzke auf dem Korridor und rief fröhlich: »Fertigmachen zum Raustreten!«

Vierbein legte sich das Koppel mit den Patronentaschen um. Er setzte das Schloß ein Loch zurück. Irgend jemand überreichte ihm einen Brief. Er war von Mutter. Er schloß seinen Schrank ab und riß den Umschlag auf. Er überflog die ersten Zeilen, die da lauteten: »Mein lieber, guter Junge! Ich habe dir das ersparen wollen, aber ich kann jetzt nicht mehr weiter. Ich bin entschlossen, mich von deinem Vater zu trennen ...«

Draußen schrie die Stimme des Unteroffiziers vom Dienst: »'raustreten!«

Vierbein faltete den Brief zusammen und steckte ihn in die Rocktasche. Er war weiß, und seine Hände zitterten. Dann ließ er sich von den anderen hinausdrängen.

Die Sonne prallte auf die Traversen des Schießstandes und fraß sich dort fest. Die Luft schien geschmolzenes Glas zu sein. Die Erde trug Erschöpfung.

Der Schießbetrieb rollte planmäßig ab. Die Batterie war in drei große Gruppen eingeteilt worden, jede dieser Gruppen bevölkerte einen Stand. Alle, die bereits geschossen hatten, lagerten sich hinter dem Geräteschuppen auf der Wiese. Ein Tag wie dieser war ein anerkannter Ruhetag; nur für die nicht, die keine Ruhe verdient hatten, die machten Anzeigerdienste, mußten Scheiben schleppen, Munition transportieren, den Schießstand fegen, die Waffen der Unteroffiziere reinigen und Gewehrübungen veranstalten, wenn sie besonders schlecht geschossen hatten.

Ansonsten kümmerte sich kaum einer um den anderen. Die Hauptsache war, daß der Schießbetrieb pausenlos weiterging, ob einer früher oder später schoß, war nicht übermäßig wichtig, es sei denn, er wurde frühzeitig gebraucht. Für Vierbein traf das aber nicht zu: Er wurde vor *und* nach dem Schießen gebraucht, und der Spieß hatte dafür gesorgt, daß sein spezieller Freund nicht die mindeste Langeweile die ganze Zeit über empfand.

Auf dem Schießstand war Hauptwachtmeister Schulz, der Spieß, in seinem Element, denn er war ein ganz ausgezeichneter Schütze. Auf dem Exerzierplatz ließ er sich kaum jemals blicken, in der Badeanstalt schon eher, auf dem Schießstand immer. Und da außerdem heute die Batteriemeisterschaft ausgeschossen werden sollte, die zu gewinnen für ihn Ehrensache war, zeichnete er sich durch besondere Munterkeit aus. Er war überall und versprühte Siegeszuversicht; das beschäftigte ihn derart stark, daß es ganze Viertelstunden gab, in denen er Vierbein völlig vergaß und nahezu beschäftigungslos irgendwo stehen ließ.

Der Obergefreite Kowalski und der Gefreite Asch hatten sich vorübergehend, ehe sie sich zu einem ausgedehnten Schlaf in die Büsche schlagen wollten, einen bequemen Posten angeeignet: Der eine führte die Schießkladde, der andere gab Munition aus. Aufsicht auf dem Stand und zugleich Aufsicht beim Schützen hatte Wachtmeister Platzek. Alle schoben eine ruhige Kugel, denn das erste Gebot auf dem Schießstand lautete für jeden Soldaten: Ruhe, Ruhe und nochmals Ruhe!

Schleifer-Platzek, mit seinen zehn Dienstjahren in allen Sätteln gerecht, ließ sogar durch den Kanonier Vierbein einen Eimer mit Wasser anschleppen. Er sollte zur Erfrischung dienen und zur Abkühlung erregter Gemüter. Wer schlotterte, zögerte oder auch nur mit der Wimper zuckte, durfte seinen ganzen Kopf dort eintauchen, worüber sich Platzek jedesmal hingerissen amüsierte.

Jeweils fünf Mann marschierten auf, wiesen dem Gefreiten Asch ihre leeren Patronentaschen vor, erhielten je sechs Schuß der sorgfältig gezählten und peinlich genau im Buch eingetragenen Munition. Und dann trat einer nach dem anderen zu Kowalski, um dort den Namen anzugeben, damit sein Munitionsverbrauch und seine Erfolge in der Schießklasse verzeichnet wurden. Nachdem das geschehen war, meldete sich der Schütze bei Wachtmeister Platzek und durfte beginnen. Und Platzek tat das Seine, um brauchbare Resultate zu erzielen.

Alles funktionierte wie eine gutgeölte Maschine. Die dreifache Kontrolle schläferte automatisch die Aufmerksamkeit aller drei Kontrollierenden ein; einer verließ sich auf den anderen, zumal es sich ja nicht um ein Bedingungsschießen, sondern um ein Preisschießen handelte. Beim Bedingungsschießen, wo jeder Vorgesetzte seine unmittelbaren Untergebenen zu betreuen pflegte, wo es um den Durchschnitt der Korporalschaft, der Geschützbedienung, der Staffel ging, um die Einzelleistung, mit der auch zugleich der Beweis für den Wert der Ausbildung, also des Ausbilders, erbracht wurde – bei dieser Art des Schießens ging es aufs Ganze. Beim Preisschießen dagegen konnte nur einer Sieger werden, höchstens noch die Spitzengruppe vermochte zu interessieren; der stattliche Rest war Schweigen.

Das ging sogar so weit, daß die schießerfahrenen Unteroffiziere, die regelmäßig die ersten Plätze unter sich auszumachen pflegten, gar keinen gesteigerten Wert auf ein exaktes Schießen ihrer Untergebenen legten, um sich nicht dadurch eine unliebsame Konkurrenz hochzuzüchten. Die sechs Schuß wurden abgefeuert, der eine Schütze trabte ab, der nächste kam. Das Resultat war nicht so wichtig, wenn es nur nicht allzu gut war. Selbst über »Fahrkarten«, bei denen sonst der Teufel los war, wurde an einem derartigen Tag nur höhnisch gelächelt.

Wachtmeister Platzek gähnte herzhaft vor sich hin. Er blinzelte in die brütende Sommerhitze und interessierte sich kaum dafür, was hinter seinem Rükken vorging; dort waren erfahrene, verläßliche Mannschaften tätig; die würden die Sache schon schaukeln. Gelegentlich machte er mit dem jeweiligen Schützen ein gutgelauntes Scherzchen, und wenn es ihm gelungen war, den vom sorgfältigen Zielen abzulenken, lachte er gönnerhaft.

In der nächsten Gruppe, die zum Schießen kam, befand sich auch der Kanonier Vierbein. Asch sah ihn prüfend an, aber Vierbein wich seinem Blick aus. Der Gefreite fand, daß der Kanonier erbärmlich aussah, aber er ließ sich das nicht anmerken. Er gab ihm, wie jedem anderen, sechs Schuß Munition. Dann ging er zu Kowalski, um mit dem ein wenig zu plaudern.

Die Schüsse knallten in schöner Regelmäßigkeit über den Stand. Die Anzeigetafeln wurden monoton herausgefahren und wieder eingezogen. Irgendwo hinten brüllte der Spieß.

Asch drehte sich nach geraumer Zeit wieder um, denn er wollte mit Vierbein ein paar ermunternde Worte wechseln. Aber Vierbein war nicht mehr da, er hatte sich unbemerkt entfernt.

Der Gefreite Asch brauchte einige Sekunden, um zu begreifen, was das zu bedeuten habe. Der Obergefreite Kowalski, der auf die starre Haltung seines Freundes aufmerksam geworden war, brauchte noch einige Sekunden länger. Dann begriff auch er: »Das kann eine schöne Sauerei werden«, sagte er leise.

Asch nickte. Dann ging er zu Platzek. »Darf ich mal austreten, Herr Wachtmeister?«

»Meinetwegen«, sagte der gleichgültig. »Aber bleiben Sie nicht so lange weg Der Obergefreite Kowalski übernimmt inzwischen Ihre Arbeit.«

Der Gefreite Asch lief auf den Ausgang des Schießstandes zu. »Sie haben es aber eilig«, rief ihm Platzek gut gelaunt nach. Asch hörte nicht mehr darauf. Er suchte Vierbein.

Er drängte sich durch die wartenden Soldaten. Er überrannte dabei beinahe Leutnant Wedelmann, der die Oberaufsicht hatte. Wedelmann wollte einige Worte des Tadels sagen, aber als er Asch erkannte, lächelte er freundlich. Asch lief weiter. Dann sah er Vierbein hinter einem Munitionsbunker zwischen den Bäumen stehen.

»Vierbein!« schrie Asch.

Vierbein zuckte zusammen und warf sich herum. Die Augen in seinem bleichen Gesicht glänzten fiebrig. Es war, als versuche er zurückzuweichen.

Der Gefreite Asch ging langsam auf den Kanonier Vierbein zu. Er versuchte, seinen hastigen Atem zu drosseln. Er fühlte, wie sein Herz schlug. Fast automatisch ging er weiter.

»Vierbein«, sagte er dann, »gib mir die Munition.«

Der Kanonier antwortete nicht. Er stand, ein wenig vorgebeugt, schlaff da. In seiner linken Hand hing das Gewehr.

»Gib die Munition her, Vierbein.«

»Nein«, sagte der.

Asch blieb stehen. Das bleiche Gesicht seines Freundes war naß von Schweiß und Tränen. Die Lippen hatten keine Farbe mehr. Sein Mund stand offen.

Asch war erschüttert. Wellen von Mitleid überfluteten ihn. Er hatte das würgende Gefühl, aufheulen zu müssen. Aber er sagte: »Schämst du dich nicht! Du kleiner, elender, mieser Feigling!«

»Ich kann nicht mehr«, sagte Vierbein. »Laß mich doch.«

»Ich schlage dich in die Fresse, wenn du mir nicht sofort die Munition hergibst.«

»Ich will nicht mehr!« schrie Vierbein gequält auf.

Asch sprang mit einem gewaltigen Satz auf Vierbein zu und riß ihn zu Boden. Das Gewehr polterte dumpf zur Erde. Asch preßte den Menschen, der sich unter ihm wand, mit der linken Hand nieder, hob die Rechte und schlug zu.

Vierbein schrie auf. Asch trommelte auf ihn ein.

Vierbein schrie abermals auf.

Asch drückte seine Knie auf die keuchende Brust des Mannes, riß ihm die Patronentasche auf, fand die sechs Schuß Munition und steckte sie ein. »Du Schwein«, rief er. »Du kleines, erbärmliches Schwein! Eine Kugel willst du dir in deinen Schädel knallen, was? Aber so einfach geht das nicht. Bei mir nicht.«

Und er sah in die weit aufgerissenen Augen unter sich. Er sah Blut, das über die grauweiße Haut lief, und erhob sich.

Er atmete heftig, und als er sich umsah, bemerkte er, daß ihn einige Soldaten umstanden. Im Hintergrund rief einer: »Er bringt ihn um!« Asch lächelte gequält.

Der Hauptwachtmeister Schulz spurtete herbei und schob die Soldaten auseinander. »Was ist hier los?« rief er.

»Kleine Auseinandersetzung«, sagte Asch. Er kniete nieder, beugte sich über Vierbein und begann ihn hochzuzerren. Der kam mühsam auf seine Füße zu stehen, taumelte noch ein wenig und richtete sich dann auf.

»Immer wieder dieser Vierbein!« rief der Hauptwachtmeister.

»Ich habe ihm ein wenig die Fresse poliert«, sagte Asch. »Es war eine ganz persönliche Auseinandersetzung. Von Mensch zu Mensch. – War es das, Vierbein?« – »Ja«, sagte der.

Der Spieß nickte befriedigt. Er war sonst gewiß nicht der Mann, der derartige Dinge durchgehen ließ. Normalerweise hätte es einen Tatbericht gegeben, zum mindesten aber ein Donnerwetter mit kräftigem Blitzeinschlag und verheerenden Folgen. Aber in diesem speziellen Fall war alles in Ordnung und ganz in seinem Sinne. »Da haben Sie diesmal, Asch«, sagte er, »genau den Richtigen erwischt.«

Schulz musterte den zerschlagenen, blutenden Vierbein mit nur mühsam verborgenem Wohlgefallen. Er schlug Asch leicht auf den Oberarm. Er tat das mit so viel tiefinnerer Zufriedenheit, daß er gar nicht merkte, wie der Gefreite zurückwich. »Bravo, Asch«, sagte er. »Gut gemacht.« Und dann ging er.

Der also Gelobte sah ihm lange nach. »Und du bist der nächste«, sagte er.

Damit begann die abenteuerliche Revolte des Gefreiten Asch.

Das Preisschießen der 3. Batterie ging langsam zu Ende. Der Sieger schien festzustehen. Überraschungen waren kaum zu erwarten. Der Spieß nahm bereits, mit männlichem Zieren, die ersten Glückwünsche entgegen.

In der Mittagsstunde war eine Feldküche herausgefahren worden; es hatte Graupen mit Schweinebauch gegeben, und der Kanonier Vierbein durfte bedienen, Geschirr spülen, Kessel schrubben. Aber das tat er verhältnismäßig gefaßt; sein Gesicht trug jetzt weniger einen leidenden, mehr einen nachdenklichen Zug. Es war, als habe die Schlägerei mit Asch seinen Verstand, der zeitweise außer Tätigkeit gewesen zu sein schien, wieder in Gang gebracht.

»Ich habe dich ganz schön zugerichtet«, sagte Asch und betrachtete ihn liebevoll.

»Du hast auf mich losgeschlagen wie auf einen Sandsack.«

»Ich tat mein möglichstes, Vierbein.«

Das zerprügelte und geschwollene Gesicht bereitete Vierbein Schmerzen, wenn er sprach. Er lächelte verzerrt. Er vermochte nicht, den freundschaftlichen Ton von Asch zu erwidern, aber er konnte ihm auch nichts nachtragen. »Du hattest völlig die Kontrolle über dich verloren. Du schlugst pausenlos auf mich ein; auch dann noch, als ich mich gar nicht mehr wehrte. Du warst wie in einem Rausch.«

»Ja«, sagte Asch mit behutsamem Spott, »es kann nicht jeder so beherrscht und überlegen sein wie du.«

»Entschuldige, Asch«, sagte Vierbein sofort; und seine Stimme klang rauh.

»Schon gut, schon gut. Sprechen wir nicht mehr darüber.«

Herbert Asch wollte sich abwenden, aber Johannes Vierbein ging ihm nach. Er faßte vorsichtig nach dem Arm seines Freundes. »Du glaubst also«, sagte er, »daß ich . . . daß ich Selbstmord machen wollte.«

»Ich glaube gar nichts«, sagte Asch abwehrend. »Ich glaube nicht einmal mehr das, was ich gesehen habe. Aber in diesem Fall habe ich gar nichts gesehen. Und wenn du willst, hat es sich hier lediglich um eine Vorbeugungsmaßnahme von mir gehandelt. Oder wenn du noch lieber willst: Ich wollte mich einfach austoben! Was liegt näher? Und dazu sucht man sich immer seine Freunde aus – wozu hat man sie denn?«

»Herbert«, sagte Vierbein leise, aber er fühlte keine Scham dabei, das zu sagen, »es war genau so, wie du das vermutet hattest. Ich wollte es tun. Ich war am Ende.« – »Vergiß das!«

»Ich werde es nie vergessen, Herbert. Aber ich glaube, ich werde es auch niemals mehr versuchen, das zu wiederholen.«

»Gut so, Johannes. Es lohnt sich auch nicht. Für wen denn? Wer wohl sollte das verdienen? Wenn du einen findest, der vorgibt, Verständnis dafür zu haben, sollte man ihn niederknallen.«

»Mir war«, gestand Vierbein, »als werde ich vorwärts gestoßen, brutal und sehr zielbewußt. Ich hatte keinen Willen mehr. Es traf vieles zusammen.«

»Du hast dich treiben lassen wie eine Feder. Und durch wen? Durch größenwahnsinnige Narren und simple Fertigmacher von Berufs wegen!«

Johannes Vierbein wollte sagen, daß das nicht alles gewesen sei, daß andere Dinge hinzugekommen wären, daß er sich völlig verlassen gefüht habe, ausgestoßen, gemieden. Daß er wie betäubt gewesen sei, willenlos, gefühllos, aufgerieben; und daß er nur noch einen Wunsch gekannt habe: sich abschalten, ausschalten, stillegen! Und er sagte, um sich blickend: »Ich habe getan, was ich konnte, alles versucht, was in meiner Macht stand, ich habe mir ehrlich Mühe gegeben – ich werde mit dieser Welt, mit dieser Welt voller Soldaten, nicht fertig.«

Asch lachte auf. »Auch diese Welt«, sagte er, »ist nicht die ganze Welt, wenn auch nicht wenige bemüht sind, sie für die einzig echte aller Welten auszugeben. Aber du mußt – so oder so! – mit ihr fertig werden; oder sie macht dich fertig.«

»Das ist gut gemeint und leicht gesagt«, antwortete Vierbein bitter.

»Vielleicht findet sich einer«, sagte Asch mit gutgespielter Gleichgültigkeit, »der dir zeigt, daß du unrecht hast und wie sehr du unrecht hast. Es ist wohl die höchste Zeit, den Beweis dafür anzutreten, daß ein Kasernenhof alles andere als eine göttliche Institution ist.«

Der Gefreite verließ seinen Freund und ging zurück auf den Schießstand. Nur noch wenige Soldaten hatten zu schießen. Die letzten spärlichen Gruppen fanden sich ein. Auch Hauptmann Derna ließ sich sehen, ohne aktiv in den Wettkampf einzugreifen, denn er war kein sonderlich guter Schütze.

Hauptmann Derna, von Hauptwachtmeister Schulz begleitet und abgeschirmt, heuchelte starkes Interesse, ließ sich die Schießkladden zeigen und entnahm ihnen nicht ohne Genugtuung, daß der Hauptwachtmeister, sein lieber Schulz, klar in Führung lag. »Gratuliere«, sagte er mit heiterem Wohlwollen und deutlich vernehmbar für eine weitere Umgebung. »Da zeigt sich wieder einmal, wo die soldatischen Qualitäten sitzen.«

Schulz wehrte mit guter Haltung ab: »Noch ist das Schießen nicht beendet, Herr Hauptmann.«

Aber er befürchtete keine ernsthafte Konkurrenz mehr. Die anerkannt besten Gewehrschützen der Batterie hatten bereits ihr Glück versucht, aber seine Leistung natürlich nicht erreicht. Er hatte mit seinen sechs Schuß auf der üblichen Zwölfer-Scheibe vierundsechzig Ringe, von ingesamt zweiundsiebzig möglichen, erzielt. Das war eine respektable Leistung. Ihm folgten der Unteroffizier Lindenberg mit zweiundsechzig und Wachtmeister Platzek mit einundsechzig Ringen. Ein derartiges Ergebnis war zu erwarten gewesen.

Unter den wenigen, die noch zu schießen hatten, befand sich auch der Gefreite Asch. Er fühlte sich ausgezeichnet in Form. Hinzu kam, daß sich so gut wie niemand um ihn kümmerte, er also ungestört schießen konnte. Er war fest entschlossen, sein möglichstes zu tun.

Bevor sich der Gefreite Asch in Positur stellte, zeigte Kowalski das dringende Bedürfnis, mit ihm unter vier Augen zu sprechen. »Hast du dem Kanonier Vierbein die Munition abgenommen?« fragte er.

Asch stellte sich dumm. »Welche Munition?«

Der Obergefreite pfiff leise durch die Zähne. »Verstehe«, sagte er dann. »Wenn aber nachher sechs Schuß fehlen, werden sich einige vor lauter Wut in den Hintern beißen.«

»Sollen sie doch«, sagte Asch gemütlich. »Hauptsache: man kann nicht uns beiden die Sache anhängen.«

»Kann man nicht«, sagte der Obergefreite grinsend. »Ich habe die ganze restliche Munition, kurz nachdem Vierbein getürmt war, einem anderen übergeben. Der war einer der üblichen Vollidioten und hat sie auf Treu und Glauben übernommen. Was soviel heißt wie: er war zu faul oder zu dämlich, genau nachzurechnen. Das war um elf Uhr. Um ein Uhr kam ein dritter, um drei Uhr ein vierter. Bis jetzt hat keiner was gemerkt.«

»Die werden Augen machen, was?«

Kowalski nickte mit ungetrübter Vorfreude. »Wenn die das merken«, versicherte er, »wird ihnen der Arsch auf Grundeis gehen.«

Also beschwingt, begann der Gefreite Asch mit dem Scharfschießen. Wachtmeister Platzek, der immer noch Aufsicht auf dem Stand und beim Schützen hatte, kümmerte sich kaum noch um ihn. Asch war kein Säugling, dem man unentwegt auf die Pfoten sehen mußte.

Die ersten zwei Schuß mußten auf der Pritsche liegend abgegeben werden, der dritte und vierte Schuß hatte im Knien, die beiden letzten im Stehen zu erfolgen. Asch ließ sich bequem nieder, atmete tief aus, zielte und drückte ab. Der erste Schuß war eine Zwölf.

»Purer Zufall«, sagte Platzek ahnungslos.

Asch schoß, mit hoher Konzentration, zum zweitenmal. Er kam gut ab. Sein zweiter Schuß war eine Zehn.

»Das ist gar nicht schlecht«, sagte Platzek ein wenig mißtrauisch.

Asch hatte die Pritsche verlassen und kniete sich nieder. Der linke Ellenbogen lag fest und sicher auf. Sein Atem ging ruhig. Er zog ab, und der Schuß peitschte kurz und trocken durch die Scheibe. Das Schachbrettmuster erschien.

»Schon wieder eine Zwölf«, sagte Platzek verwundert.

Inzwischen hatten sich neugierige Zuschauer eingefunden. Einige Unteroffiziere begannen lebhaft zu debattieren. Wie ein Lauffeuer verbreitete sich die Nachricht, daß der bisherige Tagesrekord in Gefahr sei, und zwar buchstäblich in letzter Minute des Wettschießens. Hauptwachtmeister Schulz näherte sich im soliden Laufschritt.

Inzwischen hatte der Gefreite Asch seinen vierten Schuß abgegeben. Auch er war eine Zwölf. Asch lächelte und wischte sich den Schweiß von der Stirn.

»Das ist doch nicht zu glauben!« rief Platzek mit kaum verhülltem Unwillen. Noch zwei einigermaßen gutsitzende Treffer, und der erste Preis, der bisher immer das unangetastete Reservat der Unteroffiziere war, ging an einen Angehörigen des Mannschaftsstandes. Und was noch schlimmer war: Gelang diesem Asch der erste Preis, dann wurde er, Platzek, der bisher der dritte im Rennen war, glatt von der Siegerliste gestrichen.

Platzek wandte sich an den Hauptwachtmeister. »Der scheint heute seinen guten Tag zu haben«, sagte er besorgt.

Der Hauptwachtmeister hatte sich über die Schießkladde gebeugt. Eine leichte Röte versuchte sich gegen das lederne Braun seines Gesichts durchzusetzen. Er gab sich witzig. »Auch ein blindes Huhn«, sagte er, »findet ab und zu ein Korn.«

Platzek bemühte sich zu lachen. Mehrere Unteroffiziere schoben sich besorgt näher. Einige Mannschaftsdienstgrade, von solider Schadenfreude erfüllt, führten lebhafte Gespräche. »Ruhe im Puff!« rief Schulz nervös. »Hört gefälligst auf zu schnattern.«

Alle Gespräche verstummten. Asch, der jetzt breitbeinig dastand, um seine letzten zwei Schuß zu tun, spürte das lauernde, erwartungsvolle Schweigen fast körperlich hinter sich. Er schloß die Augen und atmete tief ein und aus. Er konzentrierte sich mit aller Kraft.

Asch beugte sich vor und zog den Kolben des Gewehrs fest in die rechte Schulter ein. Langsam bewegte sich der Lauf, stand dann still. Der Gefreite atmete hörbar aus. Dann schoß er. Auf dem Anzeigerstand wurde der schiefe Balken sichtbar.

»Elf!« rief Platzek auf das höchste verwundert. Er war spürbar erregt. Er eilte zum Wassereimer, schöpfte mit einem Feldbecher daraus und trank. Jetzt nur noch eine Acht, rechnete er, und der erste Preis ist fällig. Und nur noch eine Fünf, eine schäbige Fünf ist notwendig, und er, Platzek, ist ausgebootet.

»Allerhand«, sagte der Hauptwachtmeister, vorübergehend fassungslos. Die

Mannschaftsdienstgrade grinsten ungeniert, und einer rief fröhlich: »Weiter so, Asch«, worauf Schulz zusammenzuckte. Der Unteroffizier Lindenberg stand unbeweglich da, wie ein Standbild; ob er den zweiten oder dritten Platz belegte, war ihm so ziemlich gleichgültig, und die Hauptsache: er befand sich unter den Ersten. Außerdem schmeichelte es ihm ein wenig, daß ein Angehöriger seiner Korporalschaft, somit ein Soldat mit seiner Ausbildung, nahe daran war, der beste Schütze der Batterie zu werden. Allein die aufgeregte Haltung des Hauptwachtmeisters machte ihn besorgt; litt er doch stets fast körperlich darunter, wenn er einer unmilitärischen Darbietung beiwohnen mußte, ohne korrigierend eingreifen zu können.

Der Obergefreite Kowalski begab sich, eine dienstliche Verrichtung vorschützend, ungehindert nach vorne zu Asch. Er bückte sich und sammelte Patronenhülsen auf. Dabei sagte er: »Vorsicht, Asch! Wenn du ihn blamierst, ist er dein Todfeind. Denk an die Munition!«

Asch nickte unmerklich. Er sah sich um, sah in die angespannten Gesichter der Unteroffiziere, sah, daß Schulz ein wenig von seiner frischen Farbe verloren hatte, sah das zufriedene Grinsen der Mannschaften und Kowalskis ehrlich besorgtes Gesicht. Und er dachte an die Munition, die Vierbein entwendet hatte und die sich jetzt in seiner Tasche befand, daß er sich jetzt, in diesem Augenblick, nicht leisten konnte, den Zorn des Hauptwachtmeisters herauszufordern. Jetzt nicht. Später.

Und er legte entschlossen an, zielte flüchtig und drückte ab. Es staubte in der Nähe der Zielscheibe. Die weiß-rote Flagge wurde sichtbar.

»Fahrkarte!« schrie Platzek erleichtert.

Der Spieß glühte vor Freude auf wie ein Stoppsignal. Er fand sich vorbildlich schnell in die neue Situation. Nunmehr stand also endgültig fest, daß er der Sieger war. Er lächelte gönnerhaft und schlug Asch auf die Schulter.

»Gar nicht schlecht, mein Lieber«, sagte er. »Gar nicht schlecht. Natürlich fehlt noch einiges, bis Sie mit einem alten Soldaten konkurrieren können. Aber was nicht ist, kann noch werden. Anlagen sind durchaus vorhanden. Ich habe das immer gesagt, Asch: Sie haben das Zeug zum Unteroffizier. Nur weiter so!«

Abermals schlug der Hauptwachtmeister dem schweigenden Asch auf die Schulter. Er nickte wohlwollend. Dann rief er: »Schießen beenden. Stände abbauen. Munitionsabrechnung zu mir. Abmarsch in einer halben Stunde.«

Asch ging auf Kowalski zu und warf seine Knarre mißmutig ins Gras. Er setzte sich hin und sah seinen Kameraden prüfend an. »Verdient«, sagte er, »hat der Kerl das nicht.«

»Aber es wird sich bezahlt machen«, sagte der vielerfahrene Kowalski.

Die eingeteilten Soldaten, unter ihnen natürlich Vierbein, bauten die Stände ab, transportierten die durchlöcherten Scheiben, räumten auf, sammelten Papierreste, fegten und harkten. Die aufsichtführenden Wachtmeister rechneten die Schießkladden durch. Die restlichen Soldaten versammelten sich und waren bereit, in die Kaserne abzurücken.

Es war ein ruhiger Tag gewesen, sie hatten sechs Schuß in die Gegend gefeuert, im übrigen aber den lieben Gott einen guten Mann sein lassen, hatten gepennt und geplaudert, Karten gespielt und sich mit Geschick um jeden Sonderdienst gedrückt. Jetzt kam der Abmarsch, dann folgte eine Stunde Waffenreinigen und dann: Hinein ins Vergnügen! Schwierigkeiten waren kaum zu erwarten, denn der Spieß befand sich in Siegerlaune, und außerdem war heute für die Unteroffiziere ein Bierabend mit interner Ehrung des besten Schützen angesetzt.

Aber der Abmarsch zögerte sich hinaus. Stand 1 und 3 meldeten Vollzug und legten die Munitionsabrechnung vor. Stand 2 wurde nicht fertig. Wachtmeister Platzek rechnete und rechnete und kam zu keinem befriedigenden Resultat. Ihm fehlten sechs Schuß Munition.

Der Hauptwachtmeister fluchte, als ihm das gemeldet wurde. Auch er konnte das Resultat nicht ändern: es fehlten sechs Schuß Munition.

Das war, der Spieß sprach es deutlich aus, eine unerhörte Sache. Munition durfte einfach nicht fehlen. Sie war genau gezählt, und über jeden einzelnen Schuß mußte einwandfrei Nachweis geführt werden. Der Hauptwachtmeister sah enorme Komplikationen voraus. »Was ist das nur für eine Sauerei, Platzek!«

Platzek wand sich verlegen. Das, was ihm hier passiert war, ausgerechnet ihm, das war mehr als peinlich, das war gefährlich, das konnte unabsehbare Folgen haben. Er sah sich bereits vor ein Kriegsgericht gestellt, eingesperrt, degradiert. Der Spieß betrachtete ihn kalt.

Platzek nahm Anlauf zu einer provisorischen Untersuchung. Er ließ alle antreten, die auf seinem Stand Hilfsdienst geleistet hatten, darunter befanden sich auch Kowalski und Asch. Er stellte hochnotpeinliche Fragen und sparte nicht mit handfesten Verdächtigungen.

»Das ist doch albern, Platzek!« rief der Spieß verärgert. »Das ist idiotisch.« Er nickte Kowalski und besonders Asch vertraulich zu. »Ich lasse mir doch nicht von Ihnen meine besten Soldaten verdächtigen. Wir rücken jetzt ab, und Sie, Platzek, nehmen die Schießkladde und rechnen in der Kaserne noch einmal die ganze Aufstellung durch. Außerdem vergleichen Sie die Eintragungen in den Kladden mit den Löchern in den Scheiben.«

»Jawohl, Herr Hauptwachtmeister«, sagte Platzek schwer getroffen.

Der Spieß nickte grimmig. »Und spätestens morgen früh«, sagte er, »stimmt der Laden. Wie Sie das machen, ist Ihre Sache. Aber der Laden stimmt. Oder Sie werden Ihr blaues Wunder erleben.«

Leutnant Wedelmann war unzufrieden mit sich und der Welt; und diese bohrende Unzufriedenheit schien ein Dauerzustand bei ihm geworden zu sein. Er fand keine rechte Freude an allem, was er tat, beziehungsweise tun mußte. Ihm fehlte einfach das notwendige Feuer, irgendeine Aufregung, ein kleiner Weltkrieg oder ein weibliches Wesen von gewissem Format.

Er erledigte seinen Dienst zwar vorschriftsmäßig, aber außerordentlich gelangweilt. Es geschah in letzter Zeit oft, daß er mißmutig durch die Kaserne schlenderte und dabei gleichmütig, fast unwillig und oft maßlos gelangweilt, seinen dienstlichen Verpflichtungen nachkam. Auf dem Schießstand hatte er sich nur knappe zwei Stunden aufgehalten; der hier besonders zutage tretende Eifer der Unteroffiziere, ihre selbstbewußte Überlegenheit und seine mangelhaften Schießkünste verleideten ihm jedes Eingreifen. Alles das verstimmte ihn schwer.

Nach Dienstschluß setzte er sich ins Offizierskasino. Er saß irgendwo hinten im Lesezimmer in einer Ecke, blätterte in Zeitschriften, betrachtete das Muster der Tischdecke, begann die Fransen zu zählen, die der Wandteppich hatte.

Dann flüchtete er vor Major Luschke, der offenbar einen Schachpartner von Format und Ausdauer zu suchen schien, in ein anderes Zimmer. Es war aber gar nicht leicht, Luschke zu entrinnen, aber es wäre, zumal an diesem Tag, eine Qual gewesen, mit ihm Schach zu spielen. Denn Luschke pflegte stets methodisch, also mit entnervender Langsamkeit vorzugehen; außerdem ließ er gelegentlich durchblicken, daß er, als der Dienstältere und Ranghöhere, also Bessere, logischerweise zu gewinnen habe. Gewann er dann tatsächlich, und in erster Linie, weil er wirklich der bessere Spieler war, pflegte er seinem Gegner mit vernichtender Ironie den Rest zu geben.

Was Wedelmann in Besonderheit betrübte, war der Umstand, daß er wohl Kameraden, aber keinen Freund besaß. In der Abteilung gab es, außer ihm, noch drei weitere Leutnants von seinem Jahrgang, und alle drei hatten ihre besondere Art der Freizeitgestaltung. Der eine amüsierte sich mit billigen Mädchen; dem anderen bereitete es Wonne, pausenlos Dienst zu tun; der dritte war so gut wie fest verlobt. Daher kam es, daß Wedelmann sehr oft einsam herumsaß und praktisch darauf angewiesen war, von höheren Vorgesetzten wohlwollend angesprochen zu werden, was nicht oft vorkam.

Der Leutnant lümmelte sich tief in einen Sessel und streckte die Beine aus. Ihm fehlte ein Mädchen, das war es! Nicht irgendein Mädchen zum Kaffeetrinken, Tennisspielen oder Spazierengehen, sondern ein richtiges Mädchen, das sich mit ehrlicher Freude in den Arm nehmen ließ und in die Liebe verliebt war. Kein billiges, williges, käufliches Weibchen, sondern eine richtige Frau, mit guten Händen und großem Herzen. Aber so etwas war gar nicht so leicht aufzuspüren, das gab es zumeist nur in Romanen.

Seine Abneigung gegen derartige Romane war nicht zuletzt deshalb so groß, weil ungezügelte Schaustellungen ihn aufregten. Und er fand, sosehr er sich auch bemühte, in diesem gottverlassenen Nest kein Gegengift. Alles, was ihm hier über den Weg lief, war ihm zu jung, zu verdorben, zu alt, zu kalt oder zu stark verheiratet. In welche Kategorie Ingrid Asch einzureihen war, wußte er noch nicht.

Diese Ingrid Asch, fand er, war bemerkenswert: ein Geschöpf wie gemalt, gute Figur, nicht auf den Kopf gefallen. Mit ihr konnte man sich sogar in voller Uniform sehen lassen. Es erfüllte ihn mit einer gelinden inneren Spannung, wenn er an sie dachte.

»Spielen Sie eine Partie Schach?« fragte Major Luschke, der sich unbemerkt genähert hatte. Das Knollengesicht verzog sich zu einem süffisanten Lächeln, das gewöhnlich auszureichen pflegte, selbst alte Hauptleute aus dem Gleichgewicht zu bringen.

Leutnant Wedelmann sprang auf. Er war ein wenig verwirrt. Luschke verwirrte ihn immer. Und er wußte nie genau, ob er diesen undurchsichtigen Mann liebte oder fürchtete.

»Bleiben Sie ruhig sitzen, Herr Leutnant«, sagte der Major mit seiner sanften Stimme, die wie ein Rasiermesser die Luft zu durchschneiden schien. »Ich habe nicht die Absicht, hier mit Ihnen zu exerzieren. Ich will nur wissen, ob Sie eine Partie Schach spielen.«

»Selbstverständlich, Herr Major«, beeilte sich Wedelmann zu versichern. Und er blickte voller Ergebenheit in das Knollengesicht.

»Nee, mein Lieber«, sagte der Major trocken, »Sie scheinen mir nicht in der richtigen Verfassung zu sein. Vermutlich brauchen Sie frische Luft.« Mit kurzen, drahtigen Schritten stelzte er davon und schnippte befriedigt mit den Fingern der rechten Hand.

Der Leutnant sah seinem Kommandeur voller Bewunderung nach. Welch ein Mann! Der hörte das Gras wachsen.

Wedelmann begab sich in die Telefonzelle, blätterte im Ortsverzeichnis und wählte die Nummer von Asch. Eine Angestellte meldete sich. Er begehrte Fräulein Ingrid Asch zu sprechen und wurde auch prompt mit ihr verbunden. Ingrids Stimme klang angenehm warm; und er war bereit, sich einzureden, daß sie einen nahezu sinnlichen Klang habe. Das beschwingte ihn.

»Ich wollte nur fragen, ob Sie heute abend Zeit und Lust haben, mit mir auszugehen. Ich schlage das Café Liedtke vor, aber ich füge mich natürlich allen Ihren Wünschen. Wenn es Ihnen recht ist, komme ich in Uniform.«

Ingrid zögerte ein wenig, und er legte das als Koketterie aus. Dann sagte sie zu. Es sei ihr recht, wenn er in Uniform käme, auch mit dem Café Liedtke, wo es einen ausgezeichneten Kuchen gebe, sei sie einverstanden. Nur bitte sie, ihren Bruder, den Gefreiten Asch, davon zu verständigen, daß sie sich im Café Liedtke aufhalte, denn es sei möglich, daß er sie sprechen wolle. Ob der Herr Leutnant das für sie tun würde?

»Aber selbstverständlich. Das wird prompt erledigt. Ich freue mich, Sie zu sehen. In einer halben Stunde? – Gut, in einer Stunde im Café Liedtke.«

Wedelmann legte den Hörer in die Gabel, nickte seinem Spiegelbild auf der Glasscheibe zufrieden zu, verließ die Telefonzelle, begab sich in seine Unterkunft und machte sich fertig. Den UvD beauftragte er damit, dem Gefreiten Asch mitzuteilen, daß sich seine Schwester jetzt im Café Liedtke befinde.

Er stieg unter die Dusche; dabei sang er gepreßt: »O sole mio.« Später rasierte er sich; obwohl er sich schon morgens rasiert hatte und sein Bartwuchs nicht sonderlich kräftig war. Er rieb sein glattes Gesicht mit Kölnisch Wasser ein, musterte sich im Spiegel und fand, daß er ein durchaus ansehnlicher junger Mann sei.

Er traf mit Ingrid im Café Liedtke zusammen, im oberen Raum, wo die Klubsessel standen und auch Damen des Offizierskorps zu verkehren pflegten. Er erkannte die Frau eines Hauptmanns vom Abteilungsstab und grüßte verbindlich. Die Frau Hauptmann nickte hoheitsvoll und musterte Ingrid Asch kritisch.

Ingrid trug ein lustig-buntes, quergestreiftes Sommerkleid ohne Ärmel und mit tiefem Ausschnitt. Wedelmann fand alles an ihr sehenswert. Er beugte sich interessiert vor.

»Damit wir uns nicht mißverstehen«, sagte Ingrid Asch zurückhaltend. »Ich bin nur gekommen, um ein wenig mit Ihnen zu plaudern.«

»Na selbstverständlich«, sagte Wedelmann.

»Ich hoffe sehr, Sie glauben nicht, daß mein Kommen irgendwelche Verpflichtung für mich bedeutet.«

»Wie käme ich dazu«, versicherte Wedelmann. Und er dachte, ein wenig enttäuscht: Besonders entgegenkommend ist sie nicht; aber vielleicht ist das ihr Trick.

»Ich bin nämlich so gut wie verlobt«, sagte Ingrid Asch spontan; und kaum hatte sie es gesagt, wunderte sie sich darüber.

»Aha!« sagte Wedelmann. Und er fügte hinzu: »Das ist ja durchaus verständlich, die Männer müßten ja blind sein, wenn sie Ihnen keine derartigen Anträge machen würden.« Und er dachte: Dieses nette Mädchen scheint gar nicht so leicht zu haben zu sein; vermutlich gehört sie sogar zu jener seltenen, doch wohl als altmodisch zu bezeichnenden Sorte, die erst geheiratet werden will, bevor sie bereit ist, die Liebe kennenzulernen. »Aber endgültig gebunden haben Sie sich natürlich noch nicht!«

»Natürlich nicht«, sagte Ingrid Asch. »Wir hatten in letzter Zeit sogar erhebliche Differenzen.«

»Das soll vorkommen«, sagte Wedelmann zustimmend. »Und ich finde das auch ganz in der Ordnung. Sie sind doch sehr jung, blutjung gewissermaßen. Sie haben noch viel Zeit, ehe Sie sich an jemanden fest binden. Finden Sie das nicht auch?«

Ingrid antwortete ihm nicht. Es war, als sei sie gar nicht anwesend. Sie sah angespannt in den Raum hinein, auf die Fensterfront zu. Er folgte ihrem Blick. Dort nahm gerade ein Soldat Platz. Er erkannte ihn. Er war aus seiner Batterie und hieß Vierbein. Kanonier Johannes Vierbein.

»Entschuldigen Sie mich bitte«, sagte Ingrid Asch. »Ich glaube, mein Bruder schickt mir eine Nachricht.« Sie erhob sich, ohne seine Zustimmung abzuwarten. Sie ging auf Johannes Vierbein zu, der ihr entgegensah.

Wedelmann fühlte sich ein wenig unbehaglich, denn das Interesse der Frau Hauptmann, die zwei Tische weiter saß, hatte sich spürbar stark auf ihn konzentriert. Und er glaubte zu bemerken, daß deren Blicke Verwunderung, Neugier und Mißbilligung auszudrücken bestrebt waren. Er trank seinen Kaffee auf einen Zug aus und bestellte einen doppelten Kognak.

Mit unverhohlenem Mißtrauen, fast schon mit Mißmut, beobachtete er Ingrid Asch und den Kanonier Vierbein. Die beiden saßen jetzt dicht nebeneinander und redeten eifrig aufeinander ein; das heißt, es war Ingrid, die zumeist sprach. Vierbein hörte mit unbeweglichem Gesicht zu und sprach gelegentlich nur kurz und so, als müsse er sich verteidigen. Wie ein Liebespaar, glaubte der Leutnant herausgefunden zu haben, sahen die beiden eigentlich nicht gerade aus.

Er nippte an seinem Kognak. Er fand, daß er scheußlich schmeckte, ohne Würze, ohne Feuer, ohne Duft. Er trank aus und bestellte »noch einmal dasselbe«.

Dieser Vierbein, fand jetzt Wedelmann, sieht ja geradezu erbarmungswürdig aus! Ein Heftpflaster klebte auf seiner linken Gesichtshälfte; sein Ausgehanzug war ihm zu weit und schlug Falten auf der Brust. Nein, der Mann war keine Konkurrenz für ihn. Und dann sah er, wie Ingrid Asch diesem Mann, von dem er geglaubt hatte, daß er nicht in der geringsten Weise eine Konkurrenz für ihn sei, fast zärtlich an den Oberarm griff. Dann legte sie ihre Hand auf die seine und ließ sie dort liegen.

Das, fand der Leutnant Wedelmann, ging zu weit. Er rief: »Ober – zahlen!« Aber auch das hörte Ingrid Asch nicht; sie redete weiter auf den Kanonier ein, der immer näher an sie heranrückte.

Wedelmann zwang sich dazu, zu lächeln. Das gelang ihm nur mühsam. Er bekam philosophische Anwandlungen; er war wieder einmal dabei, die Welt nicht zu verstehen. Nein, wenn er sich mit Vierbein verglich und dazwischen dieses Mädchen stellte, verstand er diese Welt nicht mehr. Und vermutlich war er hier nichts weiter als eine Art Köder gewesen; tatsächlich: Es sah aus, als habe diesmal seine Rolle lediglich darin bestanden, dem Kanonier Vierbein – ausgerechnet dieser Vierbein! – ein Rendezvous, über den Gefreiten Asch hinweg, zu vermitteln. Denn, hatte er nicht dem Gefreiten Asch prompt mitgeteilt, von Ingrid veranlaßt, wo sich die Dame aufzuhalten gedachte! Verdammt peinliche Situation! Irgendwie war er hier zu einer komischen Figur geworden.

Wedelmann zahlte und ging. Er ging dicht an Ingrid Asch und Johannes Vierbein vorbei; aber keiner der beiden bemerkte ihn. Das stimmte ihn mehr als betrübt.

Er trat auf die Straße hinaus und sah sich um. Es war dunkel geworden. Vereinzelte Spaziergänger schlenderten durch die Stadt. Kaum ein Auto war zu sehen. Das elektrische Licht der Lampen und Schaufenster lagerte sich gelangweilt auf dem Asphalt. Das »Exzelsior«, durch blutrote Neonschrift gekennzeichnet, lockte ihn an.

Paul, der Inhaber, von Freunden des Hauses »warmes Paulchen« genannt, freute sich sichtlich über seinen Besucher und machte Anstalten, ihn zu umarmen. Wedelmann schob ihn von sich. Er setzte sich zu Erika an die Bar und trank vier Gin kurz hintereinander. Erika gab zu verstehen, daß sie möglicherweise bereit sei, sich mit ihm nach Dienstschluß ausgiebig zu »unterhalten«; er schüttelte langsam den Kopf, schien jedoch nicht abgeneigt zu sein, aber der Preis, den sie verlangte, auch die schamlose Sachlichkeit, mit der sie das tat, ernüchterte ihn wieder.

Voller Ekel verließ er das »Exzelsior«, stand verlassen auf der einsamen Straße herum und beschloß dann, sich in »Bismarckshöh«, dem Stammlokal der Obergefreiten und Gefreiten, rücksichtslos zu besaufen. Aber als er das Lokal betrat und in das Gewimmel der Tanzenden starrte – »Jeden Mittwoch Tanz – mit Damenwahl« –, machte ihn der Wirt taktvoll darauf aufmerksam, daß er in Uniform sei. »Na schön«, sagte der Leutnant verärgert, »dann besaufe ich mich eben zu Hause. Packen Sie mir eine Flasche Kognak ein.«

Wedelmann erhielt die Flasche, dezent verpackt, im Büro des Besitzers von »Bismarckshöh« ausgehändigt. Er ließ sie anschreiben und schritt fast zögernd in die Dunkelheit hinein.

Die Nacht, so schien ihm, war voller Verlangen; eine überreife, lauwarme, den Atem einengende Nacht. Sie umwallte ihn wie ein dichter Nebel. Er ging an Pärchen vorbei, die sich eng aneinandergepreßt hatten.

»Verdammt«, sagte er. »Es wird Zeit, es wird langsam Zeit, daß irgend etwas mit mir geschieht. Wenn ich nicht bald heirate, lande ich in einem Freudenhaus!«

Der Posten riß das Tor auf. Wedelmann ging, automatisch grüßend, vorbei. Ich werde mich besaufen, dachte er, das wird mir guttun, denn dann werde ich auch vergessen, daß schon ein Kanonier vom Kaliber eines Vierbein genügt, um mich auszubooten.

Mit ein wenig schleppenden Schritten ging er über die Fahrbahn auf den Block der 3. Batterie zu. Oben im ersten Stock, über der Wohnung des Hauptwachtmeisters, lag seine Unterkunft. Der Korkenzieher mußte auf dem Nachttisch vorzufinden sein.

»Guten Abend, Herr Leutnant«, sagte eine etwas heisere weibliche Stimme.

Wedelmann sah überrascht hoch. Es war Lore Schulz, die Frau des Hauptwachtmeisters. Sie lag im Fenster und starrte mit blanken Augen in die Nacht. – »Guten Abend, Frau Schulz. So spät noch auf?«

»Ich kann nicht schlafen. Mein Mann feiert mit dem Unteroffizierskorps. Das wird bestimmt bis zum frühen Morgen dauern.«

»Schlafen kann ich auch noch nicht«, sagte Wedelmann. »Ich will mich besaufen.«

»Ein guter Gedanke«, sagte Lore Schulz und lachte unterdrückt auf. »Dazu hätte ich auch Lust.«

»Wollen wir uns zusammen besaufen?« fragte Wedelmann.

»Warum nicht«, sagte Lore Schulz. »Kommen Sie herein.«

Der große Tumult begann lange nach Mitternacht. Bis dahin lief alles in geregelten Bahnen. Die Siegesfeier, die im Lesezimmer stattfand, war der Tradition des Unteroffizierskorps würdig.

Der Obergefreite Kowalski und der Gefreite Asch hatten die Ehre, als Ordonnanzen in Tätigkeit treten zu dürfen. Der Spieß hatte sie für würdig befunden, während der Siegesfeier unter den Unteroffizieren zu weilen. Seine Begründung lautete wie folgt: »Daß es sich hierbei um eine besondere Auszeichnung handelt, ist ja klar. Aber einmal, und in hoffentlich nicht allzu langer Zeit, werdet auch ihr Unteroffiziere sein. Ich will damit zwar nicht sagen, daß eure Beförderung schon ausgesprochen ist, aber es ist doch immerhin möglich, daß ich euch bereits eingereicht habe.«

Augenzwinkernd entfernte er sich. Asch und Kowalski sahen sich an, und der Gefreite sagte: »Ich könnte ihm stundenlang in die Schnauze hauen.«

»Warum die Zeitverschwendung?« kommentierte Kowalski gelassen.

»Willst du überhaupt Unteroffizier werden?« fragte Asch.

»Warum nicht«, sagte Kowalski. »Man schläft länger, verdient mehr, trägt bessere Klamotten, und muß sich nicht mehr so stark am Riemen reißen.«

»Der ganze Laden kotzt mich an!«

»Ich liebe diesen Verein auch nicht«, sagte Kowalski. »Aber ich rechne von vornherein damit, daß ich ihn nicht ändern kann.«

»Wenn jeder so denkt«, sagte Asch, »werden wir nicht weit kommen.«

»Und wenn Tausende so denken wie du, kommt ihr trotzdem nicht weiter. Bleib aus dem Schußfeld und nähre dich redlich, das ist die Parole aller Soldaten, die ihren Verstand nicht auf der Bekleidungskammer abgeliefert haben.«

»Kowalski«, sagte Asch eindringlich, »und was dann, wenn ich entschlossen bin, diesem Verein zu zeigen, was ich von ihm denke? Was dann?«

»Dann werde ich für dich einen Kranz bestellen.«

»Du kannst deine Bestellung aufgeben«, sagte Asch. »Wer dann den Kranz bekommt, wird sich noch herausstellen.«

Sie arbeiteten währenddessen genau nach den Anweisungen des Hauptwachtmeisters im Lesezimmer. Sie stellten aus Mannschaftstischen eine Hufeisentafel zusammen. Sie empfingen beim Furier Laken und legten sie über die Tische. Sie stellten dreiundzwanzig Stühle auf, darunter sieben Lehnstühle für Wachtmeister und einen Holzsessel für den Hauptwachtmeister. Ein Kanonier, der von Zivilberuf Gärtner war, dekorierte den Raum mit Blumen, die auf Kosten der Batterie in den Grünanlagen gewachsen waren.

Dann rollten die beiden aus der Kantine ein Achtundvierzigliterfaß, stellten es auf, zapften es an. Sie tranken auf ihr Wohl. Hierauf stellten sie die Gläser und die zusätzlichen Schnapsflaschen bereit. Sie zogen die weißen Jacken an, die der Furier aus Kasinobeständen leihweise besorgt hatte.

»Müssen wir denn alles alleine machen?« fragte Kowalski. »Der Spieß hätte uns mindestens eine Hilfskraft zuteilen können; für jeden eine.«

»Einer war eingeteilt«, sagte Asch. »Ein gewisser Vierbein. Ich habe ihm Urlaub gegeben, weil ich keinen Offizier zum Schwager und noch weniger zum Liebhaber meiner Schwester haben will. Hoffentlich benimmt sich dieser Vierbein nicht wieder wie ein Waschlappen.«

»Wenn ihm die Prügel nicht helfen, die er heute mittag von dir bezogen hat, ist er ein hoffnungsloser Fall.«

Kurz vor acht Uhr fanden sich die Unteroffiziere ein. Oberwachtmeister Waber, der Schirrmeister der Batterie, der Dienst- und Rangälteste nach dem Hauptwachtmeister, wies den einzelnen ihre Plätze an. »Immer ganz zwanglos, nach Dienstgraden gestaffelt.«

Punkt acht Uhr erschien der Hauptwachtmeister. Er gab sich kameradschaftlich. Ihm wurde gemeldet, er dankte. Er nahm Platz, gab auch den andern das Zeichen, Platz zu nehmen, und sagte: »Dann wollen wir mal!«

Kowalski und Asch zapften Bier in die schweren Gläser. »Auf alles, was wir lieben!« rief der Hauptwachtmeister. »Prost! Ex!«

Die Unteroffiziere setzten an und tranken aus; selbst Lindenberg, der ansonsten nicht zu trinken pflegte, leerte sein Glas in einem Zug; ohne mit der Wimper zu zucken. »Ah!« rief der Hauptwachtmeister genußvoll. »Das tut gut. Das freut Mutters Lieblingssohn.«

Kowalski und Asch begannen sofort, die bis zur Neige geleerten Gläser nachzufüllen. Die Trinkpause, die so zwangsläufig eintrat, wurde mit Gesang ausgefüllt. Mächtige, guttrainierte Stimmen sangen das Leib- und Magenlied des Unteroffizierskorps der 3. Batterie: »Wie ein stolzer Adler!«

Den beiden auserwählten Ordonnanzen war es gelungen, schon beim zweiten Vers die Biergläser nachzufüllen. Beim vierten Vers stand neben jedem Bier auch noch ein Schnaps. Der Hauptwachtmeister nickte zufrieden; die Kerls gaben sich Mühe, ihn nicht zu enttäuschen. Brauchbares Material. Nach dem fünften Bier pflegte das Tempo ein wenig nachzulassen; dann würden sie es leichter haben.

Wieder tranken sie, erneut sangen sie, diesmal »Frühmorgens, wenn die Hähne krähn«; und dann tranken sie wieder. Rauchschwaden und Geschrei füllten den Raum zum Bersten. Asch sah große Münder, die weit aufgerissen und, in exaktem Gleichmaß, wieder zugeklappt wurden. Es war eine gutgeölte Maschine der Fröhlichkeit, die hier in Gang gesetzt worden war.

Der Hauptwachtmeister legte Wert darauf, tonangebend zu sein; seine einzigartige Kommandostimme war selbst jetzt noch mühelos herauszuhören. Doch während er sang, beobachtete er das ihm anvertraute Unteroffizierskorps genau, mit kleinen, flink umherwandernden Augen.

Oberwachtmeister Waber, der Schirrmeister, ein erklärter Freund der schönen Künste, Stimmungskanone und Vorsänger, rief vor Beginn jeder neuen Strophe sein kerniges »Zwei – drei!« und fühlte sich sauwohl. Die Wachtmeister waren zumeist verläßliches Material, und zwar in jeder Situation, also auch in dieser; lediglich Platzek fand heute nicht sofort auf Anhieb seine Hochform, denn ihn belastete der Gedanke an die verlorengegangenen sechs Schuß Munition. Die Unteroffiziere sangen, als würden sie dafür bezahlt. Und Lindenberg war beispielhaft wie immer; er erledigte auch diesen Teil des Dienstes mit der gleichen Hingabe, die ihn auf dem Exerzierplatz so sehr auszeichnete.

Nach dem dritten Lied, dem fünften Bier und dem vierten Schnaps erhielt der Oberwachtmeister Waber von Schulz die Erlaubnis, nunmehr mit einer Rede zu Ehren des besten Schützen der Batterie zu beginnen.

Waber entledigte sich dieser Aufgabe mit gewohnter Humorigkeit, vergaß aber auch nicht, ernsthafte, ja stolze Wendungen, wie »Kunst kommt von Können« und »wie Tell, so auch Schulz«, einzuflechten. Schließlich kam er zum Höhepunkt seiner Ausführungen, gebrauchte abermals das Wort »Stolz«, redete sodann von Schleimscheißern, für die kein Platz in diesen Reihen sei, und vom Führer, dem man alles verdanke. Abschließend ließ er Schulz hochleben.

Schulz dankte sichtlich gerührt. Er begann seine Erwiderung mit gedämpfter Stimme, war er doch ergriffen. Er sprach von seinen »lieben Unteroffizieren«, von der »gepflegten Kameradschaft« die nicht genug gerühmt werden könne. Und da war ihm, als habe er schon zuviel des Guten gesagt, und er empfand das Bedürfnis, sein Lob ein wenig zu dämpfen, um keine allzu vertrauliche Stimmung aufkommen zu lassen, die erfahrungsgemäß zu Anbiederungsversuchen zu führen pflegte.

»Aber die Freude über meinen Sieg und der Stolz auf meine Kameraden ist nicht ungetrübt geblieben, denn immer wieder verbügeln mir einige den guten Eindruck, den unser Unteroffizierskorps macht, was eine glatte Sauerei ist. Glotzen Sie nicht so dämlich, Asch, gießen Sie lieber ein. Wo war ich doch gleich stehengeblieben?«

»Bei der Sauerei!« rief Oberwachtmeister Waber.

»Jawohl, das ist meine Meinung, leider.« Schulz musterte den Wachtmeister Werktreu, den Frauenbezwinger, der sich tagsüber auf der Bekleidungskammer von seinen nächtlichen Anstrengungen zu erholen pflegte. »Ich habe ja nichts dagegen, wenn einer die Frauen reihenweise beglückt, das kann sogar sportlich sein. Aber er soll gefälligst nicht seine Finger nach den Damen der Unteroffiziere seiner Batterie ausstrecken, das hat nämlich nichts mehr mit Kameradschaft zu tun.«

Hierauf musterte Schulz den Wachtmeister Platzek, der sowieso schon keine Ruhe mehr fand. »Daß es aber ein Unteroffizier fertigbringt, sechs Schuß Munition zu verschlampen, das kann ich nicht begreifen, das hat es in meiner ganzen Dienstzeit nicht gegeben. Das gibt es einfach nicht. Entweder ist die Munition da oder der Nachweis darüber ist da, wo sie geblieben ist; alles andere hat nichts mehr mit der Würde des Unteroffizierskorps zu tun. Habe ich Ihnen nicht gesagt, daß Sie nicht so dämlich glotzen sollen, Asch! Noch sind Sie nicht Unteroffizier!«

Der Spieß stärkte sich durch einen Schluck Bier, forderte aber nicht die Anwesenden auf, ein Gleiches zu tun, denn noch hatte er seine Rede, von deren Wirkung er überzeugt war, nicht beendet.

»Überhaupt vermisse ich den Korpsgeist in jeder Lebenslage. Wo bleibt denn das Zusammengehörigkeitsgefühl? Wenn früher etwa mein Spieß gesagt hätte, der Kanonier Vierbein paßt nicht in mein Blickfeld, dann hätte ihn das Unteroffizierskorps ausradiert; und wenn er gesagt hätte, der Kanonier Vierbein atmet zu laut, hätte er eine Minute später überhaupt nicht mehr geatmet. Das, meine Kameraden, ist Disziplin. Es lebe der Führer! Prost! Ex Bier! Ex Schnaps! Ein Lied! Wie der stolze Adler!«

Oberwachtmeister Waber gab kurz den Ton an, rief dann: »Zwei – drei!« Sie sangen. Und Asch sagte: »In das nächste Bier spucke ich ihm hinein.«

»Zwecklos«, sagte Kowalski. »Und wenn du ihm hineinpinkelst – nach dem fünften Glas merken sie derartige Feinheiten nicht mehr.«

Damit war praktisch der offizielle Teil beendet, und der »gemütliche« Teil begann. Zunächst redete alles durcheinander. Die Ordonnanzen erhielten Order, jedes leere Glas sofort vollzufüllen; der Hauptwachtmeister überprüfte anfänglich diese Anordnung genau, merkte dann, daß alles in Ordnung ging, und widmete sich dem beliebtesten Bierabendspiel, dem Zutrunk.

Der »Zutrunk« durfte, nach überlieferten Regeln, nur von einem Vorgesetzten inspiriert werden, allenfalls war es möglich, daß Gleichrangige einander den Zutrunk anboten. Undenkbar aber, daß ein Untergebener den Zutrunk wagte.

Schulz begann den Reigen. »Platzek«, sagte er, »ich trinke auf dein Wohl und darauf, daß du die Sache mit den sechs Schuß Munition einwandfrei erledigst. Prost.«

Schulz nippte lediglich an seinem Glas, aber Platzek, als der Aufgeforderte, mußte sein Glas bis zur Neige leeren. Er tat das voller Grimm, doch nicht ohne Disziplin.

Platzek revanchierte sich dann sofort auf die ihm eigene Weise. Er trank Lindenberg zu, und zwar gleich zweimal, und sprach den Wunsch aus, der Unteroffizier möge zeigen, was er gelernt habe, und zwar als Ausbilder, insbesondere bei Vierbein, dem Rohrkrepierer.

»Ab sofort«, sagte Asch zu Kowalski, »kriegt der Schleifer-Platzek kein reines Bier mehr, sondern nur noch durch Schnaps getauftes.«

»Mit dem Hauptwachtmeister«, sagte Kowalski, »mache ich das schon den ganzen Abend so.«

Durch diesen Kunstgriff, die Wirkung des Bieres durch Zusatz von Schnaps kräftig zu erhöhen, stieg die allgemeine Stimmung in kürzester Zeit, also in etwa drei Stunden, auf den Siedepunkt. Bald danach übergab sich der Unteroffizier Lindenberg auf der Toilette. Kowalski, der Vielerfahrene, gab ihm Tierkohle löffelweise zu essen und Salatöl zu trinken, was als unfehlbares Mittel gegen frühzeitige Besäufnis galt. Außerdem wurde fortan das Glas des Unteroffiziers Lindenberg mit Wasser, etwas Bier und viel Schaum gefüllt. Lindenberg war gerührt von dieser Fürsorge und gelobte heimlich, das einmal zu vergelten.

Kurz vor Mitternacht wurde das beliebte »Trullala-Spiel«, unter der bewährten Leitung von Oberwachtmeister Waber, aufgeführt. Dieses Spiel hatte etliche Dutzend Variationen, bei harmlosem Beginn. So stieg Waber auf einen Stuhl und sang dabei: »Steigt auf das Ding da, Ding da, zum Trudirallala; steigt auf das Ding da, Ding da, zum Trullala!« Und alle stiegen gleichfalls auf den Stuhl und sangen denselben Text mit Inbrunst. In den nächsten Variationen stiegen sie vom Stuhl herunter, auf den Tisch hinauf, sie zogen die Schuhe aus, den Rock, ließen die Hosen hinunter und standen im Hemd. Und dann sang Waber genußvoll: »Und jetzt – hebt hoch das Ding, Ding da, zum Trudirallala; hebt hoch das Ding da, Ding da, zum Trullala!«

Das war, fürwahr, ein köstliches Spielchen. Und die Unteroffiziere, die schon mächtig schwankten, grölten begeistert, lupften ihre Hemden, und der volltrunkene Platzek, um krampfhafte Lustigkeit bemüht, versuchte sogar, dem Spieß mit dem blanken Hintern ins Gesicht zu springen, was unbändige Heiterkeit hervorrief.

»Du sieht aus«, sagte Kowalski zu Asch, »als ob du jemand ermorden willst. Das ist unvorsichtig. Mach wenigstens ein gleichgültiges Gesicht, wenn du dich schon weigerst, begeistert zu grinsen.«

»Ich werde sie in Zukunft nur noch im Hemd vor mir sehen«, sagte Asch.

»Das ist ein alter Trick«, versicherte Kowalski. »Ich mache das schon lange so.«

Kurz vor ein Uhr wurde, jubelnd begrüßt, die erste Bierleiche gemeldet. Sie lag auf dem Korridor, in der Nähe der Toilette. Es war, zur allgemeinen Überraschung, Wachtmeister Platzek, bei dem das mit Schnaps vermischte Bier eine verheerende Wirkung hatte. Platzek lag da wie ein weggeworfener Waschlappen.

Der Spieß ordnete sofort ein »Staatsbegräbnis« an. Die vier jüngsten Unteroffiziere trabten johlend los, in den zweiten Stock hinauf, wo sich Platzeks Stube befand. Nach kurzer Zeit kamen sie mit dessen Bettgestell wieder. Darauf legten sie den total erledigten Platzek.

Die Unteroffiziere formierten sich nunmehr in Doppelreihe, der »Sarg« wurde hochgehoben, und alles zog, unter dem Absingen schmutziger Lieder, in den Duschraum. Waber leitete die Zeremonie. Der »Sarg« wurde unter eine Brause gestellt, und die wurde voll aufgedreht.

Platzek schlief zunächst weiter, dann wurde er munter; ruckweise, wie eine mechanische Puppe, richtete er sich auf und glotzte wild und verwundert um sich. Dann taumelte er aus dem Bett und fiel auf die Fliesen. Er fluchte fürchterlich. Die Unteroffiziere schrien vor Begeisterung; einer bekam fast Lachkrämpfe.

Dann wurde weitergesoffen. Das Achtundvierzigliterfaß leerte sich, und der Flaschenvorrat schrumpfte zusammen. Lindenberg verschwand unauffällig. Der »Ehrenabend« versank in Schwaden aus Lärm, Rauch und Bierdunst. Um zwei Uhr früh waren nur noch letzte Überlebende anzutreffen. Kowalski und Asch begannen aufzuräumen und alles wieder einigermaßen in Ordnung zu bringen.

Der Spieß und Wachtmeister Werktreu, der Frauenbezwinger, gehörten zu den Allerletzten. Sie steckten die Köpfe zusammen und sprachen mit schwerer Zunge aufeinander ein. Sie hielten sich fest umschlungen und redeten natürlich von »Weibern«.

»Deine Frau, die Lore«, sagte Werktreu mühsam, »ist eine anständige Frau, alles, was recht ist; sie ist eine anständig gebaute Frau.«

»Ich kann dir nicht widersprechen«, sagte Schulz, »ich weiß, was ich an ihr habe.«

»Ich auch«, sagte Werktreu.

Der Spieß richtete sich mit eckigen Bewegungen auf. »Was willst du damit sagen?«

»Ich bin doch dein Freund. Oder glaubst du nicht, daß ich dein Freund bin?«

»Du bist es.«

»Und alles, was mein ist, ist auch dein. Und umgekehrt.«

»Du bist mein Freund. Aber jetzt gehe ich schlafen. Mein treues Weib wird auf mich warten.«

»Ich auch«, sagte Werktreu. »Ich gehe auch schlafen.«

Schulz erhob sich schwer. Er betrachtete das Schlachtfeld der feuchtfröhlichen Kameradschaft mit Genugtuung. Er sah befleckte Tischtücher, umgekippte Stühle, halbgeleerte Gläser, Aschenreste und zerbrochene Flaschen. Er war überzeugt, der Abend sei ein voller Erfolg gewesen; das stimmte ihn weich.

»Räumt auf, Jungens«, sagte er lallend, »und dann schlaft euch aus. Brav gemacht. Ihr werdet einmal gute Unteroffiziere werden. Kunststück – bei meiner Schule!«

»Ich scheiße auf so ein Unteroffizierskorps«, sagte Asch.

Der Spieß lachte rauh, aber herzlich; in der Verfassung, in der er sich befand, hielt er das für einen kräftigen Scherz unter Männern. »Kleiner Witzbold«, sagte er schwerfällig, winkte und torkelte, Arm in Arm mit Werktreu, zum Unteroffizierskasino hinaus.

»Donnerwetter«, sagte Kowalski und atmete tief aus. »Noch einmal Schwein gehabt.«

»Und bei der nächsten Gelegenheit«, sagte Asch, »werde ich diese Sau abstechen.«

Lore Schulz bereute ihre Kühnheit, Leutnant Wedelmann zu sich eingeladen zu haben, sofort. Sie hatte einfach Angst; nicht zuletzt vor ihren eigenen Wünschen. Aber diesmal konnte sie das, was sie getan hatte, nicht so leicht wieder rückgängig machen.

Leutnant Wedelmann betrat die Wohnung des Hauptwachtmeisters Schulz nur zögernd. Er wurde in das gute Zimmer geführt, und dort nahm er auf einem der vier Eßtischstühle Platz. Er sah sich ein wenig verlegen um.

»Eigentlich schon sehr spät, meinen Sie nicht auch?«

»Wollen Sie denn gleich wieder gehen?«

»Wenn Sie nichts dagegen haben«, sagte Wedelmann, »bleibe ich gerne eine Viertelstunde.« Er stellte die mitgebrachte Kognakflasche auf den Tisch. »Haben Sie einen Korkenzieher und Gläser?«

»Sofort«, sagte Lore Schulz; und eigentlich war sie froh, einen Grund gefunden zu haben, der es ihr erlaubte, sich kurz zurückzuziehen. Sie sah in den Spiegel, der in der Küche hing, und überprüfte sich kritisch. Ihre Haare waren ein wenig wild, aber das war fast malerisch, sah geradezu verwegen aus. Ihre Haut glänzte; dagegen half kaltes Wasser. Ihr Kleid allerdings war zerknüllt, aber es war ein Kleid, das sie liebte, denn es brachte ihre Figur ausgezeichnet zur Geltung. Sie mußte oben im Wohnzimmer das Oberlicht ausschalten, dann würde der kleine Schönheitsfehler nicht übermäßig auffallen.

Wedelmann musterte inzwischen die Einrichtung. Es war ein Wohnzimmer von der Stange, dunkelfarbig und ein wenig plump; Eiche imitiert. An der Wand hing ein Öldruck, Böcklins Toteninsel darstellend, in einem pompösen Gipsrahmen. Sport- und Schießpreise, neckische Zierfiguren und dickwandige Glasgebilde standen auf Büfett, kleinem Tisch und Anrichte. Auf der Couch lag eine Kollektion gestickter und gemalter Kissen; Glückspilze, Vierklee, Rosen und Mühle am Bach waren deutlich zu erkennen.

Lore Schulz betrat wieder den Raum, und Wedelmann konnte riechen, daß sie stark duftete, und zwar nach Veilchen.

»Es ist etwas zu hell, finden Sie nicht auch?«

»Wenn Sie meinen?«

Sie schaltete die Deckenbeleuchtung ab. Eine Stehlampe warf ein wohltuend gedämpftes Licht auf die beiden Menschen. Die Standuhr tickte aufdringlich laut.

Wedelmann öffnete die Kognakflasche. »Sie haben eine nette Wohnung«, sagte er.

»Die Einrichtung«, sagte Lore, »ist von der Stange gekauft. Wir beide, mein Mann und ich, hatten einige Ersparnisse, nicht allzuviel, aber es langte für die Anzahlung. Wir stottern heute noch monatlich fünfzig Mark ab; das geht noch ein Jahr so, bis August 1939. Und das Geld ist knapp. Sie wissen ja: Ein Hauptwachtmeister kriegt nicht ganz soviel wie ein Leutnant; und ein Leutnant ist ledig.«

»Es gibt auch verheiratete Leutnants«, sagte Wedelmann.

»Aber die sind selten. Sie sind doch auch nicht verheiratet. Warum eigentlich nicht?«

Wedelmann goß behutsam die vor ihnen stehenden Gläser bis zum Rand voll. »Ja, wissen Sie, das liegt nicht an mir. Ich finde die richtige Frau nicht. Das ist es.« Wedelmann stieß mit ihr an; sie tranken aus. »Und wenn mir mal eine Frau gefällt«, sagte der Leutnant, »dann ist sie zumeist schon verheiratet. Wie Sie, Frau Schulz.«

»Ich bin doch keine Frau für einen Leutnant«, wehrte Lore Schulz ab; sie fühlte sich geschmeichelt, zugleich aber war sie verlegen.

»Sagen Sie das nicht!« Wedelmann goß abermals ein.

Lore Schulz schüttete den Kognak in sich hinein. Sie dehnte sich wohlig auf der knarrenden Couch, auf der sie Platz genommen hatte, umrahmt von den bebilderten Kissen. Sie streckte ihre füllige Brust hervor und träumte ein wenig vor sich hin.

Das tat sie immer wieder gern. Sie besaß keine sonderlich raumgreifende, aber eine recht impulsiv reagierende Phantasie. Sie hatte großen Appetit auf das Leben, und sie wußte genau, was Hunger war. Sie war ehrgeizig, aber ihr fehlte die Energie, diesen Ehrgeiz in die Tat umzusetzen. Sie war auch leidenschaftlich, aber sie hatte in ihrem kargen Leben haushalten gelernt, selbst mit ihren Gefühlen.

»In meiner Jugend«, sagte sie und betrachtete dabei die Kognakflasche, »habe ich mit meinen Eltern und meinen Geschwistern in zwei Zimmern gewohnt, in einem Hinterhaus, im dritten Stock. Ich teilte lange Jahre mein Bett mit zwei jüngeren Schwestern. Vater war brav, aber dumm, er verdiente nicht einmal so viel Geld, um sich jeden Monat einmal besaufen zu können. Wenn er ärgerlich war, schlug er uns; und die ganze Welt schien nur zu existieren, um ihn zu ärgern.«

»Mein Vater«, sagte Wedelmann, »war Beamter bei der Post. Um ganz ehrlich zu sein: Er war Briefträger. Ich bin sein einziger Sohn; mehr Kinder, sagte er immer, kann sich keiner leisten. Wir aßen mehrmals in der Woche Heringe und Pellkartoffeln; morgens gab es Brot mit Marmelade. Er schlug mich niemals. Er war ein kleiner, ausgemergelter Mann. Er redete immer viel und gerne. Und oft bis in die späte Nacht hinein.«

Sie tranken und betrachteten sich. Sie fanden die Situation sonderbar. Es war heiß im Zimmer, und der Alkohol machte träge. Die Verlockung, die in der Nacht gelegen hatte, war zurückgedrängt worden. Es war ihnen, als müßten sie sich erklären, um besser zu verstehen, weshalb sie eigentlich zusammensaßen.

»Ich«, sagte Lore Schulz, »mußte mir mit vierzehn Jahren mein erstes Geld verdienen. Ich arbeitete in einer Gärtnerei zwei Jahre lang, mit einem Stundenlohn von fünfzig Pfennig. Dann habe ich für dieselbe Gärtnerei Blumen verkauft, am Friedhofseingang. Ich durfte dort sogar im Hinterzimmer schlafen und hatte ein Bett ganz für mich allein, und wenn ich durch das Fenster sah, sah ich die Gräber. Aber es war gar nicht grausig, es war nur einsam. Jeden Samstag ging ich tanzen. Und dort traf ich Schulz, der damals noch Wachtmeister war. Ich habe ihn geheiratet, denn ich konnte mich ja nur verbessern.«

»Ich«, sagte Wedelmann, »habe zu Hause gelebt; ich kannte immer nur zwei Räume: unser Wohnzimmer, das auch zugleich mein Schlafzimmer war, und die Klasse. Mit achtzehn Jahren habe ich das Abitur gemacht, dann ging ich, da Vater das Geld zum Studieren nicht aufbringen konnte, zum Militär. Das ist alles.«

»Und da sitzen wir nun«, sagte Lore Schulz.

»Trinken wir darauf.«

Er stellte das leere Glas nicht auf den Tisch zurück. Er hielt es zwischen seinen Händen und spielte damit. »Glücklich«, sagte er, »sind wir wohl beide nicht, was?«

»Wovon sprechen Sie?« Lore Schulz griff nach der Flasche und füllte die Gläser neu; das geschah hastig, und der Kognak lief über und sickerte in das Tischtuch ein. »Denken wir nicht daran. Versuchen wir zu vergessen.«

»Können Sie denn vergessen«, fragte Wedelmann, »daß ich ein Leutnant bin, noch dazu ein Leutnant in der Batterie, in der Ihr Mann Hauptwachtmeister ist?«

»Und ich bin die Frau dieses Hauptwachtmeisters.«

»Richtig. Und ich bin sein Vorgesetzter.«

»Und es schickt sich natürlich nicht, daß die Frau eines Untergebenen mit dem Vorgesetzten ihres Mannes allein, noch dazu in der Wohnung des Untergebenen, um Mitternacht zusammensitzt. Nicht wahr, das ist es doch, was ich vergessen soll?«

»Und das können Sie nicht?«

»Ich will das – spüren Sie das nicht?« Sie sah ihn angstvoll und verlangend zugleich an. »Kommen Sie, setzen Sie sich zu mir. Oder haben Sie Angst?«

Er schüttelte verneinend den Kopf. Er erhob sich, ging um den Tisch herum, der sie beide getrennt hatte, und setzte sich zu ihr.

»Kommen Sie näher«, sagte sie heiser. »Noch näher. Ich beiße nicht.«

Er rückte näher zu ihr hin. Er legte den Arm um sie und fühlte ihr festes Fleisch. Er spürte, daß sie zitterte. Sie drängte sich an ihn, mit einer hilflosen Geste. Sie schloß die Augen und legte den Kopf zurück. Er küßte sie. Ihre Lippen waren spröde und gaben nur zögernd nach. Sie lag wie leblos in seinen Armen. Seine geöffneten Augen sahen auf die grünlich tapezierte Wand, auf ein Foto, das dort hing und das den Hauptwachtmeister Schulz zeigte, der stolz und herrisch auf einem Motorrad saß.

Seine Arme, die sie umschlungen hielten, wurden starr. Er richtete sich langsam auf und schob sie dabei von sich. »Wir wollen trinken«, sagte er.

Sie füllte gehorsam die Gläser. Dabei sagte sie, mit geneigtem Kopf: »Ich bin nicht immer so.« Und sie fügte leise, kaum vernehmbar hinzu: »Ich habe das noch niemals getan.« Dann lachte sie kurz und sagte: »Leider.«

»Warum eigentlich nicht?« fragte er. »Es gibt doch Männer genug in der Kaserne.«

»Nicht für mich«, sagte Lore Schulz. »Vermutlich bin ich nicht die richtige Frau für diese Dinge. Ich bin anders, als ich aussehe.« Sie trank ihr Glas aus, mit weiter Geste. Und sie sagte: »Ich habe einfach Angst.«

»Schlechte Erfahrungen gemacht?«

»Eigentlich gar keine«, sagte sie. Ihre Stimme klang jetzt ein wenig matt; ihre Heiterkeit hatte sich verflüchtigt. Während sie sprach, hatte sie ihre Augen nahezu geschlossen; es war, als träume sie vor sich hin, wobei sie lächelte.

»Ich fürchte mich«, sagte sie, »vor mir selbst und vor den Männern. Ich habe nicht viel erlebt, aber was ich erlebt habe, hat mir jeden Mut genommen. Der erste Mann war der Friedhofsinspektor. Ich mußte viel für ihn arbeiten, denn er war ein guter Kunde. Er bedrängte mich immer wieder; und dann geschah es, in meinem Hinterzimmer, auf einem Stapel Kränze. Und ehe ich noch wußte, was geschah, war es auch schon vorüber; ich kam mir beschmutzt vor, eine andere Erinnerung habe ich nicht daran. Der nächste war ein Verkäufer, der es, zwischen zwei Türen, noch eiliger hatte. Der dritte war mein Mann.«

»Und was war mit ihm?«

»Ich kam mir vor, als hätte er mich gekauft. Ich hatte das Gefühl, ein Ausrüstungsgegenstand zu sein – verstehen Sie das? Eine Sache, die immer dazusein hat, wenn sie gebraucht wird. Aber Sie werden das schon verstehen. Sie sind doch ein Mann und ein Soldat wie mein Mann.«

Wedelmann versuchte zu erklären. »Sehen Sie«, sagte er, »wir haben einen ungewöhnlichen Beruf; davon wird das alles kommen. Wir kennen das nicht, was andere ein Privatleben nennen. Der Dienst geht immer vor, immer, das ist uns eingetrichtert worden, das kriegen wir nie mehr heraus. Es gibt keine Situation, keine einzige, in der wir das ganz vergessen können.«

»Das ist wohl so«, sagte Lore ermattet. »Auch jetzt, in diesem Augenblick, ist das so. Oder etwa nicht?«

Wedelmann leerte sein Glas mit einer heftigen Bewegung. Er zog seinen Rock aus und warf ihn über einen Stuhl. »Sie erlauben wohl«, sagte er.

»Aber ja«, sagte sie eifrig. »Tun Sie Sie das nur. Mein Mann macht das auch immer. Ich meine: Es ist bequemer, wenn man die Uniform auszieht.«

»Ich fühle mich freier«, sagte Wedelmann; aber er hatte das Gefühl, es sei in diesem Raum zum Ersticken heiß. Er griff nach der Flasche, aber die war leer. »Schon zu Ende«, sagte er.

»Unten im Büfett«, sagte Lore, »stehen einige Flaschen. Es ist nichts Besonderes, aber suchen Sie eine davon aus. Mir ist zu heiß. Ich ziehe mir etwas anderes an. Darf ich?«

»Aber ja«, sagte Wedelmann unruhig. »Tun Sie das nur.«

Sie verließ ihn und ging in das Schlafzimmer. Sie zog sich mit hastigen Bewegungen das Kleid über den Kopf. Sie zog die Strümpfe aus und legte den Gürtel ab. Sie betrachtete sich im Schrankspiegel. Sie fand, daß sie müde aussah, matt und mutlos. Ich bin für solche Dinge nicht geschaffen, dachte sie, ich will das immer, aber ich kann das nicht. Immer wieder fehlt mir der Mut. Das war bei allen so.

Sie schlüpfte in den Morgenrock, den sie selten trug; er war dunkelblau und glänzte matt. Wenn sie ihn fest zuband, die Schultern straffte und die Arme locker herunterhängen ließ, wirkte er elegant. Aber er war nicht aus sonderlich gutem Material, er knüllte zu leicht. Hoffentlich würde er Wedelmann gefallen; sie wünschte das, denn sie wollte, daß er sie schön fände, oder auch nur anziehend, wenigstens aber begehrenswert; und sei es auch nur an diesem einzigen Abend. Sie fühlte sich zu ihm hingezogen, denn sie ahnte, daß auch er einsam oder enttäuscht war.

Lore Schulz ging wieder in das Wohnzimmer zurück. Sie versuchte, in seine Augen zu sehen; und ihr war, als sei dort Begehren zu lesen, vielleicht sogar Zuneigung. Sie setzte sich zu ihm und spürte seine Hände.

»Ist es gut so?« fragte sie. – »Sehr gut.«

»Und was gibt es zu trinken?«

»Wein«, sagte er. »Irgendeinen Wein. Es ist doch gleich, was wir trinken.«

Er öffnete ihren Morgenrock. Seine linke Hand tastete zärtlich und beinahe scheu über ihre Brust. Sie legte sich hin. Sie küßten sich lange. Sie schlossen die Augen.

Plötzlich richtete sie sich hastig auf und stieß ihn von sich. »Nicht doch!« sagte sie. Sie schien zu lauschen.

»Was hast du?« fragte er.

»Nein«, sagte sie heftig und schüttelte den Kopf. »Nein! Wir dürfen das nicht tun. Ich kann das nicht.«

»Aber warum denn nicht«, sagte er beruhigend.

»Ich kann das nicht tun«, sagte sie wieder. »Verstehst du das nicht?« Sie ergriff ein Glas und trank es aus. Sie goß sofort nach und trank wieder. »Du hast«, sagte sie dann, »die gleichen Hände wie er. Alle Männer haben diese Hände.«

»Nicht so«, sagte er, »bitte rede nicht so.« Er war verwirrt. »Ich liebe dich doch«, sagte er zärtlich.

»Du liebst mich?« – »Ja.«

Sie schloß die Augen. Sie war eine kurze Zeitspanne lang glücklich. »Dann ist mir alles gleich«, sagte sie.

Er richtete sich ein wenig auf. »Was ist dir gleich?«

»Alles. Alles, was nachher kommt. Alles, was passieren kann. Alles, was daraus wird. Alles.«

»Was soll denn passieren?« Er hob den Kopf und schien angestrengt zu lauschen. Wieder fiel sein Blick auf die grünliche Tapete und auf das Foto, das dort hing, auf den selbstbewußten Motorradfahrer. Und er sah in den Raum, und ihm wurde bewußt, daß hier ein Mensch lebte, der sein Untergebener war. Ein Mensch, den er nicht schätzte, den er aber auch nicht verachtete; ein Mensch, der zu seinem Kreis gehörte, aus dem er nicht ausbrechen durfte. Ein Mensch, der mit ihm verbunden war durch die Uniform.

»Vielleicht hast du recht«, sagte Wedelmann; er atmete schwer, und auf seinem Gesicht lag verzagte Nachdenklichkeit. »Vielleicht ist es für uns beide wirklich besser, wenn wir das nicht tun.«

Sie sahen vor sich hin. Die Lampe, die nur ein mattes Licht warf, schien jetzt hell und unnachsichtig. Lore Schulz zog den Morgenrock um ihre Schultern, als friere sie.

Wedelmann trank. »So ist das immer«, sagte er. »Ich bin kein Mensch wie andere Menschen, ich bin ein Dienstgrad. Ich heiße Wedelmann, aber ich werde als Leutnant angeredet. Die Frauen, die mir begegnen, können mich nur lieben, wenn es die Rangordnung erlaubt.« Er trank wieder.

»Ich liebe dich wirklich«, sagte Lore Schulz verzagt.

»Ja?« sagte er. »Aber du darfst mich nicht lieben. Denn du gehörst zu einem Mann, dessen Vorgesetzter ich bin. Wäre ich ein Friedhofsinspektor, wäre es leichter; aber ich bin ein Leutnant. Wo ich auch hinschaue, ich sehe überall Uniformen. Deutschland ist voll davon. Und zu jeder Uniform gehört ein Mädchen, und jedes Mädchen gehört zu einer Uniform. Die einen gehören zu meinen Untergebenen, die anderen zu meinen Vorgesetzten. Was soll ich da tun? Nichts. Mich besaufen! Denn ich nehme meinen Beruf ernst. Ich habe doch nur ihn. Aber das ist verflucht schwer. Verflucht schwer.«

Er trank sein Glas leer, und noch ein Glas; aber er spürte den Alkohol nicht. Und er sah nicht, daß Lore Schulz lautlos weinte. Sein Weltschmerz überwältigte ihn. Und als sie ihre Hand zart auf seinen Arm legte, schob er sie weg.

Dann schwiegen sie bedrückt und starrten in das Licht. Die Standuhr tickte hart und schien die Zeit zu zerhacken. Der Wein roch sauer.

Durch die Stille war deutlich vernehmbar, daß das Türschloß einschnappte. Schritte polterten näher. Hauptwachtmeister Schulz stand auf der Schwelle, schwankend, gegen den Balken gelehnt, mit verzerrtem, ungläubigem Gesicht.

Der Leutnant erhob sich. Er stolperte und fiel gegen den Tisch. Dann straffte er sich. »Guten Abend«, sagte er.

Schulz schwieg. Lore blieb regungslos sitzen. Der Leutnant sagte: »Ich habe Ihrer Frau Gesellschaft geleistet, Herr Hauptwachtmeister.«

Schulz schwieg immer noch; sein trunkenes Hirn vermochte offenbar nicht zu fassen, was seine Augen sahen. Der Leutnant zog seinen Rock an und knöpfte ihn zu. »Ich hoffe«, sagte er, »Sie mißverstehen diese Situation nicht.«

Wedelmann wartete auf eine Antwort, mehrere Sekunden lang, aber er wartete vergebens. Er war um Haltung bemüht. »Ich darf mich verabschieden«, sagte er zu Lore. Er ergriff deren Hand und verbeugte sich. Dann ging er, dicht an dem regungslosen Hauptwachtmeister vorbei, hinaus. Die Tür fiel ins Schloß.

Schulz taumelte auf seine Frau zu und schlug ihr ins Gesicht.

Der erste, der der abenteuerlichen Revolte des Gefreiten Asch zum Opfer fiel, war der Küchenunteroffizier. Der Kampf war nicht übermäßig schwer und der Sieg nicht sonderlich groß. Und genau besehen, handelte es sich eigentlich nur um eine Art Generalprobe.

Der Tag begann mit einem kleinen Intermezzo. Beim Wecken weigerten sich der Obergefreite Kowalski und der Gefreite Asch aufzustehen. Erst bei der zweiten, mit drohendem Unterton hervorgebrachten Aufforderung des Unteroffiziers vom Dienst, doch endlich »ihre Hintern zu lüften«, gaben beide maulend eine Erklärung ab, nach welcher der Hauptwachtmeister ihnen, den Ordonnanzen der vergangenen Nacht, diesen zusätzlichen Schlaf ausdrücklich erlaubt, wenn nicht gar befohlen habe.

Diese Erklärung entsprach natürlich nicht den Tatsachen, zumindest handelte es sich hier um einen Irrtum. Aber der Unteroffizier wollte es nicht darauf ankommen lassen, in den Verdacht zu geraten, er ignoriere die Befehle seines unmittelbaren Vorgesetzten. Er zog sich maulend zurück und ließ die beiden liegen. Sie schliefen ungestört in den hellen Tag hinein und wurden, durch ein Versehen, erst kurz vor zwölf geweckt.

Der Unteroffizier vom Dienst, voller Ärger, daß ihm dieses Versehen unterlaufen war, ordnete zum Ausgleich für die beiden Küchendienst an.

»Aber gerne«, sagte der Gefreite Asch zuvorkommend.

Sie begaben sich in die Küche II und trafen dort mit reichlicher Verspätung ein. Der Küchenunteroffizier, Rumpler mit Namen, der ansonsten die ruhigste Kugel der gesamten Abteilung schob, der aber in den Mittagsstunden eifrig, wenn auch zunächst vergeblich, bemüht war, die Küche in einen Exerzierplatz zu verwandeln, empfing sie mit unverhüllter Unfreundlichkeit.

Er stellte die Beine breit, zog seine Uhr heraus und sagte: »Es ist bereits zwanzig Minuten nach zwölf.«

Asch zog ebenfalls seine Uhr aus der Tasche, blickte ernsthaft darauf und sagte: »Stimmt!«

Der Unteroffizier zuckte leicht zusammen. Seine ölige Stimme schwoll an: »Ich will damit sagen, daß Sie sich verspätet haben!«

»Stimmt ebenfalls!« sagte Asch. »Wir konnten nicht früher kommen, wir mußten erst ausschlafen.«

Der Obergefreite Kowalski, dem es scheinen wollte, als sei Asch ein wenig zu weit gegangen, hielt es für richtig, eine Erklärung abzugeben: »Wir waren bei der gestrigen Feier unseres Unteroffizierskorps als Ordonnanzen eingeteilt. Es dauerte bis zum frühen Morgen. Wir durften nachschlafen.«

Die vergleichsweise stramme Art des Obergefreiten beruhigte Rumpler, den Küchenunteroffizier, in gewisser Weise. Er akzeptierte auch den Grund der Verspätung. Er war ja auch Unteroffizier und hatte also dafür Verständnis; aber er war empfindlich, wenn er sich nicht respektiert fühlte – sein heimlicher Ehrgeiz ging dahin, auch in der Küche den gleichen Respekt zu genießen wie seine Kollegen auf dem Exerzierplatz beim Infanteriedienst.

»Also«, sagte der Unteroffizier Rumpler, »dann wollen wir mal. Sie, Kowalski, übernehmen die Aufsicht der Hilfskräfte in der Küche, Sie, Asch, im Speisesaal.«

Das kam, in den Augen von Rumpler, einer glatten Degradierung des Asch gleich. Denn beim Dienst in der Küche konnten, wie allgemein bekannt war, zusätzliche Portionen empfangen werden, im Speisesaal wurde aber immer nur der Dreck abgeräumt.

Dem Gefreiten Asch schien, zur anfänglichen Verwunderung von Rumpler, die Dreckarbeit im Speisesaal nicht das mindeste auszumachen. Erst später wurde dem Küchenunteroffizier klar, welch eine Laus er sich hier in den Pelz gesetzt hatte.

Zunächst aber arbeitete Asch mit seinen vier Hilfskräften durchaus brauchbar, wenn auch nicht gerade gut. Er hatte die Suppe aufzutragen und die Teller bereitzustellen, und dann, wenn der eine Schub gegessen hatte und der andere sich draußen drängte, die Tische zu reinigen und die Teller zu spülen. Das alles wurde prompt erledigt.

Dann aber, in der ersten Arbeitspause, begann Asch damit, sich eine Tabelle anzulegen. Hierauf lieh er sich von der Kantine nebenan eine frisch geeichte Dezimalwaage aus. Und nun geschah etwas, was dem Küchenunteroffizier zunächst die Sprache verschlug, sodann die Zornröte ins Gesicht trieb: Asch begann, die ausgegebenen Fleischportionen nachzuwiegen. Die Ergebnisse trug er fein säuberlich in seine Tabelle ein.

Rumpler näherte sich ihm wie ein sprungbereiter Panther. »Was machen Sie da!« brüllte er.

»Ich wiege«, sagte der Gefreite Asch schlicht.

»Wer hat Ihnen das befohlen?«

»Niemand. Es ist mein Recht, mich davon zu überzeugen, ob die ausgegebenen Portionen auch mit dem angegebenen Gewicht übereinstimmen.«

»Das geht Sie einen Dreck an! Oder wollen Sie etwa behaupten, daß wir betrügen?«

»Im Augenblick will ich das noch nicht behaupten«, erklärte Asch freundlich. »Meine Vergleichszahlen reichen noch nicht ganz aus. Immerhin steht fest, daß ein gewisser Prozentsatz unter dem Sollgewicht liegt.«

»Das geht Sie einen Dreck an!« brüllte Rumpler abermals.

»Das sagten Sie schon einmal.«

Es schien, als wollte Rumpler vor Wut in die Luft springen. Die Mannschaften, die ihn und Asch umstanden, grinsten freudig. Sie gönnten dem Küchenunteroffizier diesen Zwischenfall von Herzen. Daß die Portionen fast immer von geringerem Gewicht waren als angegeben, war allgemein bekannt; aber bisher war noch niemand auf die Idee gekommen, das kaltblütig nachzuprüfen.

Rumpler holte tief Luft. Asch trug eine neue Zahl in seine Tabelle ein. Rumpler klappte den Mund, den er schon weit aufgerissen hatte, wieder zu. Diese Tabelle beunruhigte ihn. Wenn dieser Gefreite es wirklich fertigbekam, seine Aufstellungen höheren Ortes weiterzureichen, was immerhin im Bereich des Möglichen lag, konnte es Unannehmlichkeiten geben.

Der Küchenunteroffizier gab sich zunächst einmal überlegen. »Von einer Schwundmenge«, sagte er, »haben Sie wohl noch niemals etwas gehört?«

»Doch«, sagte Asch freundlich. »Dieser Begriff ist mir durchaus bekannt. Nach den Bestimmungen darf aber diese Schwundmenge niemals mehr als zehn Prozent ausmachen. Nun soll aber jede der ausgegebenen Fleischportionen hundertundfünfzig Gramm betragen; einige wiegen mehr, andere wiegen weniger.«

Rumpler schöpfte Luft. »Na also, Sie Würstchen! Was wollen Sie denn?«

»Erst dann«, sagte Asch, »wenn es gelingt, brauchbare Durchschnittszahlen zu errechnen, kann die Höhe der allgemeinen Schwundmenge bestimmt werden. Ich habe bisher achtunddreißig Portionen nachgewogen, bei fünfzig werde ich zunächst aufhören. Aber schon die ersten Zahlen sind recht aufschlußreich. So sollen zehn Portionen eintausendfünfhundert Gramm wiegen; die Schwundmenge wäre hundertfünfzig; sie wiegen aber knapp eintausendzweihundert Gramm, somit beträgt die Schwundmenge über dreihundert, also nicht zehn Prozent, wie gerade noch erlaubt, sondern mehr als zwanzig Prozent, was man fast schon als Unterschlagung bezeichnen könnte.«

»Das werde ich melden«, rief der Küchenunteroffizier bebend und eilte davon. Er stürzte in sein Dienstzimmer und ließ sich mit dem Oberzahlmeister verbinden; ihm trug er vor, was passiert war.

Der Oberzahlmeister schwieg zunächst lange. Dann fragte er vorsichtig: »Stimmt bei Ihnen irgend etwas nicht?«

»Aber, Herr Oberzahlmeister«, röhrte Rumpler, »es ist natürlich alles in bester Ordnung.«

»Das will ich auch hoffen«, sagte der reserviert. »Und wenn das wirklich so ist, dann brauchen Sie sich ja nicht durch einen Gefreiten beunruhigen zu lassen.«

»Natürlich nicht, Herr Oberzahlmeister. Aber ich kann doch nicht dulden, daß einer meine Portionen nachwiegt.«

»Wenn alles in Ordnung ist«, sagte der Oberzahlmeister kühl, »dann können Sie ihn doch getrost wiegen lassen.«

»Aber die Disziplin!«

»Dafür bin ich nicht zuständig«, sagte der Oberzahlmeister und hängte ab.

Der Küchenunteroffizier war über den Verlauf dieses Telefongesprächs wenig erfreut. Zuständig! Zuständig für die Küche war der Oberzahlmeister; aber der scheute Komplikationen. Zuständig für den Gefreiten Asch war der Hauptwachtmeister Schulz; aber der war ein Gegner des Küchenunteroffiziers Rumpler aus Prinzip, hatte er doch seinerzeit vergeblich durchzudrükken versucht, daß dieser wichtige Posten mit einem Unteroffizier aus seiner Batterie besetzt wurde. Er mußte eben sehen, wie er alleine mit diesem Asch fertig wurde. Und das konnte doch so schwer nicht sein! Verstand er es doch schließlich, sich in seinem Bereich genauso gut durchzusetzen wie ein Ausbilder auf dem Exerzierplatz.

Rumpler kannte die Methode, die gewöhnlich als unfehlbar bezeichnet werden konnte: beschäftigen, weich machen, zu Kleinholz verarbeiten! Zeigen, daß man nicht gewillt ist, sich auf der Nase herumtanzen zu lassen. Anständige Gesinnung durch ausgedehnte Arbeit! Außerdem war es wirklich an der Zeit, den Küchenweibern endgültig klarzumachen, daß es keine Sonderschnitzel, Hausmacherwurst und sonstige Spezialitäten mehr gab. Tabellen, wie sie dieser Asch aufgestellt hatte, waren eine glatte Gefahr für wohltuend ruhige Posten.

Der Küchenunteroffizier verließ sein Dienstzimmer wieder, begab sich in die Küche und äugte durch die Ausgabeluke in den Speisesaal. Der Gefreite Asch hatte seine Arbeit an der Tabelle aufgegeben oder doch zum mindesten unterbrochen. Er ließ die Abfälle in die Eimer schütten und heißes Wasser zum Abspülen der Teller herbeischleppen. Er arbeitete also; und wer arbeitet, kommt nicht auf dumme Gedanken. Es schien mithin nur nötig, für weitere Arbeit zu sorgen.

Rumpler entließ zu diesem Zweck den Obergefreiten Kowalski und die Hilfskräfte, die in der Küche beschäftigt waren. »Sie können abtreten«, sagte er. »Was hier noch zu tun ist, wird der Gefreite Asch erledigen.« Dann verschwand er im Vorratskeller, um sich dort ein Brot mit Schinkenspeck fertigzumachen.

Kauend saß er auf einem Zuckersack und blinzelte zu den Kisten mit den Pfirsichkonserven hinüber. Er beschloß, eine davon zu öffnen, um sich von der Qualität der Früchte zu überzeugen. Doch ehe er noch soweit kam, wurde heftig an der Tür gepoltert. – »Was ist los?« fragte er unwillig.

»Komm 'rauf!« rief eine helle Frauenstimme. Es war die Küchenhilfe Lisbeth, ein strammes Mädchen, das auch regelmäßig sein Zimmer zu säubern pflegte und ihn dabei, sobald er Verlangen danach verspürte, persönlich betreute.

Rumpler öffnete. »Schrei nicht so«, sagte er tadelnd. »Dir tut doch keiner was.«

»Komm schnell 'rauf«, sagte Lisbeth. »Der Gefreite macht Schwierigkeiten.«

Der Küchenunteroffizier schoß wie ein Blitz nach oben. Im Speisesaal saß der Gefreite Asch mit seinen Hilfskräften und verzehrte geruhsam die Mittagsmahlzeit. Die Küchenfrauen standen aufgeregt herum.

Unteroffizier Rumpler sah sich prüfend um. Auf Anhieb fand er nichts Ungewöhnliches. »Was hat der Kerl schon wieder angestellt?« fragte er dann.

Asch fühlte sich nicht angesprochen und aß ruhig weiter. Eine Küchenfrau berichtete aufgeregt: »Er weigert sich, den Speisesaal zu reinigen!«

Rumpler baute sich vor Asch auf. »Sie weigern sich?« fragte er.

»Selbstverständlich«, sagte der Gefreite ruhig. »Mir ist nämlich nichts davon bekannt, daß jetzt auch schon die Küchenfrauen den Soldaten Befehle erteilen können.«

»Ich erteile Ihnen diesen Befehl!« rief der Unteroffizier Rumpler.

»Darf ich Sie darauf aufmerksam machen«, sagte Asch, »daß es sich um einen Befehl handelt, der keinen dienstlichen Charakter trägt. Ich habe inzwischen Einblick in die aushängende Küchenordnung genommen. Danach sind die Hilfskräfte nur verpflichtet, die Tische zu säubern, die Teller zu reinigen, Abfälle zu sammeln und sie in die Abfalltonne zu schütten. Für die

Reinigung des Speisesaales selbst, also in erster Linie des Fußbodens, sind aber die Küchenfrauen zuständig.«

»Die Soldaten hatten uns bisher immer geholfen«, rief eine Frau, die wie ein Faß aussah.

»Wenn die Soldaten so dumm waren, dann ist das ihre Sache«, sagte Asch. »Mit uns jedenfalls können Sie das nicht machen.«

Rumpler, bisher unumschränkter Herrscher der Küche, ein Halbgott für Reinemachefrauen, standesbewußter Unteroffizier, erfüllt von unerwiderter Liebe zur Manneszucht, drohte zu zerbersten. »Sie Krummstiefel!« heulte er. »Was nehmen Sie sich heraus, Sie Wurzelsau? Was denken Sie Hornochse sich eigentlich? Wissen Sie nicht, mit wem Sie sprechen?«

»Doch«, sagte Asch und betrachtete ihn neugierig.

»Dann stehen Sie gefälligst auf. Nehmen Sie Ihre Knochen zusammen, wenn ein Unteroffizier zu Ihnen spricht. Sperren Sie Ihre dreckigen Ohren auf. Ich gebe Ihnen den Befehl, den Speisesaal sofort zu reinigen. Auf der Stelle! Wenn nicht, melde ich Sie wegen Befehlsverweigerung.«

Asch war entschlossen, sich nicht beeindrucken zu lassen. Das fiel ihm nicht gerade leicht. Er spürte, wie er in den Knien weich wurde. Es war nicht einfach, bei Gott nicht! Aber er nahm alle Kraft zusammen und zwang sich dazu, gleichgültig auszusehen.

»Weigern Sie sich, meinen Befehl auszuführen?«

»Wenn Sie darauf bestehen«, sagte Asch, »dann werde ich diesen Befehl ausführen, obwohl keine dienstliche Berechtigung vorliegt, ihn mir zu erteilen. Aber ich mache Sie darauf aufmerksam, daß ich mich nachher beschweren werde.«

»Das werden Sie mir büßen!« brüllte Rumpler.

»Soll ich das als eine Drohung auffassen?«

»Ich werde Sie zur Meldung bringen!« schrie der Küchenunteroffizier, und seine Stimme überschlug sich. »Ich werde Sie zur Bestrafung melden.« Dann riß er sich herum und entschwand mit schnellen Schritten.

Asch setzte sich wieder. »Wir wollen essen«, sagte er zu den Soldaten. »Wenn wir fertig sind, machen wir hier Schluß.«

»Und der Speisesaal?« fauchte jene Reinemachefrau, die wie eine Tonne aussah.

»Das ist eure Angelegenheit, dafür werdet ihr schließlich bezahlt.«

Rumpler, der Küchenunteroffizier, lief zum Hauptwachtmeister Schulz. Der war mit der Munitionsabrechnung des vergangenen Tages schwer beschäftigt. Sie stimmte und stimmte nicht, immer noch nicht, das ärgerte ihn maßlos.

Nicht sonderlich aufmerksam hörte er auf den Bericht von Rumpler; er konnte den Küchenbullen nicht ausstehen, denn er hielt ihn für einen Eindringling, der seiner Batterie einen wichtigen Posten weggeschnappt hatte

Er richtete sich von seinen Schießkladden, mit denen er absolut nicht fertig werden konnte, auf, und begann ungläubig und ohne Freundlichkeit zu lächeln. »Erzählen Sie das noch mal!« forderte er seinen Besucher auf.

Rumpler sprudelte abermals seinen, wie er glaubte, haarsträubenden Bericht hervor. Noch ehe er damit zu Ende kam, unterbrach ihn der Hauptwachtmeister Schulz unwillig. »Sie spinnen, Rumpler«, sagte er nicht ohne Schärfe. »Der Gefreite Asch ist einer meiner besten und zuverlässigsten Soldaten.«

»Aber er hat die Portionen nachgewogen und sich geweigert, den Fußboden zu säubern!«

»Ich werde das nachprüfen«, sagte der Hauptwachtmeister. »Wenn Sie darauf bestehen, werde ich das nachprüfen. Aber gnade Ihnen Gott, Rumpler, wenn sich herausstellen sollte, daß Sie den Versuch machen, Soldaten meiner Batterie zu schikanieren. Und wenn außerdem noch das Gewicht Ihrer Portionen nicht stimmt und meine Soldaten gezwungen werden, die Arbeit von Ihren Reinemachefrauen zu erledigen, dann mache ich eine Meldung an die Abteilung, und Sie fliegen in hohem Bogen. Also überlegen Sie sich das. Bestehen Sie darauf, daß ich nachprüfe?«

»Herr Hauptwachtmeister, dieser Gefreite Asch . . .«

»Ja oder nein?«

Rumpler schwitzte. Sein Kopf bewegte sich ein wenig, als wollte er ihn schütteln. Dann wurde er starr wie eine Wachsfigur. Es war, als sei er für dieses Leben untauglich geworden. Und er erklärte würgend: »Ich ziehe meine Meldung zurück.«

Elisabeth Freitag war erfüllt von den seltsamsten Stimmungen; einmal trug eine Welle Heiterkeit sie vorwärts, dann wieder versank sie in schleierzarte Melancholie. Sie hatte das nie vorher gekannt, und jetzt nahm sie es mit entzückter Verwunderung hin. Ein sentimentaleres Mädchen als sie hätte gesagt: Ich bin verliebt! Sie sagte nur: Irgend etwas scheint mit mir nicht in Ordnung zu sein!

Der Dienst in der Kantine, den sie sonst als eintönig empfand, wollte ihr jetzt außerordentlich unterhaltsam, fast ein wenig aufregend vorkommen. Und während sie ihre Gläser säuberte, hatte sie das feste Gefühl: Jeden Augenblick kann die Tür aufgehen, und hereinkommen wird irgend etwas Überraschendes, Ungewöhnliches, bestimmt Erfreuliches. Kurz: hereinkommen wird Herbert Asch.

Herbert Asch kam kurz vor Beendigung der Mittagspause herein. Elisabeth glaubte zu erröten, was natürlich nicht der Fall war, und sie bemühte sich, gleichgültig zu erscheinen. »Welch ein seltener Besuch!« sagte sie.

Asch gab ihr die Hand. »Ich muß gleich wieder gehen«, versicherte er. »Ich wollte dir nur sagen, daß ich heute abend zu euch komme.«

»Welch eine Ehre für uns«, sagte Elisabeth, die von seiner betonten Eile und mangelnden Zärtlichkeit wenig erfreut war. »Sollen wir den Eingang mit einer Girlande umwinden?«

»Komm, komm«, sagte Asch versöhnlich, »spiel nicht gekränkte Unschuld. Ich habe wirklich keine Zeit. Bei mir ist allerhand los.«

»Das scheint mir auch so«, sagte Elisabeth spitz. »Du hast mächtig viel zu tun. Ich bin ganz gerührt, daß du dann sogar noch eine Minute Zeit hast, um mir guten Tag zu sagen.«

»Vielleicht komme ich später noch einmal vorbei. Wenn nicht, dann sehen wir uns abends bei euch. Und, bitte, sage deinem Vater, daß ich ihn sprechen will.«

»Hast du sonst noch einen Auftrag für mich? Nein? Und weshalb willst du meinen Vater sprechen? Doch nicht etwa meinetwegen!«

Der Gefreite Asch war bereits an der Tür. Er lachte ihr zu, aber Elisabeth fühlte deutlich, daß nichts von seiner sonstigen unbekümmerten Herzlichkeit zu spüren war. »Ich will deinen Vater nicht deinetwegen sprechen. Ich glaube, das ist kaum noch notwendig.«

»Hast du mich bereits abgeschrieben, oder glaubst du etwa gar, mich schon ausgehandelt zu haben?«

»Ich bin in Eile«, sagte Asch. »Wenn ich mehr Zeit habe, werden wir eingehend darüber reden.«

»Und wann wird das sein?«

»Hoffentlich bald, Elisabeth. Sobald das alles hier vorbei ist.«

»Was soll vorbei sein?«

»Ich muß jetzt gehen. Auf Wiedersehen, Betty.« Der Gefreite Asch öffnete die Tür und wollte hinaus.

»Ich bin kein Pferd«, rief ihm Elisabeth verärgert nach. »Betty ist ein Pferdename. Kommst du nachher noch einmal vorbei?«

»Wenn ich kann, dann gerne, Betty.«

Asch schloß die Tür hinter sich.

Sie hörte seine benagelten Schuhe über die Steintreppen poltern. Sie schüttelte den Kopf. Sie wußte nicht recht, was sie von ihm halten sollte. Und sie erkannte sofort, daß sie ihm nicht böse sein konnte; das ärgerte sie.

Elisabeth Freitag ordnete die Warenbons, die sich in der Mittagspause angesammelt hatten. Der Umsatz war besser gewesen als sonst. Besonders die Unteroffiziere der 3. Batterie hatten viel verzehrt und noch mehr getrunken, zumeist Erfrischungsgetränke. Sie schienen, nach ihren lebhaften Erzählungen zu urteilen, in der vergangenen Nacht eine anstrengende Feier hinter sich gebracht zu haben.

Der Kantinenpächter Bandurski betrat die jetzt leere Unteroffizierskantine. Er gab sich jovial, was beunruhigend war, lächelte seine Angestellte vertraulich an und fragte: »Na, Fräulein Freitag, wie war denn der Umsatz?«

»Bis jetzt achtunddreißig Mark und vierzig Pfennig«, sagte sie und reichte ihm ihre Aufstellung hin.

»Das ist nicht schlecht«, sagte Bandurski zufrieden. »Das ist sogar ganz gut. Sie sind meine beste Kraft, Fräulein Freitag, ich sage das ganz offen. Und ich möchte Sie nicht gerne verlieren.«

»Sie verlieren mich, wenn Sie mich entlassen«, sagte Elisabeth. Sie war immer bemüht, mit ihrem Chef sachlich zu reden; so kam sie am besten mit ihm aus.

»Liebes Fräulein Freitag«, sagte Bandurski lebhaft und streckte beide Arme aus, als müsse er einen Verdacht von sich abwehren, »wenn ich das tun würde, dann wäre das für mich ein glatter Verlust. Ich sage das ganz offen. Ich will Sie gar nicht entlassen, ich denke nicht daran; aber Sie müssen mich auch nicht dazu zwingen.«

»Wie soll ich das verstehen, Herr Bandurski?«

Der Kantinenpächter tat, als betrachte er interessiert die Warenbons, die ihm Elisabeth vorgelegt hatte. Dabei sagte er: »Was haben Sie eigentlich mit diesem Gefreiten von der 3. Batterie? Er heißt Asch, glaube ich. Ich habe ihn in letzter Zeit ziemlich oft bei Ihnen gesehen.«

»Das, Herr Bandurski«, sagte Elisabeth, »geht Sie nichts an.«

»Mißverstehen Sie mich nicht«, sagte der Kantinenpächter. »Ich denke gar nicht daran, mich in Ihre Privatangelegenheiten zu mischen. Aber ich habe wenig Freude an Komplikationen.«

»Ich weiß schon, was ich tue, Herr Bandurski!«

»Gewiß, gewiß«, sagte der. »Aber das hier ist eine Kantine für die Unteroffiziere; und wenn Sie hier oben beschäftigt sind, dann bedienen Sie die Unteroffiziere. Und das Geschäft geht vor.«

»Habe ich meine Arbeit vernachlässigt?«

»Aber nein, natürlich nicht. Sie sind vorbildlich. Und ich will, daß das so bleibt. Aber wenn Sie sich weiter für diesen Gefreiten von der 3. Batterie, diesen Asch, interessieren, dann befürchte ich Schwierigkeiten.«

»Warum, Herr Bandurski?«

»Sehen Sie, mein liebes Fräulein Freitag, ich bin ein alter Zwölfender. Ich kenne das Kasernenleben in- und auswendig. Mir macht so leicht keiner was vor. Und ich verdiene hier ganz brauchbar. Nur einmal ging es mir beinahe schlecht, wie Sie wissen, damals, als der Hauptwachtmeister Schulz mich mit allen Kräften zu unterminieren versuchte; um ein Haar hätte er mir den Laden stillgelegt. Ich will das nicht gerne noch einmal erleben.«

»Und was hat das mit dem Gefreiten Asch zu tun?«

»Sehr viel, liebes Fräulein Freitag. Dieser Gefreite Asch hat sich heute etwas geleistet, was ich noch niemals erlebt habe, als Kantinenpächter nicht und als Zwölfender auch nicht: Er hat sich unten bei mir die Dezimalwaage ausgeliehen und damit das Gewicht der Essensportionen festgestellt. Und dann hat er mit dem Küchenunteroffizier einen Streit vom Zaun gebrochen, der fast schon eine Meuterei war. Mein Wort darauf – ich habe so was noch niemals erlebt.«

Elisabeth schaute Bandurski ungläubig an. »Aber warum hat er das getan?«

Der Kantinenpächter zuckte mit den Schultern. »Das fragen Sie mich zuviel. Er hat es eben getan. Und glauben Sie, das wird ohne Folgen bleiben? Und selbst wenn das ohne Folgen bleiben sollte, wer weiß denn, was als nächstes passiert? Daß Sie sich auch ausgerechnet diesen Asch aussuchen mußten, unter tausend anderen Soldaten, das ist Pech für mich, für Sie, wer weiß für wen noch.«

»Sie sehen das sicherlich zu schwarz, Herr Bandurski.«

Der erhob sich. »Mögen Sie recht haben. Aber mehr als warnen kann ich nicht. Und tun Sie mir einen Gefallen, Fräulein Freitag: Nehmen Sie Rücksicht auf mein Unternehmen. Und wenn Sie schon von diesem Asch nicht loskommen, dann reden Sie ihm wenigstens in sein Gewissen. Ich möchte Sie wirklich ungern verlieren.«

Der Kantinenpächter Bandurski sah ehrlich besorgt aus. Er nickte seiner Angestellten zu; und es war, als beabsichtige er, ihr Mut zu spenden. Dann ging er.

Elisabeth Freitag setzte sich auf den nächsten Stuhl, der erreichbar war. Sie starrte nachdenklich auf die weißgescheuerte Tischplatte. Sie war ein wenig erschrocken, ein wenig verwundert, ein wenig belustigt. Das, was ihr soeben erzählt worden war, hätte sie Herbert nicht zugetraut. Er besaß offenbar Eigenschaften, die sie bisher noch nicht an ihm entdeckt hatte. Das machte sie neugierig.

Sie machte die Aufstellung fertig und überprüfte ihre Vorräte. Dann sah sie auf die Uhr: Es war kurz vor drei. Ihr täglicher Dienst in der Unteroffizierskantine begann um zwölf. In den ersten zwei Stunden herrschte fast immer ein verhältnismäßig lebhafter Betrieb. Dann war drei Stunden lang Ruhe; in dieser Zeit kamen nur vereinzelte Funktionsunteroffiziere kurzfristig. Erst gegen fünf Uhr wurde es wieder lebhaft; und das hielt an bis acht Uhr. Um acht war ihre Arbeitszeit normalerweise beendet, und der Kantinenpächter persönlich pflegte sie abzulösen.

Elisabeth dachte an Herbert Asch, als sie die Gläser, die einwandfrei sauber waren, noch einmal nachspülte. Sie wußte viel von ihm, und doch kannte sie nicht alles; sie hatte ihn in Augenblicken unbedenklicher Ehrlichkeit erlebt, und dennoch blieb er ihr ein Rätsel. Und lächelnd fand sie, daß das gut war: Er würde ihr immer wieder etwas zum Raten aufgeben; es würde niemals Langeweile geben neben ihm! Und so etwas Ähnliches hatte auch Mutter einmal gesagt, vor nicht allzu langer Zeit, als Elisabeth sie veranlaßt hatte, von Vater zu erzählen.

Kurz nach drei Uhr betrat Hauptwachtmeister Schulz die Kantine. Seine

Stimmung schien scheußlich zu sein. Er warf die Dienstmütze auf eine Fensterbank und ließ sich auf einen Stuhl fallen. »Mein Kopf ist wie eine Mülltonne!« rief Schulz lautstark. »Was macht man dagegen?«

Elisabeth sagte sich, daß es, nicht zuletzt wegen Herbert Asch, empfehlenswert sei, den knurrigen Gast besonders freundlich zu behandeln. »Alte Weiber«, sagte sie, »würden Aspirin schlucken. Aber wie ich Sie kenne, nehmen Sie ein großes Bier.«

»Genau das!« sagte der Hauptwachtmeister und betrachtete Elisabeth nicht ohne Wohlwollen. Sie gefiel ihm immer noch; sie gefiel ihm immer wieder. Sie sah attraktiv aus und wirkte trotzdem anständig; das war selten. So was hätte man heiraten sollen, nicht eine streunende Katze.

Elisabeth trug das große Glas Bier herbei, setzte es ab, sagte »zum Wohle« und blieb, entgegen ihrer sonstigen Gewohnheit, am Tisch des Gastes, des zur Zeit einzigen Gastes, stehen. Sie lächelte freundlich.

Schulz ließ eine große Menge Bier in sich hineinlaufen. Er schluckte, zunächst mit nahezu nachdenklichem Ernst, als erfülle er eine Pflicht, dann mit spürbarem Genuß. »Ah!« rief er beglückt aus. »Das zischt!« Er setzte das Glas ab und blickte um Grade zufriedener. »Wollen Sie sich nicht zu mir setzen?« fragte er. »Ich beiße nicht.«

»Ich lasse mich auch nicht beißen«, sagte Elisabeth; und sie versuchte, das heiter zu sagen. »Im übrigen setze ich mich gern ein wenig zu Ihnen. Da keine anderen Gäste da sind, kann ich mir das erlauben.«

Schulz lachte männlich kurz. »Von mir aus können Sie ein Schild an die Tür draußen hängen: Wegen Familienfeier geschlossen.«

Elisabeth nahm neben ihm Platz. Sie legte die Unterarme auf den Tisch und beugte sich zutraulich vor. »Ärger gehabt?« fragte sie.

Schulz nickte. »Ärger haben wir immer«, sagte er. »Das liegt zum Teil in der Natur der Sache. Nicht alle Unteroffiziere sind Kronleuchter, die meisten sind nur Armleuchter.«

»Aber Sie werden doch mit ihnen fertig?«

Schulz schluckte dieses dicke Lob mühelos. »Und ob!« sagte er. Die Anteilnahme und das Vertrauen dieser netten Person, die hier neben ihm saß, taten ihm wohl. Mit ihr konnte man sich unterhalten, das war eine Frau, die ihn verstand, das spürte man sofort. »Bringen Sie mir noch ein Bier.«

Er erhielt es, trank davon, setzte es sorgfältig ab und wischte sich mit dem Ärmel über den Mund. »Ja«, sagte er, »einfach ist das alles nicht. Manchmal versagen selbst die besten Leute. Da fehlen dann plötzlich sechs Schuß Munition. Stellen Sie sich vor: sechs Schuß! Es ist einfach nicht nachzuweisen, wo sie geblieben sind.«

»Sie werden verlorengegangen sein!«

Schulz konnte nur lächeln über so viel Naivität. Er kam sich grenzenlos überlegen vor, und das tat ihm gut. »Verlorengegangen? Das gibt es doch nicht. So etwas darf es doch gar nicht geben. Verlassen Sie sich darauf, sie werden gefunden werden. Und wenn alle Stränge reißen, kümmere ich mich selbst darum.«

»Aber so schlimm wird es doch sicherlich nicht werden.«

»Wir wollen es hoffen«, sagte Schulz und ließ Bier in seine Kehle rinnen. »Mit Ihnen kann man sich unterhalten«, sagte er zutraulich. Er legte eine seiner großen Hände auf Elisabeths Unterarm und bemerkte mit Genugtuung, daß sie es widerstandslos geschehen ließ. Er nahm das als ein gutes Zeichen. Das befriedigte ihn geradezu.

»Sagen Sie mal«, wollte er plötzlich wissen, »finden Sie mich eigentlich unsympathisch oder nicht?«

Elisabeth wich, überrascht, ein wenig zurück; aber sie gab sich Mühe, ihn das nicht merken zu lassen. »Seltsame Frage«, sagte sie dann. »Natürlich sind Sie sympathisch; sehr sympathisch sogar.«

»Das wollte ich nur wissen«, sagte Schulz; und er drückte zärtlich ihren Unterarm mit seiner großen Hand; sie ließ auch das geschehen, und das freute ihn. »Können Sie sich eigentlich vorstellen«, fragte er dann, »daß man mich betrügt; ich meine: daß mich meine Frau betrügt?«

»Ihre Frau?«

»Ich spreche allgemein. Nur so, rein theoretisch, gewissermaßen. Also: können Sie sich das vorstellen?«

»Aber nein, bestimmt nicht«, sagte Elisabeth eilig. »Frauen sind viel treuer, als man allgemein denkt.«

»Glauben Sie?«

»Ich bin davon überzeugt. Frauen spielen gerne. Sie freuen sich, wenn der Mann, den sie lieben, eifersüchtig wird. Sie sehen darin ein Zeichen echter Zuneigung.«

»Aha«, sagte Schulz und tätschelte nachdenklich ihren Unterarm. »So was, meinen Sie, gibt es?«

Er sah zur Tür hin, die sich geöffnet hatte. Dort stand ein Gefreiter und sah in den Raum. »Wollen Sie was von mir, Asch?« fragte der Hauptwachtmeister.

Elisabeth zog hastig ihren Arm unter seiner großen Hand weg. Sie schien mächtig verlegen zu sein. Schulz lächelte darüber.

»Ich suche Leutnant Wedelmann«, sagte Asch geistesgegenwärtig.

»Aber doch nicht hier!« rief Schulz. »Das hätte mir gerade noch gefehlt.«

Und da der Gefreite die Tür wieder schloß, und zwar von außen, wandte sich Schulz erneut Elisabeth Freitag zu. »Nur keine Bange«, beruhigte er sie. »Dieser Asch ist in Ordnung. Ganz vorzüglicher Mann.«

»Das glaube ich Ihnen gerne«, sagte Elisabeth und wurde wieder lebhaft. »Sie sind ein guter Menschenkenner, was?«

»Bin ich«, sagte der Hauptwachtmeister bescheiden. »Nur bei Frauen kenne ich mich nicht immer aus. Sie sind so kompliziert. Aber vielleicht auch nicht. Vielleicht sind sie auch nur zu dumm.«

»In der Liebe sind wir das oft«, sagte Elisabeth freundlich. Daß Herbert sie so mit Schulz gesehen hatte, beunruhigte sie nicht weiter; das würde ihn, hoffentlich, ein wenig eifersüchtig machen, und das tat ihm ganz gut. Daß aber darüber hinaus Schulz nicht nur nichts gegen Asch hatte, sondern sogar Worte des Lobs für ihn fand, erfreute sie sehr.

Schulz spann weiter an seinen Nachtgedanken, er kam einfach nicht von ihnen los, sosehr er sich auch darum bemühte. »Sehen Sie«, sagte er, »ich bin doch wer. Ich stelle doch was dar. Vielleicht werde ich einmal Offizier; wenn ein Krieg kommt, zum Beispiel. Ich weiß mehr als mancher Hauptmann, ich kann auch mehr. Mich betrügt man doch nicht. Ich bin doch nicht der Mann, den man betrügt.« – »Bestimmt nicht.«

»Sie würden mich doch nicht betrügen, was?«

»Wenn ich Sie lieben würde, bestimmt nicht.«

Schulz nickte zuversichtlich. Und wieder sah er zur Tür hin, die sich geöffnet hatte.

Dort stand Leutnant Wedelmann. Der Hauptwachtmeister richtete sich auf und erstarrte. Leutnant Wedelmann zögerte; er schien nicht recht zu wissen, ob er sich nähern solle oder nicht.

»Hier ist die Kantine der Unteroffiziere«, sagte Schulz kalt.

Wedelmann war sichtlich verlegen. »Ich wollte mit Fräulein Freitag sprechen.«

»Manche Leute«, sagte Schulz zu Elisabeth leise, aber wütend und ohne sonderlich viel Bemühen, das zu verbergen, »stecken ihre Nase in jeden Dreck.«

Wedelmann nahm diese Anzüglichkeit und die völlig unmilitärische Art, mit der ihm hier ein Untergebener begegnete, wortlos hin.

Er verbeugte sich andeutungsweise vor Elisabeth. Dann verließ er den Raum.

»Aber, Herr Schulz«, sagte Elisabeth erschrocken, »so können Sie doch nicht einen Leutnant behandeln.«

»Ich kann das«, sagte Schulz. »Mit dem kann ich noch ganz anders umspringen, wenn ich will. Und ich will!«

Wachtmeister Platzek, der Schleifer-Platzek, schwitzte Blut und Wasser. Die fehlenden sechs Schuß Munition bereiteten ihm Höllenqualen. Sie waren nicht aufzufinden, sie waren nicht nachzuweisen. Soviel Mühe er sich auch gab – es schien alles vergeblich.

Die Schießkladden waren Dokumente und als solche nicht aus der Welt zu schaffen. Dort konnte ausgegebene und verschossene Munitionsmenge genau nachgelesen werden; daraus mußte nun resultieren: unverbrauchte, und somit wieder an die Waffenkammer zurückzuführende Munition. Aber diese Endsumme stimmte nicht; es fehlten sechs Schuß Munition.

Platzek sah sich bereits im Militärgefängnis die Toilette schrubben. Sein geradezu berühmtes forsch-forderndes Auftreten, von Untergebenen auch als »naß-forsch« bezeichnet, war einer großen Depression gewichen. Er machte ein finsteres Gesicht, bellte rauh alle an, die ihm über den Weg liefen, und schien sogar ein wenig nervös zu sein.

Was ihn so überaus irritierte, war die Tatsache, daß sich niemand bereit fand, ihm wenigstens doch einen Teil seiner Lasten abzunehmen. Er scheute sich nicht, das als mangelnden Kameradschaftsgeist zu bezeichnen. An diesem Donnerstag geriet seine primitiv zusammengezimmerte »soldatische Weltanschauung« mächtig ins Wanken. Denn das Erschütternde für ihn war, daß er, der bewährte, vielbeschäftigte, oft kopierte, aber nie erreichte Exerzierer, bei der ersten Panne einfach im Stich gelassen wurde. Er hatte sich hundert-, wenn nicht gar tausendmal bestens bewährt – das zählte einfach nicht. Er hatte sich einmal, ein einziges Mal nur, eine Dummheit geleistet – und schon saß er auf dem trockenen.

»Hör mal, Schulz«, hatte er in vertraulichem, privatem Tonfall zu seinem Kameraden Hauptwachtmeister gesagt, »die Sache mit der Munition ist ja eine Sauerei, gewiß, das will ich auch zugeben, aber kann man nicht die Kladde einfach verschwinden lassen oder sonst was? Oder wir lassen sie liegen bis zum nächsten Scharfschießen, und dann tragen wir die sechs Schuß nach. Was meinst du?«

»Platzek«, hatte Schulz nicht weniger vertraulich und gleichfalls im privaten Tonfall erwidert, »ich will nichts von dem gehört haben, was du soeben gesagt hast. Ich warte auf die Schießkladden, denn ich muß sie Hauptmann Derna vorlegen; aber ich warte nicht mehr lange. Und in Ordnung muß die Sache sein, sonst raucht es. Bei Verschwinden von Munition muß grundsätzlich Tatbericht eingereicht werden. Damit möchte ich dich verschonen.«

»Mensch, Schulz, die lumpigen sechs Schuß!«

»Ich bin kein Mensch, Platzek, ich bin Hauptwachtmeister. Und von wegen: lumpigen sechs Schuß! Damit kann man sechs Unteroffiziere umlegen, Mensch!«

Platzek wanderte zu Unteroffizier Wunderlich, dem Herrscher über Waffen und Gerät, dessen ständige Hilfskraft der Obergefreite Kowalski war. Der Wachtmeister gab sich seiner Gemütsverfassung entsprechend: verärgert und unruhig. Er wunderte sich kaum darüber, daß sich die Besuchten durch seine Anwesenheit nicht gerade sonderlich geehrt, vielmehr gestört fühlten.

Wunderlich und Kowalski hausten auf dem Boden, zwischen Gewehren, Maschinengewehren und unscharfen Handgranaten. Das Zubehör für die Geschütze lag gut eingefettet in den Regalen. Es roch stark nach Waffenöl und ein wenig nach Tabaksqualm. Natürlich war es streng verboten, auf den Kammern zu rauchen; aber Platzek dachte im Augenblick gar nicht daran, einen derartigen Verstoß überhaupt zur Kenntnis zu nehmen.

»Hört mal her, Herrschaften«, sagte er, und er sagte das polternd, um seine triste Stimmung zu verbergen. »Da ist mir doch die Sauerei mit der Munition passiert. Ihr werdet davon gehört haben.«

»Verdammt peinliche Sache, Herr Wachtmeister«, sagte Kowalski und mimte Mitgefühl.

Unteroffizier Wunderlich tat so, als denke er nach. Er war kein besonderer Freund von Wachtmeister Platzek; denn als Wunderlich noch nicht Unteroffizier war, ist er von Platzek mehrmals nach allen Regeln der Kunst geschliffen worden. Und der Unteroffizier gehörte nicht zu jenen großzügig veranlagten Naturen, denen es gegeben ist, ausgedehnte Schleiferei als ein persönliches Geschenk und eine Quelle freudiger Erinnerungen anzusehen! Vielmehr war Wunderlich ein begeisterter Anhänger geruhsamer Lebensgestaltung, weshalb er ja auch, nicht zuletzt, um den Posten eines Unteroffiziers für Waffen und Gerät mit verhaltener Anstrengung gerungen hatte.

»Was meinen Sie, Wunderlich; die Sache läßt sich doch deichseln?«

»Welche Sache?« fragte Wunderlich und stellte sich dumm, was ihm auch mühelos gelang.

»Das ist doch ganz einfach«, sagte Platzek. »Ich brauche sechs Schuß Gewehrmunition. Sie haben doch sicherlich schwarze Bestände.«

»Schwarze Bestände zu halten ist strafbar«, sagte Wunderlich versonnen und blinzelte Kowalski zu. Natürlich hatte er schwarze Bestände; aber die waren nicht für einen Mann wie Platzek da.

»Und Ihre Kollegen von den anderen Batterien? Oder der Kerl, der das Abteilungsdepot verwaltet? Von denen muß doch einer ein paar schäbige Patronen um die Ecke gebracht haben?«

Wunderlich sah erneut kurz grinsend zu seinem Busenfreund Kowalski hinüber. Natürlich hatten auch die schwarze Bestände. Aber nicht für Schleifer-Platzek!

»Auch die werden gar nicht scharf darauf sein, sich strafbar zu machen.«

Platzek fand wenig Freude an seiner Rolle als Bittsteller, er fühlte sich erniedrigt, und das verletzte seinen Stolz. »Sie wollen also nicht, Wunderlich?« fragte er böse.

Wunderlich erfaßte sofort, daß hier eine recht massive Drohung ausgesprochen wurde. Er überlegte, wie er darauf reagieren sollte. Und er zog in Erwägung, für Platzek die fehlenden sechs Schuß zu besorgen; das war für ihn nicht sonderlich schwer und konnte letzten Endes nur dazu führen, daß sich der Wachtmeister ihm gegenüber verpflichtet fühlte. Und wer kann wissen, wozu das einmal gut sein könnte?

Doch ehe noch Wunderlich dazu kam, mit der gebotenen Vorsicht eine verbindliche Zusage zu geben, die Platzek von allen Qualen erlöst haben würde, mischte sich der Obergefreite Kowalski ein. »Im Grunde«, sagte er, »ist die Sache doch ganz unkompliziert, Herr Wachtmeister. Sie korrigieren einfach die Schießkladde.«

»Das geht doch nicht«, sagte Wunderlich. »Dort sind alle Eintragungen mit Tintenstift vorgenommen worden.«

»Trotzdem gibt es Korrekturen«, beharrte Kowalski. »Der Schreiber muß sie vornehmen, und der Wachtmeister, der die Aufsicht auf dem Stand hatte, bestätigt sie durch seine Unterschrift.«

»Das ist eine Möglichkeit«, sagte Platzek aufhorchend; und es war ihm, als sehe er einen Lichtblick.

Wunderlich, der Sachverständige, schüttelte den Kopf. »Wenn das herauskommt«, sagte er, »ist das so gut wie eine Urkundenfälschung.«

»Wer sagt denn, daß das herauskommt?«

»Wenn es geschickt gemacht wird«, meinte Kowalski treuherzig, »kommt niemand auf die Idee. Nehmen wir zum Beispiel an, einer der ersten Schützen hat seine sechs Schuß in falscher Reihenfolge abgegeben, also nicht liegend, kniend, stehend, sondern meinetwegen umgekehrt. Das kann ja vorkommen. Und was geschieht in solchem Fall? Er gibt noch einmal sechs Schuß ab. Und die ersten sechs Schuß werden gestrichen. Das sind dann einfach die fehlenden sechs Schuß Munition.«

»Das ist gar nicht dumm«, sagte Platzek.

»Das ist sogar ganz einfach«, behauptete Kowalski. »Sie müssen nur den, der die Schießkladde zuerst geführt hat, dazu bringen, daß er diese – hm – Veränderung einträgt. Und wie ich den kenne, macht er das. Der Gefreite Asch ist in solchen Dingen gar nicht kleinlich veranlagt, wenn man ihm das geschickt beibringt.«

»Das mache ich«, sagte Platzek hoffnungsfreudig erregt. »Was meinen Sie, Wunderlich?«

»Ich weiß von nichts«, sagte der abwehrend. »Ich habe niemals was davon gehört.«

»Ich auch nicht«, sagte Kowalski.

»Das möchte ich mir auch ausgebeten haben!« Platzek hatte einen großen Teil seiner einzigartigen Selbstsicherheit wiedergefunden. Er sah endlich wieder Land; das machte ihn energisch. Er verließ die Waffenkammer und begab sich auf die Suche nach Asch. Es war allerdings nicht leicht, den begehrten Gefreiten zu finden; dennoch zeigte Platzek keinerlei Ungeduld.

Er suchte Asch mit einer Intensität und Ausdauer, als suche er seine Erlösung.

Der Gefreite Asch wäre mühelos zu finden gewesen. Er hielt sich, wie gewöhnlich, wenn er Entspannung suchte und Wert auf friedliche Unterbrechung des normalen Dienstbetriebes legte, bei Wachtmeister Werktreu auf der Bekleidungskammer auf, deren Eingangstür genau gegenüber der Waffenkammer lag.

Asch hatte sich den Kanonier Vierbein als Hilfskraft zuteilen lassen und ihn zum Umstapeln von langen Unterhosen angesetzt. Er war entschlossen, Vierbein eine interne Lektion im Umgang mit Vorgesetzten zu erteilen. Aber sosehr Asch sich auch bemühte, es gelang ihm einfach nicht, Wachtmeister Werktreu aus der Ruhe zu bringen.

»Diese Arbeit hier auf der Bekleidungskammer ist zum Kotzen langweilig«, sagte er herausfordernd; und er bemerkte mit Genugtuung, daß Vierbein seine langen Ohren spitzte. »Ein öder Dienst, der eigentlich nur für geistig Minderbemittelte geeignet ist.«

»Deshalb sind Sie ja auch immer hier, Asch«, sagte Wachtmeister Werktreu friedfertig. Auf die Idee, sich getroffen zu fühlen, kam der gar nicht. Er dachte an das Mädchen, mit dem er sich heute abend verabredet hatte: viel Fleisch, immer lustig und dumm wie Bohnenstroh; ein prima Übungsgelände für die scharfe Liebe.

Der Gefreite Asch ließ nicht locker. »Ein richtiger Soldat sind Sie ja eigentlich nicht«, sagte er anzüglich zu Werktreu und setzte sich auf einen Stapel Hosen. »Sie sind mehr ein Altwarenhändler, ein gehobener Lumpensammler.«

»Solche Bemerkungen«, sagte der Wachtmeister mit ungetrübtem Gleichmut, »können Sie sich schenken.«

Asch sah zu Vierbein hinüber, der ihn maßlos erstaunt anstarrte; der hatte, solange er eine Uniform trug, noch niemals derartig gewagte Formulierungen einem Vorgesetzten gegenüber vernommen. Das regte ihn seltsam auf. Er war maßlos gespannt, wie das weiterging; und er bangte um Asch.

Aber es lag nicht der geringste Grund vor, um Asch zu bangen. Werktreu war von einer derartigen Vorfreude auf die diversen Genüsse des kommenden Abends erfüllt, daß er gar nicht erst in Erwägung zog, sich gekränkt zu fühlen. Außerdem brauchte er Geld, um die Vorbereitungen zu finanzieren. »Wie ist das, Asch, machen wir ein Spielchen?«

»Sie wollen wohl wieder einen Untergebenen schröpfen?« fragte der Gefreite.

»Sie haben heute Ihren witzigen Tag, Asch.«

»Oder wollen Sie mich wieder anpumpen?«

»Vielleicht«, sagte Werktreu. »Aber erst spielen wir ein paar Runden Siebzehnundvier. Und wenn ich dann verliere, können Sie ja immer noch in den Geldbeutel greifen. Und wie ist es mit einer Flasche Wein zu Sonderpreisen, wenn ich heute abend mit meiner Puppe zu Ihnen ins Café komme?«

»Schnorren wollen Sie auch noch?«

»Erst machen wir ein Spielchen, Asch. Hier sind die Karten. Ich nehme zunächst mal die Kasse. Kommen Sie schon her.«

Asch schüttelte den Kopf wie ein störrisches Pferd. Mit Werktreu war einfach nichts anzufangen. Man konnte anstellen, was man wollte, der blieb friedfertig und spielbereit. Das war kein Vorgesetzter, das war mehr eine Art Saufkumpan.

Der Gefreite wollte noch einen letzten Anlauf nehmen, ehe er seine Bemühungen bei Werktreu aufgab. Er setzte sich ihm gegenüber, tippte auf die Karten und sagte: »Damit spiele ich nicht. Die sind gezinkt.«

Selbst diese überaus kräftige, geradezu ehrabschneidende Anschuldigung brachte Werktreu noch lange nicht auf die Palme; er dachte nur an das nötige Betriebskapital für den Abend, alles andere war ihm im Augenblick scheißegal. »Na schön«, sagte er, »dann besorge ich eben neue Karten.« Er erhob sich und verließ die Bekleidungskammer.

Der Kanonier Vierbein näherte sich aufgeregt seinem Freund. »Das kannst du doch nicht machen«, sagte er vorwurfsvoll. »So geht man doch nicht mit einem Vorgesetzten um.«

Asch sah ihn prüfend an. »Deine Sorgen möchte ich haben«, sagte er.

»Du mußt vorsichtig sein«, sagte Vierbein. Und fügte aufrichtig hinzu: »So was tut man einfach nicht.«

»Was ist eigentlich mit dir los?« Der Gefreite beugte sich vor, und es war, als setzte er zu einem Sprung an. »Du bist wohl nicht mehr ganz normal. Erst benimmst du dich wie ein Waschlappen, und jetzt spielst du einen Moralprediger. Wahrlich, du scheinst ein hoffnungsloser Fall zu sein.«

Der Kanonier Vierbein war ehrlich um seinen Freund besorgt. »Du hast mich vor einer großen Dummheit bewahrt«, sagte er. »Dafür bin ich dir dankbar. Jetzt habe ich eingesehen, daß man durchhalten muß. Ich habe dich ganz gut verstanden. Ich bin ein ganz anderer Mensch geworden. Du wirst sehen, ich werde jetzt immer meine Pflicht tun, und wenn sie mir auch noch so schwerfällt, und wenn ich noch so sehr glaube, daß ich ungerecht behandelt werde. Das hast du mir klargemacht. Jetzt richte ich mich danach. Und ich kann es einfach nicht ertragen, wie du mit einem Vorgesetzten umspringst. Versteh mich doch – das zieht mir wieder den Boden unter den Füßen weg. Kannst du das verstehen?«

»Du bist ein Arschloch«, sagte Asch grob. »Das ist das einzige, was ich wirklich verstehe.«

Dieses Gespräch, das den Gefreiten Asch seltsam befremdete, an das zu glauben er sich einfach weigerte, wurde abgebrochen, da Wachtmeister Werktreu mit den neuen Spielkarten erschien.

Herbert Asch war verwundert, dann empört, dann wütend. Er hätte diesen Vierbein in den Hintern treten, in die Fresse schlagen können. Diese Kulinatur! Dieser Kasernensklave! Dieser uniformierte Gartenzwerg! Und für solche Waschweiber revoltiert man nun! Und er sagte sich: Man revoltiert, um die laufende Produktion von solchen Waschweibern zu behindern. Auch das ist eine Aufgabe.

»Sie haben schon wieder verloren, Sie Witzbold«, sagte Werktreu, der ungeniert mit seinem Spielchen begonnen hatte, erfreut. »Damit vergrößert sich mein Gewinn um zwei Mark. Auf ein neues!«

Aber das gutgehende Spielchen, das Wachtmeister Werktreu einen erfreulichen Zuwachs seines Betriebskapitals zu bringen versprach, wurde reichlich unfreundlich unterbrochen. Wachtmeister Platzek erschien und rief: »Da sind Sie ja, Asch. Ich brauche Sie dringend.«

Werktreu wehrte entschieden ab: »Das kommt gar nicht in Frage! Er wird bei mir gebraucht.«

»Befehl vom Hauptwachtmeister«, sagte Platzek ungeniert. »Kommen Sie, Asch.«

Der Gefreite ging bereitwillig mit. Er konnte das dumme Gesicht von Vierbein nicht mehr sehen; außerdem war er froh, von Werktreu, mit dem sowieso nicht viel anzufangen war, endlich loszukommen, zumal seine Verluste erheblich waren und bei zehn Mark lagen. Platzek war ihm in dieser Stimmung ein willkommenes Fressen.

Der Wachtmeister behandelte den Gefreiten mit ausgesuchter, bei ihm völlig ungewohnter Höflichkeit. Jeder andere hätte Fürchterliches kommen sehen, nicht aber Asch; er witterte eine günstige Gelegenheit.

Platzek nahm den Gefreiten mit auf seine reichlich mit Kasernenmöbeln vollgestopfte Stube. Er bot ihm einen Stuhl an. Er erkundigte sich, ob ein Schnaps gewünscht werde oder eine Zigarette oder ein Bierchen? Nein? »Na, und wie geht es sonst, mein Lieber? Ich höre, Sie sind zum Unteroffizier eingereicht. Da kann ich nur gratulieren, Menschenskind. Ich bin durchaus dafür.«

»Was wollen Sie von mir?« fragte Asch ruhig.

Platzek überhörte, daß der Gefreite ihn weder in der dritten Person noch mit dem Dienstgrad anredete. Er war sogar bereit, mehr als das zu überhören. Denn schließlich wußte er ja, was er wollte.

Er packte die Schießkladde, die unter seinem Kopfkissen gelegen hatte, auf den Tisch. »Sie haben sie gestern geführt, nicht wahr?«

»Stimmt«, sagte Asch und wußte sofort, was jetzt kam; die Sache mit der fehlenden Munition war niemand so klar wie ihm. »Die ersten Eintragungen sind von mir.«

»Die Abrechnung stimmt nicht«, sagte Platzek vertraulich. »Es fehlen sechs Schuß. Was sagen Sie nun?«

»Dann muß man die sechs Schuß nachtragen, ganz einfach.«

Platzek strahlte; er war überzeugt, den richtigen Mann erwischt zu haben. »Sie sind ein helles Köpfchen«, sagte er. »Der geborene Unteroffizier. Wollen Sie die Nachtragung vornehmen? Es muß nämlich mit der gleichen Handschrift geschehen. Ich setze nachher meinen ›Willem‹ drunter.«

»Warum nicht«, sagte Asch scheinbar gleichmütig. »Geben Sie her!«

Beide beugten sich über die Schießkladde. Platzek war freudig erregt. Das ging besser, als er dachte; viel besser, als er jemals hoffen durfte. Dieser Asch war ja der reinste Wunderknabe!

Der Gefreite arbeitete genau nach den Anweisungen des Wachtmeisters. Das geschah ruhig und mit Konzentration. Asch strich sechs Zahlen aus und schrieb sechs neue hinzu. Er vermerkte: Streichung erfolgt, da Eintragung falsch. Schütze schoß in verkehrter Reihenfolge und mußte wiederholen. Gezeichnet . . ., Wachtmeister.

Asch strich auch die Schlußzahl durch, rechnete sechs hinzu und schrieb das neue Ergebnis daneben. Hier vermerkte er: »Streichung erfolgt, da Rechenfehler vorlag. Gezeichnet . . ., Wachtmeister.«

»Tadellos«, sagte Platzek und rieb sich die Hände. »Und jetzt noch meine Unterschrift.« Er unterschrieb zweimal, sorgfältig und deutlich, mit schönem Schnörkel. Dann lächelte er befriedigt. Er war von einem Alpdruck befreit. »Das hätten wir geschafft«, sagte er.

Asch lehnte sich weit zurück. Er blinzelte in die saubere, aber nach Aufwaschwasser, Schuhwichse und feuchten Laken riechende Stube. Er sagte gelassen: »Das also war eine Urkundenfälschung.«

Platzek lachte auf: »Eine kleine Korrektur«, sagte er und grinste wie ein Verschwörer beim Umtrunk.

»Eine Urkundenfälschung«, beharrte Asch. »Eine Urkundenfälschung im Sinne des Militärstrafgesetzbuches.«

»Machen Sie keine Witze, Asch«, sagte Platzek leicht verblüfft. »Und wenn schon! Schließlich sind Sie daran beteiligt, alter Freund!«

»Sie irren«, sagte Asch und fixierte seinen leicht nervös werdenden Vorgesetzten. »Meine Eintragung ist an sich belanglos. Allein Ihre Unterschrift ist der springende Punkt.«

»Reden Sie keinen Unsinn, Asch.«

»Probieren wir das doch aus«, sagte Asch unvermindert ruhig. »Ich bin jederzeit dazu bereit.«

Wachtmeister Platzek, der Eiserne, der Schleifer-Platzek, der vielgefürchtete Kasernenhoftyrann, war perplex. Er hatte kurz das Gefühl, ihm sei ein Eisenträger auf den Schädel gefallen. Langsam dämmerte ihm, daß er von dem Regen in die Traufe geraten war. Seine erste Reaktion war Empörung. »Wie reden Sie denn mit mir?« rief er. »Sie vergreifen sich im Ton.«

»Genau dasselbe wollte ich Ihnen sagen«, erklärte Asch kühl. »Anscheinend wissen Sie gar nicht, in welcher Situation Sie sich befinden.«

»Sie Sauhund!« brüllte Platzek und schien sich auf den Gefreiten stürzen zu wollen. »Sie elender . . .« Er verstummte. Sein Mund war weit geöffnet, aber kein Laut vernehmbar.

»Sprechen Sie sich ruhig aus«, empfahl Asch.

Platzek besaß keinen durchdringenden Verstand, er selbst hielt sich mehr für einen Mann der Tat; aber er war beileibe kein Idiot. Er verfügte sogar über eine gewisse Portion Schlauheit. Er brauchte seine Zeit, bis er die gefährliche Situation, in der er sich befand, voll begriff, aber dann machte er sich keine Illusionen mehr. Er war in der Falle.

An diesem Donnerstag war für ihn eine Welt zusammengebrochen. Seine Kameraden oder die, die er dafür gehalten hatte, ließen ihn schmählich im Stich. Ganz allein mußte er die Suppe auslöffeln. Und so ein Stinktier von Untergebenem machte ihn moralisch fertig, höhlte ihn aus wie eine Walnuß, ging mit ihm um wie mit Lokuspapier. Das war zuviel. Das ertrug kein aufrechter Mann. Aber es war die Tatsache.

Wachtmeister Platzek zog das vorgestreckte Kinn ein und senkte den Kopf. Er ließ sich auf sein Feldbett fallen. Dort saß er wie ein großer Haufen Unglück.

»So gefallen Sie mir schon besser«, sagte Asch gnadenlos.

Platzek zitterte vor Wut. Alles in ihm schrie danach, sich auf Asch zu stürzen und ihn zu Brei zusammenzuhauen. Aber Asch war kein Schwächling; daß er auch kein Feigling war, hatte sich soeben herausgestellt. Und außerdem wäre eine Prügelei Mißhandlung Untergebener gewesen. Und wenn die Sache mit der Schießkladde an die große Glocke kam, bedeutete das Kriegsgericht, Degradierung, Gefängnis – aus der Traum, auf ewig aus! Platzek biß die Zähne zusammen; sie knirschten wie das Gebiß eines Pferdes.

»So ist das also«, sagte Asch, ohne den geringsten Triumph in der Stimme. »Man ist bereit, alles zu tun, um ja nicht seinen Posten zu verlieren. Man will nicht auffallen. Man will als vorbildlich gelten. Man will das Wohlwollen seiner Vorgesetzten ernten. Um das zu erreichen, ist man bereit, alles zu tun. Alles! Zu schleifen, Urkunden zu fälschen, Menschen in den Selbstmord zu treiben. Das ist die eine Seite der Medaille. Die andere heißt: Befehle ausführen.«

»Was wollen Sie von mir?« fragte Platzek dumpf.

»Zunächst einmal«, sagte Asch, »will ich, daß Sie sich wie ein halbwegs zivilisierter Mensch benehmen und nicht wie ein wildgewordener Schlächtergeselle. Was ich sonst noch will, werde ich Ihnen rechtzeitig mitteilen.«

An diesem Donnerstag fiel der erste Schuß.

Die Sonne war untergegangen. Regenwolken standen am Himmel und verschluckten den Tag. Es war zwanzig Uhr und achtzehn Minuten.

Kurz vorher saß der Hauptwachtmeister Schulz behäbig an seinem Tisch in der Schreibstube. Er liebte es, gelegentlich noch lange nach Dienstschluß zu arbeiten. Und er sorgte stets dafür, daß derartige Anwandlungen bequem zur Kenntnis seiner Soldaten gelangen konnten: Er arbeitete bei weit geöffneten Fenstern und geradezu festlicher Beleuchtung. Wer außen an der Schreibstube vorbeiging, konnte und mußte ihn dort sitzen sehen.

Natürlich hätte Schulz, wenn er nur wollte, mit seinem Tagespensum weit früher fertig werden können – aber er wollte eben nicht. Während der allgemeinen Dienstzeit streunte er durch das Kasernement, suchte die Kantine auf oder seine Frau Lore heim, um der vorzuführen, wie sehr er sie mit Verachtung strafe. Kaum war aber der allgemeine Dienst aus, begann Schulz mobil zu werden, oder doch wenigstens so zu tun, als sei er es.

Er nahm von Wachtmeister Platzek die Schießkladde entgegen. Er blätterte darin und überlas die Korrektur. Dann sah er Platzek an, der schweigend und mit finsterer Miene dastand.

»Soweit ganz brauchbar«, sagte Schulz. »Macht einen ordentlichen Eindruck.«

»Damit ist die Sache also erledigt?« erkundigte sich Platzek mürrisch.

»Scheint so«, sagte der Hauptwachtmeister. »Die Kladde stimmt jetzt, und das ist für mich die Hauptsache. Hoffentlich bleiben die sechs Schuß verschwunden.«

»Wie meinst du das?« fragte Platzek reichlich ahnungslos.

Der Spieß sprach mit gedämpfter Stimme, so daß es unmöglich gewesen wäre, ihn draußen, durch die weit geöffneten Fenster, zu hören, selbst wenn es jemand darauf angelegt haben sollte, das zu versuchen, was jedoch erfahrungsgemäß kaum anzunehmen war. »Wie ich das meine? Ganz einfach. Nehmen wir einmal an, die sechs Schuß oder nur einige davon tauchen wieder auf. Jemand kann sich damit in den Mund schießen, einen Nebenbuhler töten, einen Zivilisten umbringen, dem er Geld schuldet, ein Weib durchlöchern, das ihm die Syphilis angehängt hat – und was weiß ich noch! Das ist alles schon dagewesen. So was kann also passieren. Und nun kommt die Untersuchung. Und was dann, wenn sich dabei herausstellt, daß die Munition vom Scharfschießen stammt, entwendet auf dem Stand, wo ein gewisser Platzek Aufsicht hatte? Was dann?«

»Mal nicht auch du den Teufel an die Wand«, sagte Platzek dumpf.

»Auch ich? Wer hat ihn denn noch an die Wand gemalt?«

Platzek schwieg. Er starrte mit nahezu ausdruckslosem Gesicht auf den Hauptwachtmeister, der sich tief in seinen Schreibsessel gelümmelt hatte.

»Dann kann ich ja wohl gehen«, sagte Platzek.

»Von mir aus«, sagte Schulz. Und er sah Wachtmeister Platzek mit zähem Wohlwollen nach. Den habe ich fertiggemacht, sagte er sich, der ist jetzt ganz klein und häßlich, und das wird dem guttun. Er ist ein brauchbarer Soldat, gewiß, auf Spezialgebieten außerordentlich verläßlich, aber gerade diese Erfolge hatten ihn ein wenig größenwahnsinnig gemacht. Das ging schon so weit, daß er sich ihm, dem Hauptwachtmeister gegenüber, zu übertrieben kameradschaftlich gab und immer mehr zu vergessen schien, daß er letzten Endes einen direkten Vorgesetzten vor sich hatte. Ach, so ein Dämpfer würde dem ganz guttun.

Schulz, der breit dasaß, strahlte gedämpfte Zufriedenheit aus. Seine Überlegenheit wurde immer deutlicher. Sie war nicht ohne gewisse Opfer erkauft worden, aber alle Anstrengungen schienen sich zu lohnen. Jetzt hatte er Wedelmann, den arroganten Besserwisser, in der Hand. Lore, seine Frau, versuchte Turteltaube zu spielen. Der Kanonier Vierbein hüpfte wie ein Hase. Der Küchenunteroffizier war abgesägt und packte bereits seine Sachen; ein Unteroffizier von der 3. Batterie würde ihn ablösen, Schwitzke vermutlich, der wußte, was sich gehört.

Schulz spielte mit dem Telefon. Dann nahm er den Hörer ab und stellte eine Verbindung mit seinem Unteroffizier vom Dienst her. Er sagte: »Der Bursche von Leutnant Wedelmann wird sofort abgelöst. An seine Stelle tritt der Kanonier Wagner.«

Er horchte in den Apparat hinein und grinste dann breit. »Ob dieser Wagner dazu völlig ungeeignet ist oder nicht, das zu entscheiden überlassen Sie mir. Oder wer von uns beiden ist hier Hauptwachtmeister? – Na also! Sie traben sofort los und melden das Leutnant Wedelmann, mit dem ausdrücklichen Hinweis, daß ich das bestimmt hätte. Kapiert?«

Der Hauptwachtmeister legte den Hörer schwungvoll auf die Gabel. Er preßte die Handflächen aufeinander, rieb sie und knackte dann mit den Fingergelenken. Das waren so seine kleinen Freuden!

Er zog die rechte Schublade seines Schreibtisches auf, entnahm ihr eine Rolle Toilettenpapier und riß davon drei große Fetzen ab. Die legte er sorgfältig übereinander und faltete sie einmal. Er steckte sie in seinen linken Ärmelaufschlag. Dann legte er die Rolle Toilettenpapier wieder in die Schublade und verschloß sie.

Er erhob sich unternehmungslustig, warf einen kurzen prüfenden Blick in die beginnende Dunkelheit, die sich vor dem offenen Fenster drängte, und verließ dann mit forschen Schritten die Schreibstube. Er begab sich nicht sofort auf die Toilette im unteren Korridor, wo er zweimal täglich hinter der Tür »Nur für Unteroffiziere« zu verschwinden pflegte, er bog zunächst durch die Pendeltür in das Treppenhaus und betrat seine Privatwohnung.

Er ging aber nicht weiter hinein; er blieb, in unmittelbarer Nähe der offengebliebenen Tür, im schmalen Korridor stehen. »Zwanzig Uhr dreißig ein Bier«, rief er, »Zigarre und Zeitung.«

Lore, die diesen direkten Befehl unbewegt entgegennahm, antwortete nicht.

»Verstanden?« rief er.

»Ja, verstanden«, sagte Lore gedehnt und keinesfalls freundlich.

Schulz nickte vor sich hin und schien zufrieden; seine Autorität blieb, wie zu erwarten gewesen war, gewahrt. Sie bezeigte Respekt, wenn sie auch nicht sonderlich begeistert schien; aber das war ja auch, zumal bei einer Frau, kaum auf Anhieb zu erwarten gewesen.

Der Hauptwachtmeister schloß die Tür seiner Wohnung wieder hinter sich, ging durch die Pendeltür, durch den hellerleuchteten, leeren Korridor auf die Toilette zu. Kurz sah er auf seine Uhr: es war Viertel nach acht! Er konnte sich also Zeit lassen, geruhsam sein Geschäft zu erledigen, dabei ein wenig in der dort regelmäßig aushängenden Soldatenzeitung lesen und eventuellen Latrinengesprächen lauschen.

Er betrat die Toilette und verweilte zunächst im Hauptraum. Er öffnete das große Fenster, dessen untere Scheiben aus Milchglas bestanden. Er war immer für frische Luft, zumindest bei Temperaturen über fünfundzwanzig Grad. Er blickte, umflirrt vom Deckenlicht, in die frühe Dunkelheit hinaus, dorthin, wo die Müllkästen standen, wo der zertretene Platz zum Wäschetrocknen und Teppichklopfen lag, wo die Hallen begannen und der Exerzierplatz.

Dann zündete er sich am offenen Fenster eine Zigarette an, warf das abgebrannte Streichholz hinaus und nahm sich vor, gleich morgen früh nach dem Revierreinigen zu überprüfen, ob es aufgefunden worden war.

Automatisch begann er seinen Rock zu öffnen und schritt dabei auf die letzte der drei Türen zu, auf der geschrieben stand: »Nur für Unteroffiziere. Schlüssel befindet sich auf der Schreibstube.« Und da er sich das Privileg vorbehalten hatte, diesen Schlüssel höchstpersönlich auszuhändigen, worum ihn natürlich niemand bat, es sei denn, um zu reinigen, handelte es sich hier um so etwas wie seinen Privatlokus.

Er zog gerade in Erwägung, entweder in der Soldatenzeitung zu lesen oder darüber nachzudenken, was sonst noch zu geschehen habe, seine doch immerhin stabile Position auch weiterhin zu festigen. Da hörte er einen scharfen, peitschenden Knall. Glas splitterte und fiel klirrend auf den Steinfußboden. Von einer Wand rieselte Kalk.

Er sprang auf, stemmte sich gegen die Tür, entriegelte sie und blieb stehen. Eine Fensterscheibe war zerbrochen, in der Decke befand sich ein länglicher Riß. Schulz zog automatisch seine Hosen hoch.

Dann wurde die Tür aufgestoßen. Unteroffizier Schwitzke, der Saurier, erschien dort und sah neugierig in die Toilette hinein. »Was ist denn hier los?« fragte er breit. Dann erst erkannte er den Mann, der seine Hosen hochzerrte. »Haben Herr Hauptwachtmeister geschossen?«

»Es ist auf mich geschossen worden«, sagte der. Und er schien nicht wenig verstört zu sein, was Schwitzke verwundert zur Kenntnis nahm. »Durch das Fenster. Sehen Sie hinaus, vielleicht ist dort jemand.«

Schwitzke sah hinaus, konnte aber nichts erkennen. »Dort ist keiner«, sagte er dann.

»Dort muß aber einer sein!« rief der Spieß.

»Wenn dort einer war und geschossen haben sollte«, mutmaßte Schwitzke, »dann ist nicht anzunehmen, daß er immer noch dort steht.«

Schwitzke, der Saurier, war höchst unzufrieden mit sich. Er verfluchte heimlich seinen Einfall, der ihn dazu getrieben hatte, nachzusehen, was eigentlich los war. Er war im Duschraum gewesen, er befand sich auf dem Korridor, als der Schuß fiel, oder was das eben sonst gewesen sein mochte. Er hätte einfach abhauen und so tun sollen, als habe er nichts gehört. Erfahrungsgemäß war das immer die beste Reaktion; auf jeden Fall ersparte sie Unannehmlichkeiten. Aber nein, ihn ritt der Teufel, er mußte hertraben und dabei ausgerechnet dem Spieß in die Hände fallen. Dabei war es allerhöchste Zeit für ihn, zum Kegeln zu gehen.

»Wir müssen die Kaserne absperren«, sagte der Hauptwachtmeister und vermied es, sich dem offenen Fenster zu nähern.

»Aber warum denn?« fragte Schwitzke. »Wozu soll das gut sein?«

»Das war ein Anschlag!«

Schwitzke, der Saurier, war ein Meister im Bagatellisieren, wenn es galt, unnötige Aufregung und zusätzliche Arbeit zu vermeiden. »Aber, Herr Hauptwachtmeister«, fragte er bieder. »Wer wird denn auf Herrn Hauptwachtmeister schießen?«

»Da haben Sie auch wieder recht«, sagte Schulz unsicher.

»Das kann doch ganz harmlos gewesen sein. Vielleicht wollte jemand sein Gewehr reinigen.«

»Idiot«, sagte der immer schnell und konsequent denkende Hauptwachtmeister. »Gewehr reinigen! Draußen, in der Dunkelheit? Und die Munition?«

»Es kann ein Posten gewesen sein«, sagte Schwitzke eilig. »So etwas gibt es. Posten haben Munition. Durch einen Zufall kann ein Schuß losgegangen sein. Das ist voriges Jahr schon einmal passiert.«

»Traben Sie zur Wache«, sagte Schulz. »Stellen Sie dort fest, ob Ihre Vermutungen stimmen.«

Schwitzke machte keine Anstalten dazu. Dieser Abstecher hätte mindestens fünfzehn Minuten seiner kostbaren Zeit beansprucht. »Der Schuß kann ja auch aus einer Pistole stammen«, rief er. »Die Offiziere haben Privatmunition. Sie knallen jeden Tag durch die Gegend.«

»Den Offizieren ist so was zuzutrauen«, sagte Schulz. »Besonders Leutnant Wedelmann.«

»Eben!« sagte Schwitzke; und er hatte Übung darin, so etwas mit Überzeugung zu sagen. »So wird es gewesen sein. Denn daß man auf Herrn Hauptwachtmeister schießen wollte, das ist doch völlig ausgeschlossen.«

»Das leuchtet mir ein«, sagte der Hauptwachtmeister und gab sich überlegen; aber sonderlich überzeugt von dem, was er sagte, war er nicht. Und er sagte sich: Das kann einfach nicht sein, das darf nicht sein, das gibt es nicht!

»Trotzdem«, erklärte er, »wollen wir sichergehen. Holen Sie sich einen

Unteroffizier zu Ihrer Unterstützung, und dann melden Sie sich bei mir unten am Eingang.«

»Jawohl«, sagte Schwitzke und gab sich kaum noch Mühe, seinen Unwillen zu verbergen. Er ging zu Unteroffizier Lindenberg, denn einmal war der mit großer Wahrscheinlichkeit in der Kaserne anzutreffen, zum anderen aber war Lindenberg zu jeder Tages- und Nachtzeit dienstbereit.

Schwitzke traf Lindenberg, wie erwartet, beim Vorschriftenstudium. Den hatte das Problem, wie Gasmasken am zweckmäßigsten gelagert werden, mächtig gepackt. »Du sollst sofort mitkommen«, sagte Schwitzke. »Der Spieß braucht dich.«

Lindenberg nickte nur und erhob sich, ohne auch nur eine Sekunde zu zögern. Er hielt es für unsoldatisch, überflüssige Fragen zu stellen. Er sprang in die Stiefel, warf sich den Rock über, ergriff Koppel und Mütze und eilte Schwitzke voraus.

Hauptwachtmeister Schulz stand neben dem Eingang. Er notierte sich jeden, der hinaus und herein wollte und stellte hochnotpeinliche Fragen. Für ihn war jetzt klar, wie diese ungewöhnliche, beinahe schon gefährliche Situation zu meistern war.

Schulz folgerte: Ein Schuß ist also gefallen, und zwar draußen. Es war anzunehmen, daß es sich um einen Gewehrschuß handelte. Woher die Munition dazu kam, konnte er sich beinahe schon denken. Jetzt kam es eigentlich nur noch darauf an, festzustellen, ob ein Angehöriger der 3. Batterie, seiner Batterie also, diesen Schuß abgegeben hatte. War das so, mußte er ein Gewehr benutzt haben. Das aber herauszubekommen, war gar nicht so schwer. Nur Mannschaften besaßen Gewehre, und die standen übersichtlich auf den Korridoren in den Ständern.

Der Unteroffizier Lindenberg meldete sich bei ihm. Schwitzke hielt sich bescheiden zurück.

»Also«, sagte der Hauptwachtmeister, »Sie, Lindenberg, übernehmen den Korridor im ersten Stock, Sie, Schwitzke, den hier unten. Sie überprüfen jedes Gewehr, ob der Lauf sauber ist. Sie schreiben sich jedes Gewehr, das fehlt, auf. Sollte etwa einer gerade sein Gewehr reinigen, dann hat er sich sofort bei mir zu melden. Verstanden? Veranlassen Sie dann noch, Schwitzke, nein, besser Sie, Lindenberg, daß sich der Waffenunteroffizier bei mir meldet. Also los!«

Die beiden Unteroffiziere trabten davon. Der Hauptwachtmeister blieb auf seinem Kontrollpunkt stehen. Der Verkehr war mäßig. Der Spieß stand nachdenklich da. Es wird alles ganz harmlos gewesen sein, sagte er abermals zu sich, um sich zu beruhigen. Etwas anderes ist einfach nicht denkbar. Nicht vorstellbar! Absurd! Denn sonst . . .

Schwitzke meldete Vollzug. »Gewehre im unteren Korridor überprüft. Läufe sind einwandfrei. Ein Gewehr fehlt.«

Kurz darauf meldete auch Lindenberg Vollzug. »Gewehre mittlerer Korridor überprüft. Läufe einwandfrei. Zwei Gewehre fehlen.«

Ein wenig später ließ sich der Obergefreite Kowalski blicken. »Unteroffizier Wunderlich«, meldete er, »ist ausgegangen. Aber ich weiß ja auf der Waffenkammer Bescheid.«

Der Hauptwachtmeister rechnete: Kein Soldat der Batterie hatte heute Wache; Urlauber hatten ihre Gewehre auf der Kammer abzugeben und ihre Namensschilder in den Ständern befehlsgemäß entfernt; Kommandierte hatten ihre Gewehre mitgenommen und ebenfalls ihre Namensschilder entfernt. Drei Gewehre aber fehlten.

»Wieviel Gewehre sind in Reparatur?« fragte Schulz den Obergefreiten.

»Drei«, sagte der prompt.

Hauptwachtmeister Schulz atmete auf. »Dann kann es also keiner von uns gewesen sein«, sagte er erleichtert. Und er fügte hinzu: »Das wäre ja wohl auch das Letzte gewesen!«

Um zwanzig Uhr und einundzwanzig Minuten verließ der Gefreite Herbert Asch die Artilleriekaserne. Er hatte den Ausgehanzug angezogen; seine Bügelfalte erregte Aufsehen und seine Schuhe glänzten. Er sah heute besonders unternehmungslustig aus.

Tiefblaue Schatten hingen über der Stadt. Der Mond glänzte fahl. Vereinzelte Fenster warfen ein grelles, scharf umrissenes Licht in die beginnende Dunkelheit. Die Kaserne lag jetzt da wie ein demütig erstarrtes Tier. Der Abendwind flatterte unruhig. Ein Gewitter schien sich ankündigen zu wollen.

Asch durchschritt das Tor und ging auf die Arbeitersiedlung zu, die einige hundert Meter weiter begann. Er sah sich nicht mehr um. Er suchte das Haus des Werkmeisters Freitag, das anders war als alle anderen, nicht etwa größer, auch nicht einfallsreicher gebaut, aber umgeben von einem gepflegten Garten, umstanden von jungen Bäumen, die sich neugierig hochreckten, abgegrenzt mit einem hohen, dichten Zaun, der an eine Mauer denken ließ.

Auch jetzt im Dunkeln war das Haus Freitag nicht zu verfehlen; es füllte ein größeres Stück Himmel aus als alle anderen. Vater Freitag, der rauchend am Gartentor lehnte, öffnete ihm. Es war ihnen, als seien sie schon lange Jahre miteinander vertraut.

»Kommen Sie 'rein«, sagte Freitag. »Die Familie erwartet Sie bereits.«

»Eigentlich wollte ich nur schnell guten Abend sagen und Sie dann mit mir nehmen.«

»Und wohin?«

»Zu mir nach Hause, Herr Freitag.«

»Verwechseln Sie mich auch nicht mit meiner Tochter?«

»Keinesfalls«, sagte Asch, »ich kenne recht gut die Unterschiede. Sie wird später noch, hoffe ich, oft genug bei mir zu Hause sein. Heute aber brauche ich Sie, denn ich muß meinem Vater einiges klarmachen.«

»Hm«, brummte Freitag nachdenklich. »Ihr Vater ist Cafetier – sagt man nicht so? Er ist also Geschäftsmann. Ich bin Fabrikarbeiter. Ich kann mir kaum vorstellen, daß Ihr Vater sehr erfreut sein wird, mit mir zu plaudern.«

»Auf alle Fälle ist er darauf vorbereitet«, sagte Asch ehrlich. »Ich habe mit ihm telefoniert. Jetzt ist er neugierig auf Sie und das, was ich ihm erzählen will.«

»Nun gut.« Freitag nickte zustimmend. »Aber erwarten Sie jetzt nicht von mir, Herr Asch, daß ich stolz oder gerührt bin. Ich bin lediglich verwundert. Ich wundere mich über Ihr Tempo. Wir kennen uns kaum, und schon fangen Sie an, über mich zu verfügen.«

»Wir wollen die Familie begrüßen«, mahnte Asch.

Sie gingen hinein. Frau Freitag strahlte. Elisabeth gab sich reserviert.

»Du kommst schon wieder einmal reichlich spät«, sagte Elisabeth. »Mußt du zum Zapfenstreich in der Kaserne sein?«

»Ich habe heute Nachturlaub«, sagte Asch. »Bis ein Uhr.«

»Wie großzügig«, spottete Elisabeth.

»Aber ich kann leider nicht lange bleiben. Ich muß zu meinem Vater.«

»Ach!« sagte Elisabeth enttäuscht.

»Und ich begleite ihn«, sagte der alte Freitag.

Elisabeth war verstimmt; und sie gab sich nicht die geringste Mühe, das zu verbergen. Sie fragte sich, was Herbert wohl dazu bewogen haben könnte, ihr so offensichtlich auszuweichen. Es gab mehrere Erklärungen dafür, doch keine befriedigte sie recht.

»Komm, Mutter«, sagte Freitag, »ich muß mich umziehen.«

»Das kannst du doch alleine.«

»Gewiß, Mutter. Aber schließlich hast du doch in der Küche zu tun.«

Frau Freitag verstand. Sie war hier überflüssig; die beiden jungen Leute sollten allein bleiben. »Ach so!« sagte sie. »Ja, natürlich.«

Elisabeth schämte sich ein wenig über dieses reichlich plumpe Manöver. »Von mir aus«, sagte sie entschieden, »kannst du ruhig hierbleiben, Mutter. Mich störst du nicht.«

»Aber wenn Sie in der Küche zu tun haben«, meinte Asch freundlich, »dann lassen Sie sich durch mich nicht stören.«

Die Eltern Freitag verließen das Wohnzimmer. Durch die geschlossene Tür war zu hören, wie sie lachten. Sie schienen sich köstlich zu amüsieren.

Elisabeth betrachtete Herbert Asch mit unzufriedenem, vorwurfsvollem Blick. Herbert erhob sich und ging auf sie zu. Sie zeigte deutlich, daß sie diesen Annäherungsversuch mißbilligte.

»Rühr mich nicht an!« sagte sie.

Asch legte seinen Arm um sie. Sie gab vor, sich zu sträuben; aber ihre Abwehr war nicht sonderlich heftig und hinderte ihn nicht daran, das zu erreichen, was er wollte. Sie ließ sich willig von ihm küssen.

Dann sagte sie: »Was ist eigentlich los mit dir! Weißt du überhaupt noch, was du willst?«

»Genau«, sagte Asch. »Aber ich spare mir die Erfüllung meiner Wünsche ein wenig auf; zu gegebener Zeit werde ich darauf zurückkommen.«

»Es sollte alles anders sein«, sagte Elisabeth. »Nach dem, was gewesen ist, sollte es ganz anders sein zwischen uns.«

Die Hand von Asch hatte sich behutsam auf ihre Schulter gelegt. »Du hast gewiß recht«, sagte er. »Und ich wünsche mir sicherlich das gleiche wie du. Aber ich kann jetzt nicht das tun, was ich will. Ich bin nicht Herr meiner Zeit. Genau besehen, darf ich nicht einmal Herr meines Willens sein.«

»Das verstehe ich nicht«, sagte sie.

»Du brauchst das auch nicht zu verstehen. Ich will gar nicht einmal sagen, daß das eine Männersache ist – es ist nur nicht normal, es ist nicht natürlich, weißt du. Es ist, genau besehen, Willkür, Unnatur – es ist nicht menschlich.«

»Ich verstehe dich immer noch nicht«, sagte sie.

»Elisabeth«, sagt er mühsam, »ich kann nicht zärtlich sein, du weißt das, zum mindesten kann ich nicht darüber sprechen. Ich kann nicht zu dir sagen: Ich liebe dich – auch wenn das wahr ist, auch wenn ich das immer denke. Und ich finde alle großen Worte albern. Ich sage nicht: Bis in den Tod! Und auch nicht: Fürs ganze Leben! Ich rede nicht von Ehre wie von Leberwurst und gebrauche nicht das Wort Treue im gleichen Atemzug mit Marmeladenbrot.«

»Was soll das, Herbert!«

»Sieh mal, Elisabeth, ich will dich heiraten.« – »Herbert.«

»Nicht gleich; auch nicht in dieser Woche. Ein wenig später, wenn alles klar ist.«

»Wenn was klar ist, Herbert?«

»Das wirst du sehen; und ich werde sehen, wie du das aufnimmst. Aber das, was ich soeben gesagt habe, das wollte ich nicht verschweigen. Das solltest du wissen. Was jetzt kommt, wird bei mir, bei meinen Gefühlen zu dir, nichts ändern. Wenn das bei dir auch so ist, bin ich glücklich. Wenn nicht, wirst du mich das fühlen lassen, und ich werde zufrieden sein.«

»Herbert, du machst mir Angst.«

»Ich muß jetzt gehen«, sagte Asch. »Mein Vater erwartet uns.« Er preßte ihren Arm heftig. Dann ging er schnell hinaus.

Der alte Freitag wartete bereits auf ihn. Gemeinsam gingen sie in die Stadt hinein, ohne sonderlich viel zu sprechen. Sie gingen im gleichen Schritt.

Das Café Asch war hell erleuchtet. Zahlreiche Besucher hatten sich eingefunden. In einer Nische saß Wachtmeister Werktreu mit einem drallen Mädchen und winkte dem Gefreiten Asch wohlwollend zu.

»Ihre Beliebtheit bei höheren Dienstgraden setzt mich in Erstaunen«, sagte Freitag gut gelaunt.

»Das kostet mich einiges«, sagte Asch. »Aber ich habe jetzt eingesehen, daß sich eine derartige Kapitalanlage auf die Dauer nicht lohnt.«

Sie durchschritten den langgestreckten Raum. Asch nickte dem Bedienungspersonal zu. »Dort hinten«, sagte er zu Freitag, »sitzt meine Schwester.«

»Ein sehr nettes Mädchen«, sagte Freitag.

»Aber ihr Hirn ist ein Weihnachtsbaum: bunte Kugeln, strahlende Lichter, sentimentaler Chorgesang.«

»Und der Soldat neben ihr?«

»Der heißt Vierbein. Das ist der dazugehörige Weihnachtsmann.«

Ingrid sah ihrem Bruder entgegen. Vierbein wollte sich erheben, um ihn zu begrüßen. Aber Asch sagte nur: »Weitermachen! Ihr habt noch einiges zu tun, schätze ich, ehe ihr euch gegenseitig die Hirne ganz vernebelt habt.«

Asch erwartete keine Antwort. Er wies Freitag den Weg. Er öffnete die hintere Tür des Lokals; sie stiegen eine Treppe hinauf und befanden sich in einem geräumigen Flur. Hier trafen sie auf den Cafetier Asch.

Der alte Asch hatte im großen Zimmer drei Flaschen Wein, Boxbeutel, Kitzinger Mainleite 37, kalt gestellt und eine Kiste Zigarren bereitgelegt. Er betrachtete seinen Besucher prüfend, als gedenke er ihn zu kaufen. Er schien sich über den Preis nicht einig werden zu können; er war in unbestimmter Weise höflich.

Die drei setzten sich um den großen Tisch, zündeten Zigarren an, kosteten den Wein. Asch und Freitag musterten sich gegenseitig ganz verstohlen; und Herbert ließ ihnen genügend Zeit dazu.

»Ich bin kein Weinkenner«, sagte schließlich der alte Freitag. »Ich weiß daher nicht, was Sie mir vorgesetzt haben. Immerhin möglich, daß das Spülwasser mit Geschmack ist. Aber mir schmeckt es.«

»Das mit dem Spülwasser mit Geschmack«, sagte der alte Asch, und beugte sich ein wenig vor, »ist das Ihr Ernst? Trauen Sie mir das zu?«

»Warum nicht«, sagte der alte Freitag. »Auserlesenen Wein gibt man nur guten Gästen. Weiß ich denn, ob ich überhaupt willkommen bin?«

»Es ist einer meiner besten Weine«, sagte der alte Asch. »Die allerbesten sind nur für besondere Festtage gedacht, etwa Verlobung, Kindtaufe, Führerbegräbnis.« Die letzte Bemerkung war ihm herausgerutscht; das war peinlich. Aber er machte keinerlei Anstalten, das zu korrigieren; vielmehr wartete er gespannt, wie sein Besucher darauf reagieren würde.

»Dann kann ich nur hoffen«, sagte Freitag ruhig, »Sie werden recht bald Gelegenheit haben, Ihren allerbesten Wein anläßlich des dritten von Ihnen aufgezählten Ereignisses trinken zu können.«

»Sie sind heute schon dazu eingeladen«, sagte der alte Asch munter. »Aber ich hoffe, wir werden nicht erst darauf warten, sondern schon vorher, anläßlich einer Verlobung, meine Reserven in Angriff nehmen. Prost, Herr Freitag.«

Sie tranken genußvoll, in kleinen Schlucken; sie ließen den Wein auf der Zunge zergehen. »Er ist schwer, herb, würzig, mit dem Aroma von reifen, gutgelagerten Äpfeln«, sagte der alte Freitag bedächtig.

»Ganz ausgezeichnet«, sagte der alte Asch mit ehrlicher Anerkennung. »Stimmt genau. Sie hätten Gastwirt werden sollen.«

»Ausgeschlossen!« wehrte Freitag ab. »Ich wäre bestimmt mein bester Kunde gewesen.«

So redeten sie; und Herbert Asch ließ sie vorerst reden. Sie verstanden sich gut. Sie besaßen viel mehr Gemeinsames, als sie zunächst vermutet hatten. Und der alte Asch gestand, daß er im Hause sämtliche Reparaturen selbst vornehme, aus purer Freude an der Sache. Nur mit dem großen Eisschrank sei er nicht ganz fertig geworden; der lasse Wasser und erreiche keine übermäßig tiefen Temperaturen.

Freitag erklärte sich sofort bereit, ihm den Eisschrank zu reparieren. Der alte Asch ging unbedenklich darauf ein. Sie waren kurz davor, den Rock auszuziehen, Handwerkszeug zusammenzusammeln und in die Küche hinunterzusteigen. Herbert Asch hatte Mühe, sie davon abzubringen.

»Ein andermal«, sagte er. »Deshalb sind wir schließlich nicht hier.«

»Wir sind hier«, sagte der alte Asch, »damit ich deinen Schwiegervater kennenlerne. Das ist geschehen. Er gefällt mir. Jetzt können wir uns ruhig zu unserem Vergnügen beschäftigen.«

»Moment mal!« sagte der alte Freitag erstaunt. »Wer soll hier der Schwiegervater von wem sein? Das ist das Neueste, was ich höre.«

»Ich bitte um Entschuldigung«, sagte Herbert Asch verlegen. »Mein Vater hat eine Andeutung von mir falsch ausgelegt.«

Das war dem alten Asch sichtlich peinlich. »Ach was!« sagte er und versuchte die prekäre Situation zu überspielen. »Schwiegervater oder nicht Schwiegervater. Wir verstehen uns so oder so. Und weshalb sind wir nun wirklich hier?«

»Ich wollte versuchen, dir etwas zu erklären, Vater.«

»Aber ich hoffe«, sagte der alte Freitag mit Bestimmtheit, »das hat nichts mit meiner Familie zu tun. Ich lasse mich nicht gerne verkaufen, und schon gar nicht hinter meinem Rücken.«

»Du bist ein dummer Bengel«, sagte der alte Asch ärgerlich. »Du bringst hier zwei ausgewachsene Männer in Verlegenheit. Nichts für ungut, Herr Freitag.«

»Erledigt«, sagte der.

»Und was willst du von uns?«

»Du warst doch auch mal Soldat, Vater?«

»Selbstverständlich.«

»Hat es dir beim Militär gefallen?«

Der alte Asch hatte nicht die geringste Ahnung, worauf sein Sohn hinauswollte. »Gefallen? Wie kommst du darauf? Ich habe meine zwei Jahre heruntergerissen. Wie das so ist.«

»Und Sie, Herr Freitag?«

»Ich schließe mich meinem Vorredner an«, sagte der uninteressiert.

»Und war es eine schöne Zeit, eine großartige Zeit?«

Die beiden Alten sahen sich an, grinsten dann verlegen und erhoben ihre Weingläser. »Das waren noch Zeiten«, sagte der alte Asch nicht ohne Hohn.

»Einer von uns kam aus dem Kuhstall«, sagte Freitag. »Er durfte bei der Frau Hauptmann Teppiche klopfen, das begeisterte ihn. Ein anderer war Kutscher; er wurde Feldwebel und hatte nun nicht mehr vier Pferde, sondern gleich dreißig Mann, die ihm auf Zuruf gehorchten. Ein dritter war zu dämlich, um Roggen von Gerste zu unterscheiden, aber sein Parademarsch konnte sich sehen lassen, und ein richtiger General hatte sich nach seinem Namen erkundigt. Denen gefiel das nicht schlecht.«

»Und dann erst der Krieg!« rief der alte Asch. »Der Briefträger machte auf Staatskosten eine Frankreichreise und lebte dort wie ein Gott; als er zurückkam, sprach er drei Worte Französisch, und zwar dreißigmal an einem Abend, wenn er besoffen in Erinnerung schwelgte. Ein Arbeiter in einer Kohlenhandlung, der es nicht fertigbrachte, sich einen Sonntagsanzug zusammenzusparen, schoß drei Häuser, zwei Geschütze, vier Planwagen und einige Dutzend Menschen zusammen. Ein Hilfslehrer aus Hinterpommern war Ordonnanz bei einem Regimentsstab; wenn der Oberst besoffen war, nannte er ihn Emil. Denen gefiel das auch nicht schlecht.«

»Im Grunde ist das heute noch genauso«, sagte Herbert Asch. »Es ist der Sprung aus dem Alltag, aus dem Geschäftstrott, aus dem monotonen Arbeitsrhythmus. Plötzlich hat so ein Mann Munition – er kann töten! Er hat Untergebene – er kann sie schleifen! Er kann Schicksal spielen. Und er zögert nicht, sich das anzumaßen.«

»Aber vielleicht«, sagte der alte Freitag nachdenklich, »gibt es wirklich so etwas wie eine uralte natürliche Neigung der menschlichen Natur zum Soldatischen. Es ist ein Urtrieb – nicht nur urtümliche Mord- und Machtlust, sondern auch der Trieb zur Verteidigung von Leib und Leben, von Frau und Kind, Kranken und Schwachen. Gegen wilde Tiere, gegen Straßenräuber, gegen Wahnsinnige, eben gegen Feinde . . .«

»Mag sein. Aber es gibt Gedankengänge«, sagte der alte Asch, »die aus diesem primitiven, doch berechtigten Trieb ein flottes Geschäft machen. Da will der eine, was der andere hat. Also erklärt er einfach den anderen für ein wildes Tier, für einen Straßenräuber, für einen Wahnsinnigen, für den Feind. Immer führen zwei Parteien Krieg, beide zumeist sogar noch mit dem

Segen der Kirche; beide wollen recht haben, wollen ehrenwert sein, den Frieden bewahren und sich nur verteidigen. Aber einer muß doch das Schwein sein? Oder alle beide sind Schweine!«

»Das Soldatentum«, warf Freitag ein, »wird erst durch die schlechte Sache, für die es sich immer wieder schlägt, wirklich schlecht. Nehmen wir an, dieser Hitler bricht einen Krieg vom Zaun, ganz willkürlich, mit voller Überlegung. Da werden die besten Soldaten automatisch zu Mitgliedern einer Mordbande. Aber das Soldatische an sich ist, meiner Meinung nach, eine ganz andere Sache.«

»Und deshalb«, rief Asch mit Empörung, »muß der Mann sich in den Dreck jagen lassen, muß jeden Befehl eines größenwahnsinnigen Anstreichers wie ein Gottesurteil widerspruchslos hinnehmen, muß sich moralisch liquidieren lassen, muß sein Gehirn ausschalten, bis es eintrocknet, muß scheißen, wenn es der Dienstplan erlaubt, erstarren, wenn ein Kuhkopp ihn anspricht, anstehen, wenn er ausgehen will! Er muß sich zum Wurm machen, wenn er leben will!«

»Wer sagt denn, daß das immer und unter allen Umständen so sein muß?« fragte Freitag heftig.

»Wir haben uns immer nach allen Regeln der Kunst gedrückt«, gestand der alte Asch schmunzelnd. »Wer nur einigermaßen helle war oder wenigstens frech, der konnte jeden Unteroffizier über den Löffel balbieren. Viele schwärmen heute noch davon. Diese sogenannten schönen Erinnerungen an die Soldatenzeit sind eigentlich Erinnerungen an wohlgelungene Betrugsmanöver.«

»Es liegt an der Struktur«, sagte Freitag. »Es liegt einfach daran, daß man nicht Menschen haben will, sondern eine Kriegsmaschine. Aber die Menschen wollen einfach nicht mehr wie Nummern behandelt werden. Mit dem allgemeinen Lebensstandard steigen auch die geistigen Ansprüche. Es gibt kaum noch Analphabeten. Jeder Vorarbeiter, jeder Taxichauffeur, jeder Buchhalter ist heute um viele Grade intelligenter als ein Berufsunteroffizier.«

»Aber die Methoden in der Wehrmacht«, rief Herbert Asch bitter, »sind die gleichen wie vor dem Weltkrieg oder noch schlimmer! Schleifereien, um Kadavergehorsam zu erzwingen. Oder Drill, um selbständige Reaktionen auszuschalten. Demütigungen am laufenden Band, um jeder individualistischen Regung die Knochen zu brechen. Der Soldat lebt so, wie seine Vorgesetzten ihn leben lassen; wie es ihnen gefällt, wie sie gerade in Stimmung sind; nur so, nicht anders!«

»Mach was dagegen«, sagte der alte Asch resignierend.

»Ich bin gerade dabei, Vater«, sagte Herbert und sah ihn offen an.

Der verstand nicht. »Was heißt das?« fragte er. »Willst du General werden und die Armee reformieren?«

»Ich werde das sagen, was ich denke, und so handeln, wie ich es für richtig halte. Solange es geht.«

Der alte Asch lehnte sich zurück. »Du bist verrückt«, sagte er. »Willst du etwa meutern?«

»Ich verstehe ihn«, sagte Freitag. »Er will ein Beispiel geben.«

»Total verrückt«, sagte der alte Asch überzeugt. »So was ist doch sinnlos. Ich habe dir schon immer ziemlich viel zugetraut, Herbert, aber das bestimmt nicht.«

»Ich kann einfach nicht mehr anders«, sagte Herbert Asch. »Das ganze Gesindel kotzt mich an.«

»Dann dreh dich doch weg!«

»Es wird Zeit, daß einer zurückschlägt.«

»Aber warum mußt gerade du das sein?«

»Einer muß das machen; einer muß mal damit anfangen. Vielleicht ist das wirklich idiotisch, aber ich kann nicht anders. Ich habe einen Freund gehabt, Vater. Ein netter, intelligenter, aufgeschlossener Junge, liebenswert und hochanständig. Sie haben ihn systematisch erledigt; sie haben ihm das Rückgrat geknickt, wie man ein Stück Holz über das Knie bricht. Sie haben ihn bis zum Selbstmord getrieben.«

»Schon gut«, sagte der alte Asch. »Mach, was du willst.«

»Ich wollte, Vater, daß du das vorher weißt«, sagte Herbert Asch. »Und ich wollte auch, daß es Herr Freitag weiß, aus ganz bestimmten Gründen.«

»Ich verstehe Sie«, sagte der Werkmeister.

»Und was meinst du, was passieren wird?«

»Das weiß ich noch nicht«, sagte Herbert Asch gelassen. »Ich werde mich jedenfalls nicht wie ein Elefant im Porzellanladen benehmen. Ich werde vielmehr versuchen, sie mit ihren eigenen Methoden zu schlagen. Sie haben erstaunliche Schwächen. Ich habe schon angefangen, das auszuprobieren, zum Teil mit überraschendem Erfolg. Immerhin ist möglich, daß ich irgendwo in einem Militärgefängnis lande.«

»Lachen würde ich«, sagte der alte Freitag mit kargem Grinsen, »wenn Sie womöglich zum Unteroffizier befördert werden. Bei Gott und den Preußen ist kein Ding unmöglich!«

Der Unteroffizier Lindenberg ging der schwersten Stunde seines Lebens, seines soldatischen Lebens, mit der bei ihm selbstverständlichen vorbildlichen Haltung entgegen. Er schritt auf sie zu, wie Leinwandhelden in den Filmtod schreiten: furchtlos und treu, borniert und mit Blindheit geschlagen. Und der nahezu heilige Ernst, der ihn erfüllte, wich nicht aus ihm.

Sein Wecker schnurrte an diesem Freitag kurz nach fünf Uhr. Er war der einzige Unteroffizier in der Batterie, der seinen eigenen Wecker besaß; und es war gar kein gewöhnlicher, sondern ein Spezialwecker, mit Garantieschein, Glockenklang und Mehrfachgeläute. Lindenberg pflegte ihn, sobald er seine Stube verließ, in seinen Schrank einzuschließen, denn sonst hätten die beiden anderen Unteroffiziere, die mit ihm den Raum teilen mußten, das »Monstrum«, wie sie den Wecker nannten, mit Sicherheit zertrümmert.

Das Monstrum also schnurrte. Lindenberg war sofort hellwach. Er richtete sich hoch, dehnte die Arme, warf die Decke zur Seite und sprang auf den Bettvorleger. Er tänzelte ein wenig, deutete ein paar Kniebeugen an, um das Blut auf normale Touren zu bringen.

Das Monstrum, das nicht abgestellt worden war, klingelte jetzt mit hohem Ton. Das war die zweite Stufe; die dritte würde ein infernalisches Gerassel mit drei Glocken sein.

»Blöder Hund«, rief ein Unteroffizier, der aus dem Schlaf gerissen worden war. »Stell deinen Lärmkasten ab, oder es knallt.« Tastend suchte er nach seinen Filzpantoffeln, um mit kühnem Wurf das Monstrum zu beschädigen. Doch er fand die Schleudergeschosse nicht gleich.

Lindenberg stellte mit sicherem Griff seinen Spezialwecker ab. »Bitte um Entschuldigung«, sagte er mit guter Haltung. Er beklagte im Innern das fehlende Verständnis seines Kameraden für dienstliche Ambitionen; aber er war beherrscht genug, das nicht zu zeigen.

Einmal in der Woche pflegte Lindenberg seine Korporalschaft unmittelbar nach dem Wecken zu kontrollieren, nicht zuletzt, um seinen direkten Untergebenen zu demonstrieren, daß er jederzeit im Dienst sei und daß es ratsam wäre, in jeder Situation, aber auch in jeder, darauf gefaßt zu sein, daß er plötzlich auftauchen könnte. »Selbst auf dem Scheißhaus!« hatte er seinen Soldaten mit großem Ernst gesagt.

Lindenberg liebte diese Minuten des frühen Tages mit wohltemperierter Leidenschaft. In ihnen atmete die Ruhe vor dem Sturm, die Stille vor der ersten Detonation, das Schweigen vor dem großen Aufbruch. Tief inhalierte er die Morgenluft.

Lauernd kroch der neue Tag herauf. Bleich lag er an den Wänden der Kaserne und wartete stumm. Lindenberg sog, am offenen Fenster stehend, die Kühle in sich hinein. Er glaubte tausend Soldaten atmen zu hören. Bald würden sie sich regen, und durch die Kästen aus Beton würde die erwachende Kraft der kriegsbereiten Artillerie aufdröhnen, wie ein mächtiger Motor, der in Gang gebracht worden war.

Der Unteroffizier nickte zufrieden; und seine Haltung war eine kurze Zeitspanne lang demütig und stolz zugleich. Immer wieder übermannte ihn in solchen Minuten das erhebende Glücksgefühl, ein Soldat zu sein. Dafür lebte er, dafür lohnte es sich zu leben.

Tänzelnd eilte er in den Waschraum, rasierte sich sorgfältig, ging unter die Brause. Dann bekleidete er sich mit dem kleinen Dienstanzug und überprüfte noch einmal seine Erscheinung im Wandspiegel. Er fand nichts an sich auszusetzen.

Fünf Minuten vor dem Wecken stand er im mittleren Korridor, vor der

Tür, hinter der seine Korporalschaft ahnungslos schlief. Er freute sich auf die Überraschung, die er den Seinen bereiten würde.

Der Unteroffizier vom Dienst trottete herbei. Er war unrasiert, wie Lindenberg mißbilligend feststellte, und gähnte mit weit aufgerissenem Mund. »Sieh da«, sagte er, ohne sich auch nur im geringsten über die Anwesenheit des »Eisernen« zu wundern. »Der letzte Soldat ist schon wieder einmal der erste. Da werden sich deine Soldaten aber freuen.«

»Das hoffe ich«, sagte Lindenberg reserviert.

Der Unteroffizier vom Dienst setzte sich in Bewegung. Er stieß eine Tür nach der anderen auf, seine Trillerpfeife gellte durchdringend, und er rief: »Aufstehen!«

Lindenberg rückte noch einmal sein Koppel zurecht, was unnötig war; er überprüfte kurz den Sitz seiner grauen Lederhandschuhe, was zwecklos war, da sie vom vielen Waschen schlaff und formlos geworden waren. Er überschritt die Schwelle und baute sich neben der Tür auf.

Wortlos und genau beobachtend stand er da. In wehenden Nachthemden schwangen sich Gestalten aus den Betten. Einer gähnte und gab dabei Laute von sich, wie sie im Kuhstall vernommen werden können.

Der Kanonier Vierbein entdeckte den Unteroffizier zuerst. Er brüllte »Achtung« und nahm Haltung an. Die morgenmüden Soldaten erstarrten gleichgültig, so wie sie bekleidet waren, ohne Rücksicht darauf, womit sie sich gerade beschäftigten. Es schien, als seien sie dabei, den unterbrochenen Schlaf im Stehen fortzusetzen.

Der Obergefreite Kowalski wälzte sich notgedrungen aus seinem Bett, schaute aus seiner Ecke hervor und peilte die Lage. Dann meldete er: »Keine besonderen Vorkommnisse.«

Unteroffizier Lindenberg stand nunmehr seinerseits stramm, wie es die Disziplin von ihm erforderte, er legte die Hand prüfend an die Mütze. »Danke«, sagte er, »rührt euch! Weitermachen!« Nunmehr rührte auch er.

Die Soldaten kannten Lindenbergs Eigenarten. Sie hatten derartige Inspektionen in der frühen Morgenstunde bereits zu Dutzenden erlebt. Sie wußten, daß Lindenberg sehen wollte, ob sie sich benahmen, wie sich ein Soldat, nach des Unteroffiziers Ansicht, zu Beginn eines neuen Tages zu benehmen hat: elastisch und planmäßig, frisch und freudig bewegt dem Kommenden entgegensehend. Motto: Jederzeit einsatzbereit!

Kowalski spielte seine Rolle als Stubenältester mit mechanischer Sicherheit. »Meldet sich jemand krank?« fragte er. Wie üblich erhielt er keine Antwort. »Krankmeldungen keine!« rief er sodann laut. Lindenberg nickte.

Kowalski rief nunmehr: »Zum Revierreinigen eingeteilt: Wagner und Volkmann!« Wagner wollte aufbegehren; er hatte bereits gestern Revierreinigen gehabt und vorgestern Stubendienst. Und heute schon wieder? Das war eine Schikane! Aber in Gegenwart von Lindenberg konnte er sich keinen

Widerspruch leisten. Wütend warf er das Nachthemd auf sein Bett, streckte den nackten Hintern in Richtung Kowalski vor und gehorchte.

Kowalski erledigte sein Pensum gründlich, bevor er sich auf die Toilette zurückzog und sich dann in den Waschraum begab. »Stubendienst: Kanonier Vierbein!« rief er.

»Jawohl«, sagte Vierbein sofort. »Stubendienst.«

Ein Lächeln der Zustimmung war auf Lindenbergs Gesicht vernehmbar. Er betrachtete Vierbein nicht ohne Wohlwollen. Er nahm jede Bewegung des Kanoniers zur Kenntnis und fand, daß sie exakt und nicht ohne Energie waren. Das freute ihn. Das bestätigte seine Theorie. Er hatte Vierbein schon immer für einen brauchbaren Soldaten gehalten. Gewiß, noch war der weich, vermutlich sogar ein wenig gefühlsduselig; aber den guten Willen konnte ihm niemand absprechen, und das war immerhin eine brauchbare Voraussetzung. Vierbein »spurte« jetzt, wie man so treffend sagte; und das war doch allein sein, Lindenbergs, Verdienst.

»Kanonier Vierbein«, sagte der Unteroffizier.

Vierbein, bereits in der Drillichhose, schoß herbei. »Herr Unteroffizier!«

»Zeigen Sie mir Kamm und Bürste.« Vierbein zeigte sie ihm, und er betrachtete sie.

»Rasierzeug.« Vierbein zeigte auch das vor.

»Zahnbürste und Zahnputzglas.« Auch das musterte Lindenberg.

Dann sagte Unteroffizier Lindenberg: »Gut, Kanonier Vierbein. Machen Sie so weiter!« Und nachdem er dieses gewaltige Lob ausgesprochen hatte, nahm er nicht ohne den winzigen Anflug einer männlichen Rührung zur Kenntnis, daß sich Vierbein beglückt zeigte.

Noch immer stand der Unteroffizier neben der Tür, nahezu unbeweglich, scharf registrierend, was er sah. Und da er so ziemlich alles, was er sah, durchaus brauchbar und in Ordnung fand, erfüllte ihn Befriedigung. Wieder schwellte ihn das Glücksgefühl, Soldat sein zu dürfen.

Hier stehen, die Untergebenen vor sich erblickend, wie sie planvoll, nach seinen wohldurchdachten Regeln, den Tag begannen, wie sie bemüht waren, unter den forschenden Augen ihres unmittelbaren Vorgesetzten exakt und wortkarg die Vorbereitungen für den planmäßigen Dienst zu treffen – das war erhebend. Nur ein Gefühl wie dieses machte das Leben lebenswert und das Dasein sinnvoll!

Alles andere lag Stufen tiefer, war um Grade unwichtiger, war zu bemitleiden oder gar zu verachten. Allein hier lag die große Beglückung! Nicht etwa bei den Frauen; sie rochen nicht gut und faßten sich weich an. Nicht bei der Kirche; sie waren dort zu rührselig und zu mitteilungsbedürftig. Nicht bei den Büchern; sie verwirrten nur und erweichten das Hirn. Nicht bei der Natur; sie machte zügellos und förderte das Einzelgängertum. Allein das Soldatische erfüllte den echten Mann ganz.

»Wo ist eigentlich der Gefreite Asch?« fragte Lindenberg plötzlich. Er hatte Asch heute noch gar nicht gesehen. Er dachte kurz über alle Personen nach, die er an diesem Morgen registriert hatte; er befragte sein für derartige Details hervorragend geeignetes Gedächtnis: Nein, er hatte Asch noch nicht gesehen.

Die Soldaten zogen es vor, die Stube zu verlassen. Das war durchaus normal; sie packten Handtuch, Seife und Rasierzeug zusammen, Zahnpasta, Zahnbürste und Zahnputzglas, letzteres nur, weil Lindenberg zusah, und begaben sich in den Waschraum. Es wäre einfach unklug gewesen, sich den prüfenden Blicken des Unteroffiziers weiter auszusetzen.

»Wo ist der Gefreite Asch?« fragte Lindenberg erneut.

Er bekam keine Antwort. Selbst Kowalski, der sich in der Nähe aufhielt, zog es vor, nicht zu sprechen. Die Stube war nahezu menschenleer.

Lindenberg zögerte, das zu glauben, was er zu vermuten sich gezwungen sah. Dann ging er in die Stube hinein, dorthin, wo hinter zwei Schränken das Bett des Gefreiten Asch stand. Lange Sekunden verharrte er dort regungslos.

Der Gefreite Asch lag in seinem Bett, die Hände unter dem Kopf und blinzelte seinen Korporalschaftsführer an. Er sah zufrieden aus. Er hatte den rechten Fuß bequem auf das linke Knie gelegt und lächelte.

Unteroffizier Lindenberg vermochte es nicht, sein Erstaunen zu verbergen. Er fand, daß das, was sich hier seinen Augen bot, einfach unerhört war. Nahezu eine Viertelstunde lang hatte es also der Gefreite Asch gewagt, die Anwesenheit seines Unteroffiziers einfach zu ignorieren. Das war wirklich unerhört! Das war ihm, Lindenberg, noch nie passiert. Und um ganz ehrlich zu sein: Es wäre ihm nie eingefallen, nicht einmal im Traum, daran zu denken, daß ihm etwas Derartiges überhaupt passieren könnte.

Lindenberg zwang sich zur Ruhe und fragte: »Wollen Sie nicht aufstehen, Asch?«

Asch sagte ruhig: »Mein Dienstgrad ist Gefreiter.«

Der Unteroffizier schluckte das; aber es dauerte einige Sekunden. Sofort trat sein wundersam ausgeprägtes Gefühl für vorschriftsmäßiges Verhalten in Aktion und sagte ihm, daß er tatsächlich einen Fehler begangen habe. Laut Führerbefehl waren Untergebene mit Dienstgrad und Namen anzureden. Es war zwar völlig taktlos von Asch, vielleicht sogar disziplinlos, ihn darauf aufmerksam zu machen, aber ein Recht dazu hatte er schon.

Der Unteroffizier verbesserte sich also: »Wollen Sie nicht aufstehen, Gefreiter Asch.«

Und der sagte freundlich: »Von wollen kann gar keine Rede sein, Herr Unteroffizier.«

Der Obergefreite Kowalski, der als einziger dieser Unterredung beiwohnte, lief rot an. Es war nicht zu erkennen, ob das ein Zeichen von Freude oder von Entsetzen war. Er kämpfte kurz mit sich, ob er sich zu den anderen in den Waschraum begeben sollte, oder ob er es sich leisten könne, in der Feuerlinie zu bleiben. Schließlich blieb er.

Auch Lindenbergs Gesicht war leicht gerötet. Er straffte sich und sagte mit rauher Stimme: »Sie stehen sofort auf, Gefreiter Asch!«

»Das«, sagte der und richtete sich umständlich auf, »ist etwas anderes. Das ist ein klarer Befehl. Klare und berechtigte Befehle verweigere ich nicht. Das andere jedoch, das war lediglich eine Frage, höchstens aber eine Aufforderung. Unklar formuliert, Herr Unteroffizier.«

Lindenberg schluckte auch diesen Tadel; sein überentwickeltes Gerechtigkeitsempfinden gebot es ihm. Er hielt es für angebracht, die Situation unmißverständlich zu klären. Und während sich Asch erhob, aus dem Bett stieg, sich das Nachthemd über den Kopf zog, sagte der Unteroffizier: »Nach den bestehenden Vorschriften hat sich jedermann unmittelbar nach dem Wecken zu erheben. Sie haben das nicht getan, Gefreiter Asch. Also haben Sie gegen die bestehenden Vorschriften verstoßen.«

Asch stand nackend da. Er nahm keinerlei Haltung an, was bei seinem Zustand ganz natürlich zu sein schien. Er sagte: »Herr Unteroffizier, es gibt Begriffe, über die man streiten kann. Unmittelbar – das ist so ein Begriff. Was heißt denn: unmittelbar? Eine Sekunde? Drei Minuten? Oder eine Viertelstunde? Das steht in keiner Vorschrift drin. Das kann man also nach Gutdünken auslegen, und das habe ich ja auch getan.«

»Unmittelbar – das ist zehn Sekunden, höchstens eine Minute«, entschied der Unteroffizier.

»Nachträglich kann das jeder sagen«, meinte Asch bieder.

Lindenberg biß die Zähne aufeinander. Er bereute schon, sich mit Asch überhaupt auf ein Gespräch eingelassen zu haben. Aber jetzt wollte er es durchstehen und seine hier allein maßgebliche soldatische Art zu denken überzeugend begründen. »Ich bin nicht jedermann«, sagte er scharf, »ich bin Ihr Vorgesetzter. Nach meiner Überzeugung haben Sie wider die Vorschrift gehandelt. Das ist strafbar.«

»Herr Unteroffizier«, sagte Asch, »wie kann denn etwas strafbar sein, das Sie ausdrücklich billigen.«

»Was?«

Asch zeigte sich bereit, das näher zu erklären. »Ich lag im Bett in Gegenwart des Korporalschaftsführers. Denn während der ganzen Zeit, vom Wekken an, waren Sie, Herr Unteroffizier, anwesend. Und es ist weder ein Tadel noch eine Aufforderung, noch gar ein Befehl erfolgt. Also mußte ich annehmen, daß Sie, Herr Unteroffizier, mein Verhalten ausdrücklich billigten.«

Lindenberg zuckte zusammen, als habe er soeben einen kräftigen Schlag auf den Schädel erhalten. Er schüttelte sich ein wenig. Dann straffte er sich wieder, mit Anstrengung. »Mit Ihnen rede ich nicht mehr, Gefreiter Asch.«

»Das ist aber sehr schade, Herr Unteroffizier.«

»Ich werde Sie melden!«

»Peinlich, was so alles in Ihrer Korporalschaft passiert, Herr Unteroffizier«, sagte Asch; und das hörte sich an, als sei er ehrlich betrübt darüber.

Der Unteroffizier Lindenberg verstand die Welt nicht mehr. Er vermochte einfach nicht zu glauben, was er hörte. Er suchte nach einer Erklärung dafür, fand aber keine, die ihn überzeugte. »Hören Sie mal, Gefreiter Asch«, sagte er dann. »Ist Ihnen nicht gut? Sind Sie krank? Oder was ist los?«

»Ich bin durchaus normal – wenn Sie das meinen? Ich fühle mich lediglich gestört, und zwar durch Sie, Herr Unteroffizier.«

»Überlegen Sie, was Sie sagen!« rief Lindenberg erregt.

Der Obergefreite Kowalski hatte dafür gesorgt, daß sie allein blieben. Die Soldaten, die sich inzwischen gewaschen hatten, standen auf dem Korridor herum, mit nackten Oberkörpern, und tauschten Vermutungen aus. Sie hofften auf das Schlimmste.

»Was ich hier sage«, erklärte Asch, »das habe ich mir genau überlegt. Ich fühle mich durch Sie, Herr Unteroffizier, gestört. Das ist alles. Warum lassen Sie uns denn nicht in Ruhe aufstehen und uns auf den Dienst vorbereiten. Wir sind doch keine Automaten. Wir wollen doch nicht nur im Schlaf ein bißchen Privatleben genießen. Aber wir werden hier wie die Leibeigenen behandelt. Und Sie sind kein Ausbilder, sondern ein Aufseher.«

Lindenberg machte sich Notizen und sagte bebend: »Das alles werde ich mir merken!«

»Hoffentlich.« Asch nickte durchaus zustimmend. »Und wenn Ihnen der Ausdruck Aufseher nicht genügt, dann können Sie ihn durch Sklavenhalter ersetzen.«

»Sklavenhalter!« schrie Lindenberg entsetzt; er war tief im Innern schwer verwundet. Ihm war, als müsse er verbluten. »Das genügt!« schrie er mit letzter Kraftentfaltung. »Jetzt ist Schluß!«

»Wenn Ihnen das genügt, dann ist jetzt Schluß«, sagte Asch verbindlich.

Lindenberg war bleich wie ein frisches Bettlaken. Er nahm alle Kraft zusammen, um nicht handgreiflich zu werden. Er rechnete es sich hoch an, daß er sich nicht dazu hinreißen ließ. Aber eine Mißhandlung Untergebener war außerordentlich streng verboten; und er respektierte alles, was verboten war.

Unteroffizier Lindenberg sagte mit, wie er glaubte, schneidender Schärfe, wobei aber seine Stimme bibbernd aufkreischte und zu versagen drohte: »Das wird Ihnen teuer zu stehen kommen, Gefreiter Asch!« Dann drehte er sich schroff um, ging auf den Obergefreiten Kowalski zu und sagte: »Sie sind Zeuge.«

»Was soll ich denn bezeugen?« fragte Kowalski und stellte sich, mit gewohntem Erfolg, dumm.

Doch Lindenberg achtete nicht darauf. Aufrecht, geradezu hochgereckt, schritt er von dannen. Nur noch ein Gedanke füllte ihn aus: Das Fürchter liche, das er soeben durchlitten hatte, mußte seine Sühne finden! Oder die Welt stürzt ein!

Elisabeth Freitag, nur mit rosaroter Unterwäsche bekleidet, blieb mitten in ihrem Zimmer stehen. Sie sah nachdenklich aus. Sie strich mit der flachen Hand ihre Haare zur Seite. Dann schien sie einen Entschluß gefaßt zu haben. Sie öffnete ihren Kleiderschrank und wählte mit Bedacht ein grünseidenes Sommerkleid, von dem sie wußte, daß es ihr ausgezeichnet stand.

Während sie sich anzog, sah sie auf die Uhr. In zwanzig Minuten war es acht; in spätestens fünf Minuten mußte sich Vater Freitag auf sein Fahrrad setzen, um rechtzeitig im Betrieb zu sein. Ansonsten ging er morgens gerne zu Fuß, aber wenn er sich verspätet hatte, durch eine Arbeit, durch Hinauszögern des Frühstückes oder, wie heute, durch längeres Schlafen, dann pflegte er die verlorene Zeit als dahinsegelnder Radfahrer wieder auszugleichen.

Noch fünf Minuten also! Sie entnahm, was höchst selten geschah, ihrer Handtasche einen Lippenstift und setzte ihn vorsichtig an. Der Erfolg war eigentlich gleich Null; ihre Lippen waren rot genug, voll waren sie auch, und in schönem Schwung verliefen sie ebenfalls. Dann kämmte sie noch einmal behutsam ihr Haar, war bemüht, es glatt und gleichmäßig zur Seite gleiten zu lassen. Dann sah sie wieder auf die Uhr. Zehn Minuten waren inzwischen vergangen, und Vater hatte noch nicht das Haus verlassen.

Jetzt durfte sie nicht mehr zögern. Sie nickte ihrem Spiegelbild ein wenig zaghaft zu, dann erhob sie sich und wollte hinausgehen. Auf dem Korridor traf sie ihren Vater.

»Wo willst du hin?« fragte er.

»In die Kaserne«, sagte Elisabeth.

»Hast du heute Frühdienst?«

»Nein«, sagte Elisabeth. »Offiziell nicht. Aber ich will meine Belege durchrechnen und eine Warenbestandsaufnahme machen. Am Vormittag habe ich in Ruhe Zeit dazu.«

»Und was willst du außerdem erledigen?«

»Ich will nicht zu Herbert Asch – wenn du das meinst.«

»Schön«, sagte der alte Freitag; ihre Antwort schien ihn beruhigt zu haben, »wenn du das sagst, dann wird das auch stimmen. Ich weiß, daß du mich nicht belügst, grundsätzlich nicht.«

»Warum betonst du das, Vater?«

»Weil ich möchte, daß zwischen uns alles so bleibt, wie es ist. Und weil ich nicht will, daß du versuchst, Herbert Asch in allen Dingen, die mit seinem Dienst zusammenhängen, zu beeinflussen. Es wäre bestimmt zwecklos, aber es würde ihn mit Sicherheit stören.«

»Du bist sehr besorgt um ihn«, sagte Elisabeth.

Der alte Freitag nickte: »Weil ich besorgt um dich bin. Das ist der einzige Grund. Aber ich will dich nicht aufhalten. Prüfe also deine Belege, mach deine Bestandsaufnahme und geh Herbert Asch heute aus dem Weg.«

»Ich soll also zusehen. Ich soll auf irgend etwas warten, von dem ich noch nichts weiß.«

»Du sollst nichts dergleichen tun«, sagte der alte Freitag entschieden. »Du sollst nicht auf irgend etwas warten und erst recht nicht zusehen. Du sollst abseits bleiben.«

»Und du glaubst, das geht so einfach?«

»Elisabeth«, sagte der alte Freitag warnend, »du hast mir vorhin versprochen, daß du nicht zu Herbert Asch gehen willst.«

»Dieses Versprechen halte ich, Vater.«

Elisabeth verließ das Haus Freitag. Sie schritt unruhig der Kaserne entgegen, und je näher sie ihr kam, um so schneller wurden ihre Schritte. Mehrmals sah sie auf die Uhr. Es war kurz vor acht und damit höchste Zeit. Denn zu spät durfte sie nicht kommen.

Sie zog, als sie das Tor passieren wollte, ihren Dauerausweis aus der Tasche. Aber der Posten kannte sie und winkte ab. »Immer nur herein!« rief er. »Von Ihrer Sorte können wir hier nie genug haben.«

Elisabeth Freitag ging, ohne auch nur im geringsten zu zögern, auf den Block der 3. Batterie zu. Sie durchschritt die weit geöffnete Eingangstür und wurde dabei von interessiert dastehenden Soldaten grinsend bestaunt oder mit Anerkennung gemustert. Sie eilte die Treppen hinauf bis zum ersten Stock. Aber dort begab sie sich nicht durch die Flügeltür auf den Korridor. Sie blieb vor einer Tür stehen, auf der eine Visitenkarte fein säuberlich angeheftet worden war, worauf zu lesen stand: Wedelmann, Leutnant. Sie drückte auf den Klingelknopf.

Die Tür wurde kurz darauf geöffnet. Der neue Bursche von Wedelmann, der Kanonier Wagner, den der Hauptwachtmeister dem Leutnant heimtückischerweise zugeteilt hatte, stand im Türrahmen. »Na?« fragte er unwillig. »Was wollen Sie denn?«

»Kann ich Herrn Leutnant Wedelmann sprechen, bitte?«

»Was wollen Sie denn von ihm?«

»Ich will ihn sprechen, bitte. Privat.«

»Privat?« Wagner gab sich erstaunt. Dann sagte er: »Ein Leutnant ist immer im Dienst.«

»Na, schön. Dann will ich ihn dienstlich sprechen. Bitte!«

Wagner lehnte sich gegen den Türrahmen. »Sie und dienstlich? Was haben Sie denn Dienstliches mit ihm zu besprechen?«

Elisabeth war verzweifelt. Dieser Mensch brachte sie in maßlose Verlegenheit. Sie konnte nicht mehr länger hier auf der Treppe stehenbleiben.

Langsam wurde die Zahl der Soldaten, die sich in ihrer Nähe versammelt hatten, immer größer; sie gaben reichlich laut sachverständige Urteile ab. Jeden Augenblick konnte auch Herbert Asch auftauchen oder Vierbein oder Kowalski. Und keiner der drei durfte sie hier sehen. Sie mußte umkehren!

Doch ehe sie noch dazu kam, hörte sie die Stimme von Leutnant Wedelmann. »Was ist denn dort los, Wagner? Sind Sie hier als Klatschweib oder zum Stiefelputzen engagiert?«

»Da ist jemand«, sagte Wagner.

Wedelmann kam unwillig näher. Als er Elisabeth Freitag erkannte, wurde er verlegen. Er sah auf seine Reithose hinunter, die in grünen Wollsocken steckte. »Entschuldigen Sie meinen Aufzug«, sagte er. »Was kann ich für Sie tun, Fräulein Freitag?«

»Darf ich Sie sprechen?«

»Mich? In meiner Wohnung? Um diese Zeit?«

»Bitte.«

»Kommen Sie herein«, sagte Wedelmann eilig. Er ging voran und stieß die Tür zu seinem Wohnzimmer auf. »Hier, bitte. Nehmen Sie Platz. Ich komme sofort, ich muß mich nur fertig anziehen.«

Elisabeth sah sich prüfend um. Der nicht sonderlich große Raum war ohne besondere Feinheiten möbliert: Schreibtisch, Bücherregal, drei Sessel, ein kleiner Tisch, Stehlampe. An den Wänden Urkunden, zwei nachgedruckte Aquarelle, zahlreiche Fotos. Ein grüner Teppich, weiß punktiert; ein kurzer Läufer. An den Fenstern grüne, stark ausgeblichene oder leicht bestaubte Vorhänge. Auf dem Schreibtisch: ein aufgeschlagenes Buch, »Glaube an Deutschland« von Zöberlein, ein Stapel Zeitungen, drei blaue Vorschriften, Zigarettenreste, eine Schnapsflasche und ein Wasserglas.

Wedelmann betrat in vollständiger Uniform den Raum. Er betrachtete sie mit Wohlgefallen. »Was führt Sie zu mir, am frühen Morgen?«

»Hoffentlich störe ich Sie nicht.«

»Sie stören nie«, versicherte Wedelmann. Es bereitete ihm Freude, sie betrachten zu dürfen. Sie war schön, selbst im grellen Licht der frühen Vormittagssonne; viel schöner noch, als sie ihm im Lokal »Bismarckshöh« erschienen war oder in der Kantine für Unteroffiziere.

»Nehme ich Ihnen auch nicht zuviel Zeit weg?«

»Verfügen Sie über mich und meine Zeit«, sagte Wedelmann; und er meinte auch das, was er sagte. Außerdem konnte er sich bequem diese Geste leisten. Das Geschützexerzieren begann um acht Uhr und fünfzehn Minuten; wenn er nicht rechtzeitig da war, wurde verabredungsgemäß ohne ihn angefangen. Und vor neun Uhr war keine Kontrolle zu erwarten.

»Ich wollte Sie bitten, mir zu helfen«, sagte Elisabeth.

»Wie kann ich das?« fragte Wedelmann überaus hilfsbereit. Elisabeth

Freitag gefiel ihm; sie hatte ihm schon immer gefallen. Sie war bestimmt bei weitem nicht so kompliziert wie Ingrid Asch und weit angenehmer und verläßlicher als Lore Schulz; von den Bürgerstöchtern mit Versorgungstick und den Freudenmädchen mit Geschäftsinstinkt erst gar nicht zu reden. Diese Elisabeth Freitag war gesund; sie würde sich, gleich in welcher Situation, auch entsprechend benehmen.

»Ich will ganz aufrichtig zu Ihnen sein«, sagte Elisabeth. »Und ich glaube, ich darf das auch.« Sie zögerte kurz; dann sagte sie schnell: »Sie wissen doch, daß ich mit Herbert Asch ... daß der Gefreite Asch und ich ... Sie saßen doch erst vorigen Samstag mit uns am gleichen Tisch, nicht wahr?«

»Aber gewiß«, sagte Wedelmann, »ich erinnere mich, selbstverständlich.« Er hatte Mühe, seine private Enttäuschung zu verbergen. Ihm wollte scheinen, als müsse er jetzt maßlos betrübt sein. Und er sagte sich: So ist das mit mir; so geht es mir immer. So laufen sie mir alle über den Weg; und eine nach der anderen läuft mir davon. Ein Leutnant ist, speziell in dieser Beziehung, ein armes Schwein; und ich bin eins der ärmsten, denn ich habe viel zuviel Anstandsgefühl im Leib, das versaut mir selbst die günstigsten Gelegenheiten.

»Ich hatte damals das Gefühl«, sagte Elisabeth offen, »daß Sie gut von Herbert Asch dachten, daß Sie sich womöglich gar, wenn ich das sagen darf, und wenn es das zwischen Untergebenen und Vorgesetzten gibt, freundschaftlich zu ihm hingezogen fühlten.«

»Doch, doch«, sagte Wedelmann überzeugt, »das gibt es.« Er fühlte sich ein wenig geschmeichelt, und das stimmte ihn gerührt.

»Auch Herbert Asch, der Gefreite Asch, denkt gut von Ihnen, Herr Leutnant. Er ist Ihnen sehr zugetan. Er schätzt Sie, ja, er verehrt Sie sogar.«

»Das freut mich«, sagte Wedelmann lebhaft und mit kaum gedämpftem Stolz. Daß seine Untergebenen ihn respektierten, war selbstverständlich, daß sie ihn schätzten, war sein Wunsch, daß es aber sogar einige gab, die ihn liebten und verehrten, das erfüllte ihn mit Freude und Genugtuung.

»Liebes Fräulein Freitag«, sagte der Leutnant, »auch ich schätze den Gefreiten Asch sehr, sogar als Soldaten, obwohl ich ihn nicht für ein Musterbeispiel halte, was gar keine Kritik sein soll, nur eine Feststellung. Aber geradezu sympathisch ist er mir als Mensch, nicht zuletzt Ihretwegen. Ich weiß nun nicht, warum Sie gekommen sind, aber wenn vielleicht dieser Gefreite Asch sich weigern sollte, alle Konsequenzen zu ziehen, die sich aus dem Verhältnis, aus seinem Verhalten Ihnen gegenüber ergeben haben, dann dürfen Sie in Besonderheit auf mich rechnen. Dann werde ich ihn zu seinem Glück zu zwingen wissen, eben weil ich ihn so sehr schätze.«

Der Leutnant schwieg. Und er bemerkte, daß ihn Elisabeth forschend, fast ein wenig mißtrauisch ansah. Sollte er Unsinn gequatscht haben? Immerhin möglich. Er war Soldat, kein Seelsorger; und auf privaten Gebieten unterliefen ihm immer wieder Schnitzer. Er wunderte sich zwar nicht mehr darüber, aber es war ihm immer wieder peinlich.

»Herr Leutnant«, sagte Elisabeth freundlich, »es handelt sich nicht um mein Privatleben und auch nicht um das von Herbert Asch.«

»Aha!« sagte Wedelmann erfreut und fühlte sich sofort um Grade sicherer. »Es handelt sich also um eine rein dienstliche Angelegenheit?«

»Ich glaube schon.«

»Sie glauben das nur, Fräulein Freitag? Sie wissen das nicht sicher?«

»Ich vermute es.«

»Und was vermuten Sie?«

Elisabeth begann zu erzählen. Sie war völlig aufrichtig. Sie wußte nicht sonderlich viel, aber sie verschwieg nichts von dem, was sie wußte. Sie sprach aus, was sie zu vermuten sich gezwungen sah.

Leutnant Wedelmann hörte ihr aufmerksam zu. Seine Unruhe war gewichen, sein junges, längliches Gesicht sah ernst und ruhig aus. Die Sicherheit, die ihn jetzt erfüllte, war fast körperlich spürbar. Hier bewegte er sich auf einem Gelände, das ihm bekannt war; hier brauchte er nicht verwirrt durch Seelen- und Sexualschluchten zu stolpern.

»Was Sie da behaupten, beziehungsweise vermuten«, sagte er nach angemessener Pause, »das klingt absurd. Aber ich halte es dennoch für möglich.«

»Sie glauben also auch, daß er es fertigbringt?«

»Daß er es fertigbringen könnte – ja, das ist, unter Umständen, denkbar. Auch die Motive, die Sie kennen, beziehungsweise vermuten, leuchten mir ein. Wenn ich einen Freund hätte, und er würde vor meinen Augen, an meiner Seite, zum Selbstmord getrieben, dann ... Aber ich habe keinen Freund.«

»Ich habe mir das alles zusammengereimt, Herr Leutnant«, sagte Elisabeth zutraulich. »Ich weiß nicht einmal, ob es stimmt, ob es auch nur annähernd stimmt. Vielleicht irre ich mich, vielleicht ist alles anders, viel harmloser. Aber ich mußte damit zu Ihnen kommen, nur zu Ihnen allein, denn ich habe zu niemand anders Vertrauen.«

»Ich will ehrlich versuchen, Sie nicht zu enttäuschen«, sagte Wedelmann aufrichtig.

»Sie sind ein wunderbarer Mensch«, sagte Elisabeth. »Ich habe Sie sehr gern.«

Wedelmann war rot geworden. »Nein, nein«, wehrte er ab. »So ist das ja nun auch wieder nicht. Betrachten Sie mich, bitte, nicht als Wohltäter oder gar als eine Art Ehrenmann. Ich bin da ganz kalt, ich schalte da alle meine persönlichen Regungen aus. Selbstverständlich.«

»Selbstverständlich«, sagte Elisabeth und strahlte ihn voller Zuversicht an.

Wedelmann erhob sich, um ihren Blicken auszuweichen. »Wenn ich diese

Sache in die Hand nehme«, sagte er, »dann doch letzten Endes nur aus rein dienstlichen Gründen. Mir geht es allein um die Disziplin, um das Ansehen der Wehrmacht sozusagen. Oder, auf den einfachsten Nenner gebracht: Ich will in der Batterie, wo ich Dienst tue, keine gefährlichen Schweinereien aufkommen lassen. Letzten Endes würde ja schließlich doch nur alles auf mich zurückfallen.«

»Sie sind ein liebenswerter Mensch, Herr Wedelmann.«

»Ach was!« rief der und unterdrückte seine wieder mächtig in Bewegung geratenen Gefühle. »Ich kann mir eine Schweinerei in meinem Bereich einfach nicht leisten, wenn ich sie auch gewissen Unteroffizieren von Herzen gönnen würde. Aber bleiben wir sachlich. Wir müssen also damit rechnen, daß Asch, allerdings nur geistig, Amok läuft. Bis jetzt kann noch nichts passiert sein. Jetzt ist es erst acht Uhr und dreißig Minuten, das Geschützexerzieren hat gerade begonnen. Vorher, von sieben bis acht Uhr, war Batterieunterricht über Erste Hilfe bei Unglücksfällen, durch einen Sanitätsfeldwebel. Dabei gibt es keine Reibungsflächen; die Soldaten benutzen diese Stunde meist, um ein kleines Vormittagsschläfchen zu tun. Ganz früh morgens ist hier niemals was los. Aber jetzt, beim Geschützexerzieren, könnte es vielleicht gefährlich werden, wenn Asch die feste Absicht dazu haben sollte.«

»Was werden Sie tun, lieber Herr Wedelmann?«

»Ganz einfach«, sagte der. »Ich werde den Gefreiten Asch isolieren. Ich kann ihn zum Beispiel den ganzen Tag auf der Bekleidungskammer einsperren. Dort kann er schlafen oder mit Wachtmeister Werktreu Karten spielen. Die beiden sollen das übrigens häufig machen.«

»Ich weiß nicht, wie ich Ihnen danken soll, Herr Wedelmann.«

»Mir wird schon was einfallen«, sagte der Leutnant unternehmungslustig. »Sie können mich ja zur Verlobung einladen.«

»Sie sind herzlich eingeladen.«

»Pate«, sagte der Leutnant, »wollte ich auch immer gerne einmal werden«. Er bemerkte mit stiller Freude, daß Elisabeth sanft errötete. Er fand es bewegend, so vertrauensvoll mit einem Menschen sprechen zu dürfen; danach hatte er sich, gestand er, schon immer gesehnt.

»Aber zunächst einmal«, sagte er, »wollen wir eine Lawine verhindern.«

Elisabeth ergriff seine Hand und drückte sie fest. Sie sagte: »Hoffentlich kommen Sie nicht zu spät.«

Der Hauptwachtmeister Schulz war am frühen Morgen dabei, seiner Frau Lore einen Vortrag über Benehmen zu halten. Er vermied es, sie direkt anzusprechen, denn das wäre zu persönlich gewesen; und eine derartige Regung hatte sie nicht verdient. Sie sollte nur wissen, was er von ihr hielt, und darüber aufgeklärt werden, was er von ihr erwartete.

»Die Frau eines Hauptwachtmeisters«, sagte er, am Küchentisch sitzend, »hat also Pflichten, denen sie sich nicht entziehen kann. Es schadet ihrer Würde, wenn sie sich mit Untergebenen ihres Mannes einläßt, und es gefährdet die Disziplin, wenn sie es mit Vorgesetzten treibt.«

»Und welche Dienstgrade sind zulässig?« fragte Lore Schulz wenig freundlich.

Schulz setzte mit würdiger Empörung klirrend seine Kaffeetasse ab. Er sah tadelnd seine Frau an, die sich gegen den Küchenschrank gelehnt hatte, und die wohlweislich nicht dazu aufgefordert worden war, sich neben ihn an den Tisch zu setzen. »Am Ende«, sagte er, »bist du noch stolz auf das, was du dir geleistet hast!«

»Was soll ich denn tun?« fragte sie böse und verzweifelt. »Soll ich auf die Knie fallen, dicke Tränen weinen und dich händeringend um Verzeihung bitten? Wofür eigentlich? Dafür, daß du mich vernachlässigt hast? Dafür, daß du kein normaler Mensch bist?«

Schulz betrachtete seine Frau vorwurfsvoll. Sie weinte; das stimmte ihn versöhnlich, weil er darin ein sicheres Zeichen seiner Überlegenheit sah. Sie war moralisch so gut wie erledigt, und so mußte es auch sein. Geschütze ausrichten, Gäule zureiten, Menschen hinbiegen – das muß verstanden sein. Ein jeder kann das nicht.

»Einmal«, sagte er, »werde ich dir verzeihen, wenn ich das sichere Gefühl habe, daß du endlich spurst.«

Er trank seinen Kaffee mit Genuß aus, sah noch einmal auf die Uhr, um zu überprüfen, ob seine Frau die Küchenuhr genau nach der Kasernenzeit eingestellt hatte. Es war acht Uhr und zehn Minuten. Dann erhob er sich und verließ seine Wohnung.

Der Hauptwachtmeister begab sich gut gelaunt in seine Schreibstube. Hier warteten bereits der Schreibstubenunteroffizier, der Unteroffizier vom Dienst, Unteroffizier Lindenberg und der Kanonier Wagner auf ihn. Alle nahmen Haltung an, als sie ihn sahen, produzierten Ehrenbezeigungen, rührten dann wieder, als er es ihnen erlaubte.

»Was wollen Sie, Würstchen?« fragte er den Kanonier Wagner.

»Herr Leutnant Wedelmann«, sagte der, »wünschen, daß ich sofort abgelöst werde.«

Der Hauptwachtmeister strahlte. Das ging schneller, als er gedacht hatte; dieser Wedelmann muß auf der Palme sein, wie man so treffend sagt. Vorzüglich. »Und warum?« fragte er freundlich.

»Herr Leutnant haben gesagt, ich wäre ein Idiot«, meldete Wagner völlig ungeniert.

Schulz war hochbefriedigt. Dann verkündete er: »Sagen Sie dem Leutnant Wedelmann, ich habe in der Batterie lauter solche Idioten wie Sie! Es ist ganz zwecklos, daß ich Sie austausche. Sie bleiben auch weiterhin Bursche bei

Leutnant Wedelmann. Schwirren Sie los, Mann! Überbringen Sie ihm die frohe Botschaft!«

Nachdem der Kanonier Wagner die Schreibstube verlassen hatte, nahm der Hauptwachtmeister die Tagesmeldung des Schreibstubenunteroffiziers und die Dienstpost entgegen. Er durchblätterte die eingegangenen Befehle, warf einen flüchtigen Blick auf die Briefe und sagte dann: »Na schön. Immer wieder derselbe Mist. Der nächste.«

Der Unteroffizier vom Dienst fühlte sich angesprochen und brachte seine Meldungen an: »Nachturlaubsscheine vollzählig. Zwei Kranke. Schäden in der unteren Latrine beseitigt. Sonst keine besonderen Vorkommnisse.«

Der Hauptwachtmeister nahm das Tagesbuch des Unteroffiziers vom Dienst entgegen und überprüfte die Meldung an Hand der Eintragungen. »Schäden in der unteren Latrine beseitigt«, sagte er nachdenklich.

»Wie befohlen«, sagte der Unteroffizier vom Dienst. »Die Handwerker der Batterie haben eine Scheibe neu eingeglast und die beschädigte Decke verputzt.«

»Ist die Kugel gefunden worden?«

»Jawohl«, sagte der Unteroffizier vom Dienst. Er zog sein nicht sonderlich sauberes Taschentuch hervor, entfaltete es umständlich und entnahm ihm ein zigarettenstummelgroßes zerquetschtes Gebilde aus Blei und Stahl. »Eine Gewehrkugel«, sagte er.

Der Hauptwachtmeister richtete sich plötzlich auf und wurde sehr lebhaft. »Sind Sie sicher, daß es sich hier um eine Gewehrkugel handelt?« fragte er.

»Absolut«, sagte der Unteroffizier vom Dienst. »Typisch Gewehr 98 k. Wunderlich, der Unteroffizier für Waffen und Gerät, meint das auch.«

Schulz griff nach dem kleinen Klumpen aus Blei und Stahl; und er griff widerwillig danach, als ekele ihn davor. Er legte ihn auf seine Schreibunterlage. Und er fragte sich: Sollte etwa doch ...? Das wäre ungeheuerlich! Folgen einfach nicht abzusehen. Aber dann hätte er die Spuren nicht verwischen, besser: nicht auslöschen dürfen! Doch das alles ist Unsinn!

»Es ist gut«, sagte er und löste sich mit Gewalt von seinen düsteren Gedanken. »Die beiden Kerle, die sich krank gemeldet haben, traben nachher hier an. Das werden wir überhaupt grundsätzlich so einführen.« Er wandte sich an seinen Schreibstubenunteroffizier. »Entwerfen Sie einen diesbezüglichen Batteriebefehl, Frost. Wer sich in Zukunft krank meldet, muß mir unmittelbar nach der Untersuchung persönlich Bericht erstatten, es sei denn, er kratzt ab oder hat eine ansteckende Krankheit.«

Frost sagte: »Jawohl, Herr Hauptwachtmeister.« Er sagte das nicht besonders markig, eigentlich sogar ausgesprochen lasch; als Soldat war er eine Null, aber als Schreibkraft war er, besonders für Schulz, einfach unbezahlbar.

Der Hauptwachtmeister beschäftigte sich inzwischen damit, nachzuprüfen, ob seine Bunt-, Kopier- und Bleistifte befehlsgemäß gespitzt, geordnet und ausgerichtet waren. Sie waren es. Der Unteroffizier vom Dienst fühlte sich als entlassen, grüßte und entschwand. Jetzt stand nur noch Unteroffizier Lindenberg da wie eine Gedenksäule.

»Na – und Sie?« fragte der Spieß ungnädig; denn immer, wenn er den Supersoldaten Lindenberg, den Eisernen, den Unbestechlichen, den Ewigen, sah, fühlte er sich herausgefordert. »Womit wollen Sie sich wieder wichtig machen?«

»Eine Meldung, Herr Hauptwachtmeister.«

»Zeigen Sie den Wisch schon her«, sagte Schulz.

Lindenberg legte das einstmals blütenweiße Papier, auf dem nunmehr große Buchstaben aufmarschiert und sauber ausgerichtet worden waren, auf den Schreibtisch des Hauptwachtmeisters.

Der warf zunächst einen flüchtigen Blick darauf, dann stutzte er, richtete sich auf und sah Lindenberg mit Ausdauer an, was der, ohne mit der Wimper zu zucken, über sich ergehen ließ. Dann las Schulz erneut, langsam, umständlich, Wort für Wort.

Und er las das:

»Meldung.

Ich melde hiermit den Gefreiten Herbert Asch zur Bestrafung, weil er am heutigen Morgen noch fünfzehn Minuten nach dem Wecken in herausfordernder Weise im Bett lag und, von mir zur Rede gestellt, ein undiszipliniertes Verhalten an den Tag legte, wobei er nicht nur die Anrede in der dritten Person fortfallen ließ, sondern auch im Zusammenhang mit meiner Wenigkeit Wortspiele gebrauchte wie ›Aufseher‹ und ›Sklavenhalter‹, und zwar in Gegenwart von anderen Soldaten.

Lindenberg, Unteroffizier«

Hauptwachtmeister Schulz schwieg lange. Dann sagte er: »Der linke Rand, den Sie auf Ihrer Meldung gelassen haben, ist nicht groß genug. So kann ich den Wisch nicht einheften.«

Unteroffizier Lindenberg schwieg und verriet nicht im geringsten, daß ihn diese Bemerkung seines Hauptwachtmeisters ehrlich erschüttert hatte. Diese formale Zurechtweisung hatte er am wenigsten erwartet und auch bestimmt nicht verdient. Gewiß, normalerweise sollte der linke Rand fünf Zentimeter betragen, aber er war bereit, um seinen Kopf zu wetten, daß er nicht geringer als vier Zentimeter war.

»Und was«, wollte der Hauptwachtmeister wissen, »verstehen Sie unter: lag in herausfordernder Weise im Bett?«

»Er hatte Teile des Unterkörpers entblößt und sah mich herausfordernd an.«

Schulz schüttelte den Kopf. Er warf die Meldung auf den Tisch und schlug mit der flachen Hand darauf. »Können Sie das beeiden?« fragte er.

»Jawohl, Herr Hauptwachtmeister«, sagte der Unteroffizier straff. »Außerdem habe ich Zeugen.«

»Wer ist Zeuge?«

»Der Obergefreite Kowalski, Herr Hauptwachtmeister.«

»Und wer noch?«

»Nur der Obergefreite Kowalski, Herr Hauptwachtmeister.«

»Dann«, sagte Schulz mit Stärke, »haben Sie eine falsche Meldung abgegeben. Sie schreiben hier: ... in Gegenwart von anderen Soldaten! Andere sind mehrere. Und wenn das, was hier passiert sein soll, was noch gar nicht bewiesen ist, vor mehreren Soldaten erfolgt wäre, dann würde es sich um Meuterei handeln. Vor versammelter Mannschaft! Aber plötzlich ist es nur noch einer gewesen. Was denken Sie sich eigentlich, Lindenberg?«

Der fühlte sich überrannt. Er war den Methoden seines Hauptwachtmeisters nicht gewachsen; und selbst wenn er es gewesen wäre, hätte vermutlich sein ausgeprägtes Gefühl für Disziplin ihn daran gehindert, das zu zeigen. Mühsam um Haltung bemüht, sagte er: »Aber das ändert doch nichts an den Ausdrücken, zu denen der Gefreite Asch sich hinreißen ließ, Herr Hauptwachtmeister.«

»Wollen Sie mich belehren?« verlangte Schulz zu wissen.

»Nein, Herr Hauptwachtmeister«, sagte der Unteroffizier.

Der Hauptwachtmeister schlug abermals mit der flachen Hand auf die Meldung. »Blöde Sache!« rief er verärgert. »Und Sie sind überzeugt, daß Sie sich nicht geirrt haben?«

»Nein, Herr Hauptwachtmeister.«

»Also Sie sind nicht davon überzeugt, daß Sie sich nicht geirrt haben?«

»Ich habe mich nicht geirrt, Herr Hauptwachtmeister.«

Schulz stand auf und ging auf den Unteroffizier zu. »Lindenberg«, sagte er vertraulich, »dieser Gefreite Asch ist immerhin ein ganz brauchbarer Soldat. Der war doch noch niemals so. Haben Sie ihn denn gereizt? Oder haben Sie sich doch verhört? Er wird etwas ganz anderes gemeint haben.«

»Nein, Herr Hauptwachtmeister.«

»Hören Sie mal gut zu, Lindenberg. Ich halte nicht viel von solch einer Meldung. Das läßt sich anders bereinigen. Schleifen Sie ihn meinetwegen, bis ihm das Wasser im Arsch kocht, bis er zusammenklappt wie ein Taschenmesser. Ich gebe Ihnen gerne Hilfestellung dabei. Na, wie ist es, Lindenberg. Bestehen Sie immer noch auf Ihrer Meldung?«

»Jawohl, Herr Hauptwachtmeister.«

»Und wenn Sie mir persönlich einen Gefallen damit tun würden?«

»Bedaure, Herr Hauptwachtmeister«, sagte Lindenberg unerschüttert, »aber ich muß darauf bestehen.«

»Na schön!« brüllte der Spieß auf. »Meinetwegen! Wenn Sie das nicht anders haben wollen, dann werden wir diese Angelegenheit näher untersuchen. Aber gnade Ihnen Gott, wenn Ihre Meldung nicht in allen Punkten haargenau stimmt. Und jetzt hauen Sie ab und schleppen Sie Kowalski und Asch herbei. Aber mit Tempo!«

Lindenberg produzierte eine seiner prachtvollen Ehrenbezeigungen und verschwand im Eiltempo.

Hauptwachtmeister Schulz trabte verärgert zum Telefon. Frost, der Schreibstubenunteroffizier, der ihn verstohlen betrachtete, wußte ganz genau, warum der Spieß diese Meldung vermeiden wollte. Er konnte sie sich nicht leisten; aus einem ganz bestimmten Grund nicht. Und Frost war fest davon überzeugt, daß sich Schulz jetzt mit dem Ia-Schreiber der Abteilung verbinden lassen würde.

»Bitte den Abteilungsstab«, sagte Schulz in den Telefonhörer hinein. »Den Ia-Schreiber, Oberwachtmeister Köhler. – Hier ist Schulz, 3. Batterie. Hör mal zu, Köhler. Ich habe doch da vor einigen Tagen Beförderungsvorschläge zum Unteroffizier für den Kommandeur heraufgeschickt. – Jawohl, die meine ich. Kann ich die zurückhaben? – Beim Major in der Mappe? Nimm sie doch einfach 'raus! Ich muß da noch was korrigieren. – Das geht nicht mehr? Der Major hat sie bereits gesehen? Auch schon unterschrieben? – Das ist vielleicht eine Sauerei, Köhler. Gerade im unpassenden Augenblick. Aber ich bügle die Sache schon wieder gerade.«

Schulz legte den Hörer langsam wieder in die Gabel zurück. Das war eine Panne. Er ließ sich in seinen breiten, bequemen Stuhl fallen und starrte angestrengt nachdenkend auf die Schreibtischplatte. Dort lag noch immer aufreizend dieses Gebilde aus Stahl und Blei, das einmal eine Kugel gewesen war, die irgend jemand aus einem Gewehr 98 k abgefeuert hatte. Aber wer? Und auf wen? Ärger hatte man hier am laufenden Band!

Unteroffizier Lindenberg erschien wieder und meldete, daß der Obergefreite Kowalski und der Gefreite Asch im Korridor warteten.

»Zuerst Kowalski«, befahl der Hauptwachtmeister. Und als Kowalski mit entgegenkommendem Grinsen die Schreibstube betreten hatte, fragte ihn Schulz ohne Übergang: »Haben Sie gehört, daß der Gefreite Asch den Unteroffizier Lindenberg mit ›Aufseher‹ oder ›Sklavenhalter‹ bezeichnet hat?«

»Nein, Herr Hauptwachtmeister«, sagte der Obergefreite Kowalski bieder.

»Aber Sie waren doch dabei, Obergefreiter Kowalski!« rief Lindenberg.

»Wobei soll ich gewesen sein?« fragte Kowalski zurück.

»Heute morgen, auf der Stube!«

»Mischen Sie sich hier nicht ungefragt ein, Lindenberg!« rügte Schulz scharf. Diese Entwicklung des Gesprächs behagte ihm sehr. Das war ganz nach seinem Herzen. Es tat ihm wohl, zu sehen, wie Lindenberg seine Beherrschung verlor und seine Gesichtsfarbe wechselte.

»Also wie war das nun, mein lieber Kowalski«, fragte der Spieß den Obergefreiten. »Sie haben also nichts Derartiges gehört?«

Der Obergefreite grinste herzgewinnend. »Ich habe überhaupt nichts gehört, Herr Hauptwachtmeister. Jedenfalls keine Einzelheiten. Der Unteroffizier hat sich mit dem Gefreiten Asch angeregt unterhalten, gewiß, aber worüber sie sich unterhalten haben, weiß ich nicht. Ich werde mich doch nicht in fremde Gespräche mischen.«

»Sie müssen das aber gehört haben!« rief Lindenberg mit schriller Stimme.

»Warum muß ich, Herr Unteroffizier?«

Lindenbergs Stimme überschlug sich; sie gurgelte und fauchte. »Sie infamer Lügner!«

»Herr Unteroffizier Lindenberg!« rief der Hauptwachtmeister scharf. »Ich verbitte mir jegliche Verbalinjurien in meiner Gegenwart. Sie haben ja Ihre ganze Beherrschung verloren, Mann! Sind Sie krank?«

»Herr Hauptwachtmeister, ich ... ich muß doch sehr bitten ... ich bitte darum ...«

»Ich allein führe hier die Untersuchung, Herr Unteroffizier Lindenberg. Ich verbitte mir jede Einmischung. Wo bleibt denn Ihre Disziplin? Sie sind ja ganz außer sich! Sie begeben sich sofort auf Ihre Stube, Herr Unteroffizier Lindenberg, und warten dort meine weiteren Befehle ab.«

Lindenberg stelzte steif hinaus. Der Hauptwachtmeister blickte ihm mit unbeschreiblicher Genugtuung nach. Er glaubte, einen großen Sieg errungen zu haben. Kurz nickte er zufrieden.

»Mein lieber Kowalski«, sagte er zum Obergefreiten, der aufmerksam zuhorchend vor ihm stand. »Ihre Aussagen sind mir sehr wertvoll. Sie sind natürlich bereit, dieselben jederzeit zu beeiden?«

»Natürlich, Herr Hauptwachtmeister.«

»Gut, mein Lieber. Dann sind Sie hier vorläufig entlassen. Aber bleiben Sie in der Nähe, ich brauche Sie vielleicht noch. Der Gefreite Asch soll jetzt kommen.«

»Kommen Sie näher, Asch«, sagte der Hauptwachtmeister und musterte den Gefreiten gönnerhaft. »Da habe ich hier eine Meldung des Unteroffiziers Lindenberg. Sie kennen den Inhalt? Na, schön. Lindenberg behauptet darin, Sie hätten ihn ›Antreiber‹ und sogar ›Sklavenhalter‹ genannt. Was sagen Sie dazu?«

»Das stimmt, Herr Hauptwachtmeister«, sagte Asch mit verkniffener Freundlichkeit.

Schulz zuckte zusammen. »Was stimmt?«

»Ich habe den Unteroffizier Lindenberg Antreiber und Sklavenhalter genannt. Der ist ja auch einer.«

»Ich höre wohl schlecht?« fragte Schulz maßlos verblüfft. »Das kann doch nicht Ihr Ernst sein?«

»Doch«, sagte Asch, »das ist mein Ernst. Das ist ja auch die Wahrheit.«

»Ich warne Sie, Asch!«

»Wovor denn? Auf mich wird keiner schießen.«

»Was?«

»Aber wenn das nächstemal wieder auf Sie geschossen wird, und vermutlich brauchen Sie nicht allzu lange darauf zu warten, dann ist doch möglich, daß der Schütze besser zielt. Es kann doch gar nicht so schwer sein, Sie zu treffen. Sie geben eine gute Zielscheibe ab. Was haben Sie denn? Ist Ihnen schlecht? Wenn ich Sie wäre, würde mir oft schlecht werden. Ich würde mich zum Kotzen finden.«

Hauptwachtmeister Schulz erhob sich und streckte die Arme aus, als wolle er einen Bannfluch schleudern. »Sie sind verhaftet«, sagte er. Und das klang beinahe feierlich.

Hauptmann Derna, der gerade in seiner Privatunterkunft ein »Schalerl Kaffee« trank, worunter fünf vollgefüllte Tassen zu verstehen waren, sah nervös auf die Uhr. »Ist mein Wagen denn noch nicht da?«

Frau Behrends, Witwe Behrends im stattlichen Alter und guterhaltenen Zustand, bei der er wohnte, beruhigte ihn. »Der Wagen ist immer pünktlich. Es ist erst in vier Minuten drei Viertel neun.«

»Fünf Minuten vor der Zeit, ist des Soldaten Pünktlichkeit«, sagte Hauptmann Derna. Diesen Spruch, der norddeutschen, um nicht zu sagen preußischen Ursprungs war, hatte er neulich irgendwo aufgeschnappt und sich gemerkt. Er gefiel ihm; und in Besonderheit erfreute sein musisches Herz, daß er sich reimte.

Hauptmann Derna stand ungeduldig am Fenster und sah auf die Straße. Witwe Behrends, die das Privatleben des charmanten Mannes aus der Ostmark hingebungsvoll betreute, mißbilligte diese allmorgendliche Unruhe; sie hätte sie zu anderer Zeit und in anderer Situation weit lieber gesehen.

Doch Derna sah sich jeden Morgen einem neuen Tag gegenüberstehen, der Schwierigkeiten bringen könnte. Unannehmlichkeiten, Mißgriffe, Fehlurteile. Es war nicht leicht für ihn, in Preußen zu sein. Er mußte sich – wie sagt man doch gleich hier? – »mächtig am Riemen reißen«, wenn er nicht unangenehm auffallen wollte. Das ihm anvertraute Schiff mußte durch die Klippen gesteuert werden; die sicherste Methode, es dort durchzubringen, hieß: Auf günstiges Wetter warten und behutsam fahren. Und Major Knollengesicht in hohem Bogen ausweichen!

»Der Wagen ist da«, sagte Frau Behrends. Sie eilte mit der Kleiderbürste auf ihn zu, fahndete nach Stäubchen, Härchen, Fusselchen. Sie bürstete ihn liebevoll, von den gutwattierten Schultern hinunter zum strammen Gesäß.

Derna war nicht mehr der jüngste, aber die Elastizität war sehenswert, mit der er die Treppen hinabstieg, sich zu seinem Kübelwagen begab und den Fahrer begrüßte. Er wollte den Kraftfahrer rügen, unterließ das dann aber, da er sich ja schließlich nicht verspätet hatte. Außerdem wäre es unklug, fast schon ein Selbstmordversuch gewesen, wenn er sich dazu hätte hinreißen lassen, heftig zu tadeln; der Mann wäre unsicher geworden, sein Selbstvertrauen hätte er verloren, die Furcht hätte ihn gepackt – und ein schwerer Unfall könnte durchaus im Bereich der Möglichkeiten liegen.

»Zur Kaserne«, sagte Hauptmann Derna. »Vorher fahren wir bei Stabsarzt Dr. Sämig vorbei.«

»Jawohl, Herr Hauptmann«, sagte der Kraftfahrer. Er fand, daß dieser Befehl völlig unnötig war, denn er wurde, im gleichen Wortlaut, regelmäßig jeden Morgen gegeben. Er legte den Gang 'rein und fuhr los. Oben am Fenster wurde Frau Behrends sichtbar; die Gardine bewegte sich heftig, als sei beabsichtigt gewesen, mit ihr zu winken.

Derna saß kerzengerade hinten rechts im Kübelwagen. Es sah aus, als sei er dort anmontiert worden. In der »Straße der SA« wartete bereits der Stabsarzt vor seinem Haus. »Guten Morgen, Herr Kamerad!« rief Derna, wie jeden Morgen, mit Herzlichkeit.

»Guten Morgen, Herr Hauptmann!« rief der Stabsarzt nicht minder herzlich. Dann stieg er behende ein und setzte sich zur Linken von Derna. Der Kübelwagen fuhr sofort weiter.

Der Hauptmann Derna, der sich hier »im rauhen Norden« immer ein wenig einsam gefühlt hatte, war bemüht gewesen, die Freundschaft des Stabsarztes zu erringen, was ihm auch gelungen zu sein schien. Derna, der Wiener, der sich akklimatisieren mußte, was ihm mächtig schwerfiel, wurde von seinen Offizierskameraden nicht ganz für voll genommen; Dr. Sämig, der Stabsarzt, auch nicht, denn er gehörte eigentlich in eine niedere Kategorie der Offizierssoldaten, war also einwandfrei zweitrangig. Bedauerlich der Zustand, aber doch verständlich. Und so hatten sie sich denn beide gesucht und gefunden. Sie richteten sich aneinander auf.

»Ein schöner Tag«, sagte Derna.

»Da wird es nur wenige Krankmeldungen geben«, sagte Sämig.

Der Kübelwagen verließ die Innenstadt und rollte auf die Chaussee, die zur Kaserne führte. Der Hauptmann und der Stabsarzt spürten, wie gut sie sich verstanden, auch ohne viel miteinander zu reden. Der Kraftfahrer erhöhte das Tempo, um schneller ans Ziel zu gelangen. Er wollte seine Fracht loswerden, um dann den Rest des Tages mit Waschen und Pflege des Kübelwagens zu verbringen, was gleichbedeutend mit ungestörtem Halbschlaf war.

Der Posten riß das Tor auf und ließ den Wagen unkontrolliert passieren. Er rief durch das Fenster in das Wachlokal hinein: »Chef dritte und Stabsarzt.« Worauf sofort der telefonische Warndienst in Tätigkeit trat.

Der Wagen hielt zunächst vor dem Abteilungsgebäude, um Dr. Sämig abzusetzen. Aber ehe noch der Stabsarzt dazu kam, sich von Hauptmann Derna zu verabschieden, wurde über ihnen ein Fenster geöffnet und Luschke, das Knollengesicht, erschien dort.

»Morgen, meine Herren«, rief Major Luschke zunächst einmal und wartete dann geduldig auf das, was sich nunmehr vor seinen Augen abspielen würde. Hauptmann Derna, der sofort einsah, daß es einfach unmöglich war, den Kommandeur vom Kübelwagen aus, also im Sitzen, zu grüßen, erhob sich schleunigst und stieg aus. Dann erst, den Kopf hoch zum ersten Stock erhoben, produzierte er eine Ehrenbezeigung. Dr. Sämig tat desgleichen.

Major Luschke, das Knollengesicht, grinste süffisant. Er wartete immer noch seelenruhig. Er tat absolut nichts; er sah nur hinunter.

Hauptmann Derna war sichtlich verlegen. Er wußte einfach nicht, was er jetzt machen sollte. Und Dr. Sämig ging es genauso. Was sollten sie tun? Sollten sie abermals grüßen und sich dann entfernen, da der Kommandeur keine Anstalten machte, sich mit ihnen zu unterhalten? Oder hatten sie zu warten, bis sie der Kommandeur, der sie doch gerufen hatte, entließ?

Luschke, der Unberechenbare, weidete sich sichtlich an der nervösen Unentschlossenheit seiner beiden Offizierssoldaten. Er sagte noch immer nichts und sah nur höchst interessiert hinunter.

Da hatte Hauptmann Derna einen Einfall; und den hielt er geradezu für preußisch! Er meldete einfach: »3. Batterie – keine besonderen Vorkommnisse.«

Luschke, das Knollengesicht, strahlte förmlich. »Woher wissen Sie das eigentlich, Herr Hauptmann?« fragte er mit sanftester Stimme. »Haben Sie zu Hause Telefon? Ist heute früh schon der Hauptwachtmeister bei Ihnen gewesen? Oder waren Sie schon vorher einmal in der Kaserne?«

»Nein, Herr Major«, stotterte Derna, um Haltung bemüht.

»Ah!« rief Luschke genußvoll. »Vermutlich sind Sie Hellseher!«

Derna schwieg überrumpelt. Er wünschte sich, es wäre ihm möglich, in den Erdboden zu versinken. Dieser Major Luschke war eine ewige Heimsuchung für ihn, eine pausenlose Demütigung, eine endlose Kette Überraschungen.

»Jedenfalls«, sagte Major Luschke oben am Fenster, »ist Ihnen diesmal wenigstens etwas eingefallen. Das ist ein klarer Fortschritt. Der gute Stabsarzt dagegen scheint glatt die Sprache verloren zu haben – untersuchen Sie sich mal daraufhin, Doktor.«

Und damit verließ das Knollengesicht, unnachahmlich süffisant grinsend, das Fenster und ließ seine beiden Paladine betreten unten stehen. Der Kraftfahrer, der alles mitangehört hatte, feixte mächtig und völlig ungeniert.

Dr. Sämig bemühte sich um Haltung und verabschiedete sich korrekt. »Danke verbindlichst, Herr Hauptmann«, sagte er.

»Gern geschehen, Herr Kamerad«, sagte Hauptmann Derna und versuchte sich mit der unnachahmlichen Eleganz altösterreichischer Kavaliere zu verbeugen, was ihm diesmal aber nicht vollkommen glückte. Dann sagte er zu seinem Kraftfahrer: »Zur Batterie.«

Der Kraftfahrer dachte gar nicht daran, den Befehl zu bestätigen, er nickte nicht einmal. Er hielt das für überflüssig. Er feixte nur weiterhin ungeniert und wartete kaum, bis Derna wieder eingestiegen war. Er brauste los. Ruckartig hielt er vor dem Eingang zum Block der 3. Batterie.

»Danke, mein Lieber«, sagte Hauptmann Derna, der inzwischen seine Haltung wiedergefunden hatte. Er warf einen Blick auf den strahlend blauen Himmel, einen weiteren Blick auf den grünleuchtenden Rasen, einen dritten Blick auf die frisch gefegte Fahrbahn. Alles war, so wollte ihm scheinen, in allerbester Ordnung.

Immer noch elastisch stieg er die wenigen Treppen hoch, an der weit geöffneten Pendeltür vorbei, über den leeren Korridor. Er ging auf die Schreibstube zu. Dort stand Leutnant Wedelmann und legte die Hand an die Mütze.

»Guten Morgen, mein lieber Herr Leutnant Wedelmann«, rief Derna betont kameradschaftlich. »Freut mich, Sie zu sehen.«

»Guten Morgen, Herr Hauptmann«, sagte Wedelmann steif. »Darf ich Herrn Hauptmann sprechen?«

»Aber selbstverständlich, mein Lieber. Kommen Sie zu mir in mein Dienstzimmer.« Und dann, wieder ein wenig ängstlich geworden, fragte er: »Hoffentlich nichts Unangenehmes?«

»Leider, Herr Hauptmann«, sagte Wedelmann. »Tut mir leid.«

Derna, der gerade dabei war, Knollengesichts Sonderveranstaltung zu vergessen, fühlte sich erneut unbehaglich. Enttäuscht blinzelte er in das helle Sonnenlicht, das durch die Korridorfenster drang. »Kommen Sie«, sagte er.

Sie betraten die Schreibstube. Der Hauptwachtmeister erwartete sie bereits. Einige Leute standen herum und nahmen Haltung an. Schulz schrie: »Achtung!« und knallte die Hacken zusammen. Flüssig trompetete er seine Morgenmeldung. Und dann, abschließend, sagte er: »Gefreiter Asch, verhaftet!«

»So, so«, sagte Derna, nur um etwas zu sagen. Er angelte ein blütenweißes Taschentuch aus der Hose, aber er setzte es nicht in Tätigkeit. Er blickte sich um: Der Spieß hatte sich vor ihm aufgebaut und glich einem Rachegott, der Schreibstubenunteroffizier lauerte devot, Unteroffizier Lindenberg stand schon wieder einmal da wie ein Denkmal, in einer Ecke hielt sich der Gefreite Asch auf.

»So, so«, sagte Hauptmann Derna abermals.

»Ich komme in der gleichen Angelegenheit«, verkündete Leutnant Wedelmann.

Der Hauptmann zerknüllte nervös sein Taschentuch. Er war mehr als nur betrübt, er war erschrocken, wollte das aber nicht wahrhaben. Er enthielt sich vorerst jeder Stellungnahme; das gebot ihm nicht nur seine Erfahrung, in Besonderheit geschah das deshalb, weil ihm auf Anhieb nichts einfiel.

»Folgen Sie mir«, sagte Derna dann. Er ging voran in sein Dienstzimmer; Wedelmann und Schulz schlossen sich ihm an. Keiner sprach.

Der Hauptmann warf seine Handschuhe auf den Schreibtisch. Er setzte seine Mütze ab und übergab sie dem Hauptwachtmeister; dann schnallte er das Koppel ab und übergab es ebenfalls dem Hauptwachtmeister. Der hängte die ihm also übergebenen Gegenstände sorgfältig auf Kleiderhaken, die an der zweiten Tür, die gepolstert war und direkt auf den Korridor hinausging, angebracht waren.

Derna ließ sich nieder und zündete sich eine Zigarette an, zu der ihm Schulz eifrig Feuer gab. Leutnant Wedelmann hatte sich an das Fenster gestellt und schien hinauszuschauen. Eine bedrückende Stille lag im Raum.

Hauptmann Derna sah ein, daß er nunmehr nicht mehr schweigen konnte und daß es unmöglich war, jetzt Fragen zu stellen. »Habe ich vorhin recht gehört«, fragte er seinen Hauptwachtmeister. »Sie haben den Gefreiten Asch verhaftet?«

Ehe noch Schulz antworten konnte, mischte sich Leutnant Wedelmann ein. »Eine Verhaftung«, sagte er, »ist Unsinn. Damit eine Verhaftung erfolgen kann, müssen zwingende Gründe vorliegen oder ein unzweideutiger Befehl. Aber hier trifft keins von beiden zu. Ich nenne das: Überschreitung der Machtbefugnisse. Es kann aber auch Freiheitsberaubung sein.«

Der Hauptwachtmeister wollte aufbegehren, aber Derna hob beschwichtigend die Hand. Er trocknete sich eilig den Schweiß ab, der sein liebenswürdiges Kaffeehausgesicht zum Glänzen gebracht hatte. »Lieber Herr Leutnant Wedelmann«, sagte er überaus verbindlich, »ich weiß Ihre ausgezeichneten Kenntnisse zu schätzen. Aber ehe ich mich ihrer bediene, erlauben Sie mir bitte, daß ich methodisch vorgehe. Bitte, unterrichten Sie mich davon, Herr Hauptwachtmeister, was Sie dazu veranlaßt hat, eine Verhaftung vorzunehmen.«

»Es ist natürlich keine richtige Verhaftung, Herr Hauptmann, so mit Handschellen und Zelle. Der Gefreite Asch steht auf der Schreibstube, sozusagen ohne Bewachung, ihm ist also kein Härchen gekrümmt worden.«

»Ich darf darauf aufmerksam machen«, warf Wedelmann ein, »daß es, rein juristisch betrachtet, völlig genügt, das Wort Verhaftung auszusprechen. Von diesem Augenblick an steht der Verhaftete unter einer grundlegend veränderten, sozusagen verschärften Rechtsordnung. Zum Beispiel kann nunmehr bei einem Fluchtversuch ohne Warnung von der Schußwaffe Gebrauch gemacht werden. Und es ist gar nicht nötig, den Verhafteten zu fesseln oder einzusperren.«

»Ich«, verteidigte sich Schulz wild, »habe nicht gesagt: Sie sind verhaftet! Ich habe lediglich gesagt: Ich werde Sie verhaften lassen.«

»Selbst dazu«, sagte Wedelmann, »haben Sie nicht das geringste Recht! Außerdem behauptete der Gefreite Asch, Sie hätten einwandfrei zu ihm gesagt: Sie sind verhaftet!«

»Herr Hauptmann«, wollte Schulz bebend wissen, »wem wird eigentlich mehr geglaubt? Einem Hauptwachtmeister oder einem Gefreiten?«

»Ein höherer Dienstgrad«, sagte Wedelmann streitbar, »muß nicht gleichbedeutend mit größeren charakterlichen Qualitäten sein.«

»Aber meine Herren!« rief Derna bremsend. Wieder betupfte er sich Stirn, Wangen und Hals. Er schwitzte stark. »Heben wir uns doch derartige Theorien für später auf. Ich hoffe, Sie verstehen meinen Wunsch, wissen zu wollen, was eigentlich passiert ist. Also bitte, Herr Hauptwachtmeister, worauf gründet sich Ihre Annahme, daß eventuell angebracht sein könnte, den Gefreiten Asch zu verhaften?«

»Herr Hauptmann«, sagte der Spieß, dem es nur mit Anstrengung gelang, seine Erregung zu dämpfen, »einmal lag gestern eine Meldung des Küchenunteroffiziers über disziplinloses Verhalten des Gefreiten Asch vor. Ich habe diese Meldung als unwesentlich betrachtet und sie zurückgewiesen.«

»Was eindeutig beweist«, sagte Wedelmann, »daß Sie selbst nicht an alles glauben, was Sie hier vorbringen.«

»Bitte, Herr Leutnant Wedelmann!« sagte Derna flehentlich.

Hauptwachtmeister Schulz war mit Erfolg bemüht, Wedelmann zu übersehen und seine Bemerkungen zu überhören. »Die Meldung des Küchenunteroffiziers wird vorgelegt werden. Außerdem aber liegt eine Meldung von Unteroffizier Lindenberg vor. Hier, bitte.«

Derna griff zögernd die Meldung auf, die ihm der Hauptwachtmeister auf den Tisch gelegt hatte. Widerwillig las er sie durch. »Aha!« sagte er dann.

»Hierzu muß aber bemerkt werden«, sagte Wedelmann erklärend, »daß der angebliche Kronzeuge, der Obergefreite Kowalski, nichts, aber auch gar nichts von dem vernommen hat, was der Unteroffizier Lindenberg gemäß seiner Meldung gehört haben will.«

»Der Obergefreite Kowalski ist ein Schlot«, sagte der Hauptwachtmeister, »aber der Unteroffizier Lindenberg ist der beste Unteroffizier der Batterie, wenn nicht des Regimentes. Für ihn lege ich meine Hand ins Feuer. Er ist absolut verläßlich.«

»Er ist ein sturer Kerl«, sagte Wedelmann, »er kann gar nicht weiter sehen als bis zur nächsten Vorschrift. Er hat Scheuklappen. Er stolpert über jeden Dreck.«

»Das mag die Ansicht des Herrn Leutnant sein«, sagte der Hauptwachtmeister böse. »Und es ist für uns Unteroffiziere immer interessant, zu wissen, wie ein Leutnant über uns denkt.«

»Ich muß doch sehr bitten!« sagte Derna mit rauher Stimme und ließ, geschickt wie er sich dünkte, durchaus offen, wen er »doch sehr bitten« müsse.

»Herr Hauptmann«, sagte Schulz hierauf, »das wichtigste ist doch, daß der Gefreite Asch gar nicht leugnet, Ausdrücke wie ›Aufseher‹ und ›Sklavenhalter‹ gebraucht zu haben.«

»Herr Hauptmann«, sagte der Leutnant Wedelmann, »der Gefreite Asch ist für das, was er gesagt haben soll oder gesagt hat, im Grunde gar nicht verantwortlich. Er ist gereizt worden, er ist bis auf das Blut gereizt worden. Er reagiert jetzt wie ein Stier, und eine gewisse Sorte Ausbilder ist für ihn das rote Tuch. Man sollte ihn in Ruhe lassen, dann wird sich die Sache von selbst bereinigen. Einfach nicht zur Kenntnis nehmen! Ich möchte so weit gehen und sagen: Asch ist in diesem Punkt einfach nicht zurechnungsfähig.«

»Aha!« sagte Hauptmann Derna verwirrt.

»Ich kann ihn ja mal 'reinholen«, schlug der Spieß vor. »Dann können Herr Hauptmann ja selbst sehen, ob der verrückt ist oder nicht.«

»Ich rate davon ab«, sagte Wedelmann mit ungewöhnlichem Ernst.

»Ich nicht«, sagte der Hauptwachtmeister.

Derna knetete nervös mit seinen Fingern. Er zerkrümelte seine Zigarette, griff nach einer neuen, zündete sie sich an. »Mir leuchtet immer noch nicht ein«, sagte er, »warum der Gefreite Asch wegen dieser Meldung verhaftet werden sollte.«

»Das ist ja noch nicht alles, Herr Hauptmann. Dieser Kerl hat gestern auf mich geschossen.«

Wedelmann wurde sehr heftig: »Sie reden Unsinn, Hauptwachtmeister.«

Derna ließ die soeben angezündete Zigarette erschrocken fallen, als habe er sich heftig die Finger verbrannt. Sie lag auf der Schreibtischplatte, und ihre Glut fraß sich dort ein. Es stank nach schmorendem Lack. Aber niemand achtete darauf.

»Was sagen Sie da?« wollte der Hauptmann wissen. »Er hat auf Sie geschossen? Und das erfahre ich erst jetzt? Wie ist das möglich? Woher hatte er die Munition?«

»Sie haben wohl nicht richtig ausgeschlafen«, sagte Wedelmann verächtlich zu Schulz.

»Wohl besser als Sie, Herr Leutnant«, sagte der frech. »Meine Wohnung hat kein Mädchen um 8 Uhr früh verlassen.«

»Sie sind wohl verrückt geworden!« rief Wedelmann.

»Ich weiß genau, was ich sage!« schrie Schulz unbeherrscht zurück. »Ich erinnere nur an das, was Sie sich in der Nacht von Mittwoch auf Donnerstag geleistet haben, Herr Leutnant.«

»Ruhe!« Derna versuchte mit aller Kraft zu brüllen; seine Stimme krächzte in hohen, sich überschlagenden Tönen. Es war das erstemal, daß ihm das passierte. Er war zunächst verwirrt, dann wunderte er sich mächtig. Er sah in überraschte Gesichter, die ihn anstarrten.

»Meine Herren«, sagte Hauptmann Derna, »ich muß doch sehr um Mäßigung bitten. Ich habe viel Verständnis für Ihr Temperament, aber Sie müssen mir schon erlauben, daß ich mir selbst ein Urteil bilde. Bis jetzt weiß ich nämlich nichts, rein gar nichts. Lassen Sie mich also methodisch vorgehen. Wie wäre es, wenn wir den Gefreiten Asch hereinholen.«

Derna wartete auf Widerspruch, aber der kam nicht. Wedelmann hatte sich angewidert umgedreht und sah aus dem Fenster hinaus. Schulz konnte diese Entwicklung nur recht sein. Er ging zur Tür, öffnete sie und rief: »Gefreiter Asch zum Chef.«

Der Gefreite Asch betrat das Dienstzimmer des Batteriechefs. Er sah sich um. Daß Wedelmann seinem Blick auswich, fand er in Ordnung. In Ordnung fand er auch, daß der Spieß aussah, als wolle er ihn fressen. Dann begann er Hauptmann Derna zu betrachten.

»Gefreiter Asch«, sagte der Hauptmann, »mir liegt eine Meldung des Unteroffiziers Lindenberg vor. Kennen Sie deren Inhalt?«

»Der Inhalt stimmt«, sagte Asch. »Wenn gewünscht wird, bin ich bereit, ihn näher zu erklären.«

»Antworten Sie nur auf das, was Sie gefragt werden«, sagte der Spieß streng.

»Wer fragt eigentlich?« wollte Asch wissen. »Sie oder der Herr Hauptmann?«

»Ich frage hier«, sagte Derna nicht ohne Stolz. »Und ich frage Sie, ob Sie zugeben, auf den Hauptwachtmeister geschossen zu haben.«

»Wer das behauptet«, sagte Asch, »der hat sich diese Behauptung aus den Pfoten gesogen.«

»Sie wollen leugnen?« fragte Schulz bedrohlich. »Sie besitzen die Frechheit und wollen mich hier vor den Augen meines Chefs als Lügner hinstellen?«

»Das hat doch nichts mit Frechheit zu tun.«

»Woher wissen Sie denn überhaupt, daß geschossen wurde?« Schulz riß abermals die ganze Verhandlung an sich. Derna kam gar nicht dazu, zu protestieren. Wedelmann aber dachte gar nicht an Protest; er witterte Unrat für Schulz und gönnte dem das von Herzen.

»Woher also wissen Sie das?«

»Die ganze Batterie weiß das. Das hat sich herumgesprochen.«

»Und woher wollen Sie wissen, daß auf *mich* geschossen worden sein soll?«

»Sie waren doch der einzige, der sich im Schußfeld befand. Und außerdem finde ich das ganz natürlich. Fast alle Angehörigen der Batterie sind meiner Meinung. Und nicht wenige haben, gleich mir, die Hoffnung ausgesprochen, daß der Schütze beim nächstenmal besser zielen möge.«

»Sie wollen also den nackten Mord!«

»Nicht doch«, sagte Asch. »Ganz abgesehen davon, daß das gar kein Mord wäre, sondern vielmehr eine Art Notwehr, wollen wir gar nicht, daß Sie getroffen werden, wir würden nur Wert auf Vergrößerung Ihrer Angst legen. Denn Angst müssen Sie doch kriegen bei dem Gedanken, daß Sie derartig verhaßt sind, daß es sogar einer wagt, auf Sie anzulegen, und daß es viele gibt, die das ganz in Ordnung finden, und sogar nicht wenige, die sich darüber freuen.«

»Da hören Herr Hauptmann es selbst!« rief Schulz außer sich vor Wut. »Das ist eine Mordbande!«

»Wir sind höchstens das Produkt Ihrer Erziehung«, sagte Asch. »Das sollte Ihnen endlich zu denken geben! Ziehen Sie doch eine Lehre daraus. Es würde sich lohnen.«

»Genug!« rief Hauptmann Derna. »Das ist mehr als genug.« Seine Hände flatterten. Schweißnaß war sein Gesicht, und er dachte nicht daran, es abzuwischen. Vor seinen Augen lagen Schleier. Er fühlte sich maßlos erschöpft.

»Gehen Sie hinaus, Gefreiter Asch«, sagte Wedelmann.

Asch sah den Leutnant kurz nachdenklich an, dann verließ er, scheinbar gleichmütig, den Raum. Er lehnte sich gegen eine Wand. Ihm war elend zumute. Aber er lächelte.

»Eine unmögliche Situation«, sagte Derna schwach. »Eine ganz und gar unmögliche Situation.«

»Ich schlage Tatbericht vor«, sagte der Hauptwachtmeister.

»Unsinn«, sagte Leutnant Wedelmann. »Dazu reicht das Material nicht.«

»Allein was er über die Schießerei gesagt hat«, behauptete Schulz, »reicht aus, ihn vor ein Kriegsgericht zu bringen.«

»Das reicht gar nicht aus«, sagte Wedelmann. »Ich habe genau zugehört. Es ist keine einzige Behauptung gefallen, geschweige denn ein Geständnis gemacht worden. Alles, was er gesagt hat, waren Hypothesen, Erwägungen, Wünsche.«

»Eine völlig unmögliche Situation«, sagte Hauptmann Derna abermals. Er war ratlos und gab sich nicht einmal mehr Mühe, das zu verbergen.

»Es wäre durchaus empfehlenswert, zu überlegen, Herr Hauptmann, wer diese Situation geschaffen hat.«

»Wer denn sonst als dieser Asch!« rief Schulz anklagend.

»Ich bin nicht Ihrer Meinung«, sagte Wedelmann scharf. »Bei Asch liegt die Schuld nicht.« – »Vielleicht bei mir!«

»Sie werden das nicht für möglich halten, Hauptwachtmeister, aber diesmal haben Sie recht.«

Hauptmann Derna schüttelte den Kopf und sagte: »Unerhört peinliche Situation. Und diesen Asch haben wir zum Unteroffizier eingereicht.«

Für Wedelmann war das eine Neuigkeit ersten Ranges. »Das ist ja einmalig. Wer ist denn auf diese Idee gekommen?«

»Ich«, sagte der Hauptwachtmeister schlicht.

Wedelmann brach in ein zügelloses Gelächter aus. Sein Brustkorb bebte, und seine mächtige Stimme füllte den Raum. Er lachte, bis ihm die Tränen kamen. Dann hielt er sich die Seiten und stöhnte vor Wonne. »Das«, sagte er japsend, »ist der beste Witz, den ich je in meinem Leben gehört habe.«

Derna und Schulz schwiegen und betrachteten dabei den sich atemlos schüttelnden Leutnant mit todernsten Gesichtern. Ihnen war, als sähen sie ein grauenhaft-kurioses Wundertier oder einen Clown, der sich irrtümlich auf einer Trauergesellschaft produziert.

»Wir haben uns eben geirrt«, sagte der Hauptwachtmeister. »Das ist peinlich. Aber jetzt dürfen wir darauf keine Rücksicht mehr nehmen.«

Wedelmann wischte sich die Tränen aus den Augen. »Und was dann, wenn der Abteilungskommandeur die Beförderung bereits unterschrieben und damit ausgesprochen hat? Was dann, wenn sie bereits heute im Abteilungsbefehl erscheint?«

»Dann muß das rückgängig gemacht werden.«

»Dann kennen Sie aber den Kommandeur schlecht. Mit Major Luschke ist das nicht zu machen.«

»Hier handelt es sich aber doch um einen Soldaten, der geistig gestört ist«, warf Schulz hartnäckig ein. »Sie haben doch selbst gesagt, Herr Leutnant, daß der nicht mehr zurechnungsfähig ist.«

»Das ist die Lösung«, sagte Hauptmann Derna und schien aus einem langen, dumpfen Schlaf zu erwachen. »Genau das ist die Lösung«, sagte er mit zunehmendem Eifer.

»Wie soll ich das verstehen?« fragte Wedelmann mißtrauisch.

»Was hier passiert ist«, sagte Derna lebhaft, »das ist doch nicht mehr normal, das werden Sie mir zugeben. Und mit der bestehenden Disziplinarstrafordnung ist das auch nicht zu erfassen. Wenn wir aber alles, was sich ereignet hat, aufgreifen, dann gibt das einen Riesenskandal. Wenn wir aber nachweisen können, daß es sich bei diesem Asch um eine geistige Störung handelt . . .«

»Herr Hauptmann«, sagte Wedelmann warnend.

». . . um eine vorübergehende, einmalige geistige Störung, also um eine verständliche Entgleisung handelt – wenn wir das nachweisen können, sind wir fein 'raus.«

»Wie stellen sich das Herr Hauptmann vor?«

»Aber das ist doch ganz einfach!« Derna glühte vor Aufregung. Endlich sah er Land. Und diese Entdeckung hielt er für genial. »Sehen Sie, meine Herren«, sagte er freudig bewegt, »ich darf mich rühmen, mit Herrn Stabsarzt Dr. Sämig in bester kameradschaftlicher Weise befreundet zu sein. Ich werde ihn einfach bitten, daß er sich den Gefreiten Asch näher ansieht, daß er ihn eingehend untersucht und ärztlich betreut. Keine Widerrede, meine Herren. Das ist die beste Lösung. Und unsere Untersuchungen ruhen, bis das Resultat des Stabsarztes vorliegt. Nun – was sagen Sie dazu?« – Leutnant und Hauptwachtmeister sagten nichts.

»Verehrter Herr Hauptmann«, sagte Stabsarzt Dr. Sämig am Telefon. »Bevor ich den Patienten nicht gesehen habe, kann ich natürlich keine Diagnose anstellen. Im übrigen interessiert mich der von Ihnen geschilderte Fall stark, in meiner Eigenschaft als Arzt. Gewiß, eigentlich bin ich Chirurg, aber die seelischen Vorgänge, verehrter Herr Hauptmann, die bisher immer unterschätzt worden sind, werden von mir in Besonderheit gepflegt.«

Der Stabsarzt lächelte verbindlich und überlegen zugleich. Er nickte zu allem, was ihm Hauptmann Derna mitzuteilen für richtig hielt. Er verstand genau, worum es hier ging; er hatte ähnlich gelagerte Fälle schon immer kommen sehen, er war grundsätzlich auf sie vorbereitet.

»Es ist von Wichtigkeit«, sagte Dr. Sämig, »daß der Patient nicht erschreckt wird. Ich empfehle pfleglichste Behandlung, wenn es auch schwerfallen sollte. Die Art der Krankheit darf nicht ausgesprochen, nicht einmal durch volkstümliche Umschreibungen angedeutet werden. Es handelt sich hier lediglich, davon muß der Patient überzeugt sein, um eine ganz gewöhnliche, völlig natürliche Untersuchung, meinetwegen auf Haftfähigkeit oder Geschlechtskrankheiten.«

Der Stabsarzt am Telefon lächelte unentwegt. Es war ihm sozusagen eine Ehre, ließ er durchblicken, Hauptmann Derna mit seinen ärztlichen Kenntnissen behilflich sein zu können; und es war ihm eine Art Vergnügen, sprach er unbekümmert aus, einen abnormen Fall mit den neuesten Errungenschaften der Medizin einer Heilung oder doch wenigstens einer vollendeten Diagnose entgegenzuführen. »So bitte ich denn, mir den Patienten – er heißt Asch, nicht wahr? – zu übersenden.«

Sämig legte den Telefonhörer behutsam, beinahe schon zärtlich, in die Gabel. Er freute sich dezent. Und er glaubte auch, allen Grund dafür zu haben: Endlich konnte er den ebenso entnervenden wie ermüdenden Tagesablauf unterbrechen und zeigen, was er wirklich vermochte. Vielleicht würde sich dann endlich der Generalarzt für seine Arbeit interessieren und ihn fortan mit ehrenderen Aufgaben betrauen.

Dr. Sämig war Truppenarzt, der Artillerieabteilung zugeteilt. Und Truppenarzt war er schon immer gewesen. Seine ersten chirurgischen Kenntnisse hatte er sich als blutjunger Mensch in den letzten Monaten des Weltkrieges geholt; er sägte Knochen mit und ohne Betäubung (es geschah in der Zeit, wo die Binden aus Papier und Medikamente Kostbarkeiten waren) mit mehr oder weniger sichtbarem Erfolg. Nach dem Kriege studierte er Medizin zu Ende, wurde irgendwo Assistenzarzt und hatte immer das Pech, auf Vorgesetzte zu stoßen, denen es nicht gegeben war, seine Fähigkeiten zu erkennen. Dann meldete er sich zur Reichswehr und wurde angenommen. Er wurde Truppenarzt. Und das blieb so.

Sämig klingelte den Sanitätsfeldwebel herbei. »Ist die Isolierstation frei?«

»Jawohl«, sagte der Sanitätsfeldwebel, »die Zelle ist frei.«

»Sie wird in Kürze belegt werden, Feldwebel«, verkündete der Stabsarzt. »Bitte, bereiten Sie alles vor. Gesondertes Karteiblatt. Sonst aber die gewöhnliche Aufnahmeuntersuchung: Größe, Gewicht, Temperatur, Puls, Urin. Der Patient heißt Asch, Gefreiter, 3. Batterie.«

»Jawohl«, sagte der Sanitätsfeldwebel und zog sich zurück, um alle Befehle an einen Sanitätsunteroffizier weiterzugeben.

Sämig erhob sich und begab sich zu einem Bücherschrank. Etwas mitleidig sah er auf die chirurgischen Handbücher, die gleich links in der oberen Ecke standen. Er kannte sie und schätzte sie nicht mehr, er hatte sie überwunden, zumal es ihm nie, trotz mehrfacher Bewerbungen, vergönnt gewesen war, in einem Militärkrankenhaus Dienst zu tun. Er war und blieb Truppenarzt.

Das wurmte ihn, und er gab das auch offen zu, war er sich doch immer seines wahren Wertes bewußt. Und der tägliche Dienst bei der Truppe widerte ihn an: Erste Hilfe geben, Pillen verschreiben, Leuten in den Hintern sehen, Geschlechtskranke in das Lazarett überweisen – penetrant langweilig!

Er hatte dann, angeregt durch Kasinounterhaltungen, versucht, den Sanitätsdienst in militärischen Formen ablaufen zu lassen: Uringläser mußten ausgerichtet werden, bei Revierkranken wurde streng auf Haarschnitt geachtet, Dienstordnungen hingen in allen Räumen, auf dem Korridor und in den Toiletten. Schließlich hatte er sogar, in einem Einzelzimmer, eine Isolierstation eingerichtet, vergittert und die Tür mit Doppelriegel versehen. Alles das war gut und schön, ließ sich brauchbar in Meldungen nach oben verwenden, klappte aber schließlich von ganz alleine und wurde zu einer Domäne des Sanitätsfeldwebels.

Sämig, der vor seinem Bücherschrank stand, der mit einem verzeihenden Lächeln alle diese Erinnerungen abtat, griff nach zwei umfangreichen Wälzern. Er bepackte sich mit ihnen und schleppte sie zu seinem Schreibtisch. Dort betrachtete er sie kurz, und in seinem Blick lag etwas, das mit Zärtlichkeit bezeichnet werden könnte. Auf dem Deckel des ersten Buches stand: Angewandte Psychoanalyse. Auf dem zweiten: Grundriß der Individualpsychologie.

Das war es! Das war, was ihn ausfüllte. Sie ließen ihn nicht Chirurg sein, er wollte nicht nur männliche Geschlechtsteile in Massen besichtigen – er strebte danach, mehr zu sein, als er scheinen mußte. Die Psychoanalyse hatte es ihm angetan. Es war eine verhältnismäßig neue, in Deutschland zumeist verachtete Wissenschaft, außerdem sollte sie von einem Juden – »Wie hieß der Kerl doch gleich? Freud!« – erfunden beziehungsweise entwickelt worden sein, was natürlich nicht stimmen konnte.

Sämig schlug seine Bücher auf. Er war kein ausgeprägter Anhänger der sogenannten Lust- und Triebpsychologie, vielmehr hielt er das, was er Komplexpsychologie nannte, durch rassische Erkenntnisse erweitert, für das richtige. Er selbst hatte, nach Bestätigung seiner Theorien strebend, den Sämig-Komplex-Test entwickelt und ihn vorsichtig bei seinen Revierkranken ausprobiert, mit dem eindeutigen Erfolg, daß nahezu alle Befragten bejahten, mehr aus Überlegung denn aus Instinkt zu gehorchen.

Aber alle derartigen Versuche waren lediglich Vorstufen; was ihm bisher immer noch gefehlt hatte, war der ausschließlich durch Psychoanalyse zu lösende Fall. Hier, bei diesem Asch, schien er sich endlich zu ergeben. Er sah ihm mit Freude und nicht ohne Spannung entgegen.

Sämig war ein wenig in Erregung geraten. Er erhob sich, verließ sein Arbeitszimmer, ging über den Korridor des Krankenreviers und begab sich in die Isolierstation. Hier saß der Patient auf dem Bett, ein Unteroffizier stand neben ihm und zählte die Pulsschläge.

»Sie sind also der Gefreite Asch«, sagte der Stabsarzt und betrachtete seinen Patienten mit kaum verborgenem Interesse.

»Was soll ich hier?« fragte Asch. »Ich bin gesund.«

Dr. Sämig lächelte gewinnend. Er registrierte: Geltungsbedürfnis vorhanden, ob übersteigert, noch nicht festzustellen. Er sagte: »Wohl niemand ist restlos gesund. Und eine Untersuchung hat noch keinem geschadet.«

»Warum untersuchen Sie nicht das Unteroffizierskorps?« fragte Asch.

Dr. Sämig registrierte: Kaum verborgene Haßgefühle. Freundlich sagte er: »Alles zu seiner Zeit. Zunächst sind Sie dran.« Und er fragte den Sanitätsunteroffizier: »Puls gemessen? Normal? Gut, tragen Sie das ein. Und dann lassen Sie uns bitte allein.«

Der Unteroffizier vervollständigte seine Eintragung auf dem Karteibogen, übergab ihn dem Stabsarzt. Dann zog er sich zurück.

Dr. Sämig studierte die Eintragungen. Er tat das gründlich. Für jeden anderen waren das gewöhnliche Daten, für ihn aufschlußreiche Hinweise. Ihm war es gegeben, von körperlicher Konstellation auf die geistige Kapazität zu schließen. Zwerge litten häufig unter Minderwertigkeitskomplexen, Riesen an Überbewertungsgefühlen, dünne Menschen waren zäh, dicke phlegmatisch. Das waren allerdings nur simple Grundbegriffe, aber immerhin klar überschaubare Vorstufen einer Ordnung.

»Legen Sie sich ruhig lang hin«, sagte der Stabsarzt aufmunternd. »Machen Sie es sich bequem. Entspannen Sie sich, denken Sie an nichts.«

»Herr Stabsarzt«, sagte der Gefreite Asch, »wenn Sie Wert darauf legen, daß ich hier schlafen soll, so habe ich grundsätzlich nichts dagegen. Aber ich lasse mich nicht gerne dabei betrachten.«

Sämig lächelte unentwegt. Der ungewöhnliche Fall, der hier vor ihm lag, hatte ihn in freudige Erregung versetzt. Er war wie umgewandelt. »Vorher wollen wir noch ein wenig plaudern«, sagte er. »Schlafen können wir später.«

»Wir?« fragte Asch mißtrauisch. »Wollen Sie denn auch schlafen?«

Das Lächeln von Sämig gefror jetzt; er gab sich Mühe, es nicht völlig verlöschen zu lassen. Eilig registrierte er: Außerordentlich sprunghaft, von wenig sauberen Bildern beherrschte Phantasie, wobei nicht feststeht, ob ein Dauerzustand vorliegt; kompensierte Minderwertigkeitsgefühle nicht von der Hand zu weisen. – Diese Überlegungen stimmten ihn wieder heiter. Der

Fall schien interessanter zu sein, als er vermutet hatte. »Sie sind ein Witzbold«, sagte er und hielt das für geschickte Herausforderung. »Das überrascht mich.«

»Auch Sie überraschen mich«, sagte Asch; und wie bei allem, was er sagte, war nicht zu erkennen, welche Gefühle ihn beherrschten. Aber seine Worte klangen verbissen, und seine Ironie war zäh. »Nach allgemeinen Schilderungen gelten Sie, Herr Stabsarzt, als hartnäckiger Gesundschreiber, als Schrecken der Drückeberger, als Alpdruck für Kranke. Ich glaube, Ihr Spitzname lautet: Knochenraspler!«

»So«, sagte Sämig, wenig erfreut.

»Manche sagen auch: Gehirnsäge. Warum sie das sagen, weiß ich nicht. Bis jetzt machen Sie mir eher einen harmlosen Eindruck.«

Dr. Sämig schwieg verblüfft. Sein Patient führte hier Reden, die beinahe schon ehrenrührig waren. Glatte Herausforderungen, die er normalerweise mit einem Hinauswurf beantwortet haben würde. Aber rechtzeitig besann er sich darauf, daß er nie vergessen durfte, daß hier, in diesen Gedankengängen, der Krankheitsherd zu suchen war. »Lieber Freund«, fragte er, »leiden Sie eigentlich unter starken Kopfschmerzen?«

»Nein«, sagte Asch. »Sie?«

Der Stabsarzt überhörte diese Frage mit Mühe. Er wollte sich jetzt nicht weiter bei unergiebigen Vorpostengefechten aufhalten, sondern ohne Umwege auf den Kern, auf das Zentralproblem vorstoßen. Noch einmal rekapitulierte er alles, was er über Asch in Erfahrung gebracht hatte: Maßlos übersteigertes Geltungsbedürfnis Vorgesetzten gegenüber, geäußert durch völlig sinnlose Disziplinlosigkeit; Hang zum Niederreißen aller Schranken. Geistiger Zerstörungswahn? Versessen auf Scheinerfolge? Abreagieren von vorerst noch unklaren Komplexen, Seele als Kampffeld, Verdrängungsbesessenheit!

»Sie werden eine schwere Kindheit gehabt haben«, sagte der Stabsarzt suggestiv. »Das Essen war knapp, der Raum, in dem Sie leben mußten, karg. Sie spüren immer noch die Kälte des Steinfußbodens und die Leere des Magens. Sie sehen noch immer vor sich das Nachbarkind, das ein frisches Brötchen mit Butter und Honig verzehrte und Ihnen nichts davon abgab. In langen Nächten lagen Sie wach, der Wind heulte, und Sie krümmten sich zusammen, denn das Deckbett war zu kurz. Ihre Mutter weinte viel, und Ihr Vater schlug Sie.«

»Aber nicht doch!« sagte Asch. »Mir hat in meiner Jugend nichts gefehlt. Wir waren nicht reich, aber wohlhabend. Einmal habe ich mich zu Weihnachten maßlos überfressen, das sind die einzigen Magenschmerzen gewesen, an die ich mich entsinne. Ich habe meine Mutter nie weinen sehen, und mein Vater hat mich nie geschlagen. Was soll dieser Unsinn eigentlich?«

»Nur ruhig Blut«, sagte Dr. Sämig; er selbst war unruhig geworden.

»Meine Fragen sind nicht aus der Luft gegriffen. Harmlos erscheinende Kinderkrankheiten sind sehr oft die Vorstufen für schwere Krankheiten, die plötzlich bei Menschen ausbrechen, die sich völlig gesund fühlen.«

»In meiner Jugend«, sagte Asch, »hatte ich keine Krankheiten, die bemerkenswert waren. Einmal hatte ich mir beim Baden, ich war damals elf Jahre alt, den linken Fuß verstaucht. Das war alles.«

»Derartige Krankheiten«, sagte Sämig, »interessieren mich wenig, rein äußere Krankheiten, wie Verstauchung eines Fußes, schon gar nicht. Bleiben Sie ruhig liegen. Erzählen Sie mir von anderen Dingen. Haben Sie einmal einen Freund gehabt, der Sie maßlos enttäuschte, der Sie womöglich verriet, vielleicht sogar Ihnen Schaden zufügte? Nein? Haben Sie sich vielleicht einmal in einer Situation befunden, die Ihnen Schrecken einjagte, waren Sie etwa einsam im dunklen Zimmer, nachts im Wald, in Lebensgefahr auf einem See? Auch nicht? Haben Sie einmal etwas gesehen, das Sie maßlos aufgeregt hat, zum Beispiel Menschen, die sich blutig schlugen, einen, der unter ein Auto geriet und zu Brei gefahren wurde, zwei Menschen, die sich überraschend vor Ihren Augen – na, Sie wissen schon? Auch nicht? Haben Sie einmal Lust verspürt, jemanden anzufallen, zu peinigen, zu morden?«

»Doch«, sagte der Gefreite Asch.

»Na also! Erzählen Sie. Zu mir können Sie ganz aufrichtig sein. Ich bin Arzt. Wann haben Sie den Wunsch verspürt, jemanden anzufallen?«

»Jetzt«, sagte Asch.

Dr. Sämig richtete sich ein wenig auf und rückte den Stuhl zurück, auf dem er saß. Seine blaßblauen Augen hatten sich geweitet. Seine Hände ballten sich zu Fäusten, aber das geschah ohne Kraft. »Reden Sie keinen Unsinn«, sagte er leise.

»Und was«, fragte Asch streitbar, »soll der Unsinn, den ich mir hier anhören muß?« – »Ich will Sie untersuchen.«

»Sie haben mich untersucht«, sagte Asch. »Meine Temperatur ist normal, das Herz schlägt regelmäßig, der Stuhlgang ist gut. Ich bin weder geschlechtskrank, noch habe ich Plattfüße. Mein Urin wird ohne Befund sein, ich habe keine Polypen und keine Krampfadern. Auch mein Hirn funktioniert. Ich habe keine nennenswerten Komplexe und bin kein Neurotiker. Ich bin ganz normal. Ordnen Sie meine Entlassung an, Herr Stabsarzt.«

Dr. Sämig erhob sich steif. »Für meine Patienten bin ich allein verantwortlich. Ob Sie krank sind oder nicht, beurteile ich.«

»Und warum«, fragte Asch, »liege ich hier in einer Isolierzelle?«

»Das ist keine Zelle, das ist eine Isolierstation. Hier werden Kranke untergebracht, die gesondert behandelt werden müssen, oder solche, die unter einer ansteckenden Krankheit leiden.«

»Wollen Sie etwa behaupten, Herr Stabsarzt, daß ich unter einer ansteckenden Krankheit leide?«

»Allein der Verdacht genügt.«

»Herr Stabsarzt«, sagte jetzt Asch mit vollem Ernst, »ich mache Sie darauf aufmerksam, daß ich mich über Ihre Behandlung beschweren werde. Ich ersuche Sie, mir Tinte und Papier aushändigen zu lassen. Und zwar werde ich mich wegen Freiheitsberaubung beschweren. Außerdem bestehe ich darauf, daß Sie unverzüglich Ihre erste oder auch vorläufige Diagnose niederschreiben, mit einer ausführlichen Begründung, warum Sie mich auf die Isolierstation gelegt haben. Ferner verlange ich, daß mich sofort ein anderer Arzt untersucht.«

Dr. Sämig erschrak. »Nur ruhig«, sagte er mühsam, »nur ruhig. Sie scheinen Fieber zu haben. Ich gebe Ihnen den guten Rat: Schlafen Sie erst einmal. Nachher komme ich wieder. Wir werden dann weitersehen.«

Der Gefreite Asch lag ausgestreckt auf dem Bett in der Isolierstation und starrte an die Decke. Er konnte nicht schlafen. Das Essen stand unberührt auf einem Schemel. Draußen, vor den weitmaschigen Gittern des geöffneten Fensters, lag die frühe Nachmittagssonne stumm und glühend.

Der primitiv möblierte Raum umstand Asch gleichgültig. Die Grundfarbe war schmutziges, abgegriffenes Weiß. Bett, Schemel, Nachtkasten, Stuhl, Tisch, Wand – alles einstmals weiß, alles jetzt schmutzig, alles abgegriffen.

»Na – wie steht die Schlacht?« wollte eine gemütliche Stimme vom Fenster her wissen. Es war der Obergefreite Kowalski, der seinen Kopf durch die weiten Maschen des Gitters gesteckt hatte.

Asch richtete sich auf. »Vorläufig noch unentschieden«, sagte er. »Kommst du, um mich zu bedauern, oder willst du mich ermuntern?«

»Ich will dir was zum Essen bringen«, verkündete Kowalski.

Der Gefreite schüttelte den Kopf. »Ich bin in den Hungerstreik getreten.«

»Eben drum! Das ist genau das richtige. Offiziell befindest du dich im Hungerstreik, das ist ein neuer, drohender Skandal, das wird einige noch weicher machen, als sie jetzt schon sind. Inoffiziell aber verpflege ich dich. Was willst du haben? Blutwurst, Schinken oder Salami?«

»Das ist mir gleich«, sagte Asch.

»Na hör mal!« Kowalski war erstaunt. »Einen besonders freudigen Eindruck machst du aber nicht.«

»Mir wird diese Angelegenheit langsam zu dumm«, sagte Asch. »Im Grunde ist das alles genauso öde wie die mechanischen Spielregeln zum Beziehen von Druckposten. Das ganze System ist total versaut. Ein hoffnungsloser Fall.« – »Macht dich das etwa mutlos?«

»Es macht müde.«

»Mich nicht«, sagte Kowalski. »Weißt du, was ich mache?« Er grinste vieldeutig. »Ich reinige auf der Waffenkammer mein Gewehr. Schließlich haben wir noch fünf Schuß in Reserve.«

»Spül sie durch den Lokus«, empfahl Asch uninteressiert. »Das würde uns auch nicht weiterbringen. Diese Menschensorte hat sich festgefahren. Was nicht in ihren Kram paßt, gibt es nicht. Aber wenn sich das nicht ändert, und zwar grundlegend, werden wir mehr verlieren als nur Vertrauen – wir werden uns hassen: Und damit kann man keine Armee zusammenhalten.«

»Schlaf ruhig weiter«, sagte Kowalski. »Ich organisiere inzwischen.« Er verschwand. Und dort, wo sein Kopf zu sehen gewesen war, staute sich jetzt wieder das grelle Licht des Nachmittags.

Der Gefreite Asch ließ sich wieder auf das Bett zurückfallen. Er war unzufrieden. Er hatte eine wesentlich andere Reaktion erwartet. Er hatte gehofft, es würde ihm gelingen, ein Pulverfaß in die Luft zu sprengen, aber er hatte nur einen brodelnden Sumpf angetroffen. Er wollte Löwen brüllen hören, aber es waren Schafe in Aktion getreten. Niemand ließ sich provozieren, keiner fuhr voll lodernder Empörung aus der Haut. Werktreu war zu gleichgültig dazu, Platzek zu charakterlos, Lindenberg zu korrekt, Schulz zu durchtrieben, Derna zu weich, Wedelmann zu anständig. Und alle hatten sie ein schlechtes Gewissen! Und keiner wußte, wo seine Grenze lag!

Ein Schlüssel drehte sich im Schloß, ein Riegel wurde zur Seite geschoben, und Leutnant Wedelmann betrat den Raum. »Ich erwarte gar nicht von Ihnen, Gefreiter Asch, daß Sie eine Ehrenbezeigung machen. Wenn Sie also glauben, Sie können mich durch Ihr gelangweiltes Herumliegen kränken oder gar herausfordern, dann haben Sie sich geirrt. Sie sind hier Patient, und ich richte mich danach.«

»Wollen Sie mir einen Krankenbesuch abstatten, Herr Leutnant?«

»Ich habe Ihren Fall aufgegriffen«, sagte Wedelmann. »Ich habe mich selbst zu einer Art Offizialverteidiger ernannt. Außerdem bin ich mit Ihrer Vernehmung durch den Batteriechef beauftragt worden. Wie sie wissen, müssen Vernehmungen durch einen Offizier erfolgen. Aber das hat Zeit, das geht auch nicht so schnell, das schieben wir hinaus. Und solange Sie hier sind, werden Sie so leicht niemand etwas antun können; auch kein zweiter Schuß wird dann, vermute ich stark, fallen. Zunächst einmal werden wir alles klären, was sich mühe- und schadenlos aufklären läßt.«

»Herr Leutnant«, sagte Asch, »warum mischen Sie sich hier ein? Warum bremsen Sie? Wenn Sie nicht gewesen wären, hätte ich vielleicht schon erreicht, was ich wollte. Woher wußten Sie eigentlich so erstaunlich früh, was hier gespielt werden sollte?«

»Ich bin, zu Ihrem Glück, darauf aufmerksam gemacht worden«, sagte Wedelmann. »Fräulein Freitag hat mich informiert.«

Herbert Asch sagte nichts. Er sah den Leutnant prüfend an. Dann senkte er den Kopf und schien das grauweiße Deckbett, auf dem er lag, zu betrachten. »So ist das also«, sagte er wie erschöpft. »Das allerdings habe ich nicht wissen können.«

»Fräulein Freitag hat durchaus richtig gehandelt«, sagte Wedelmann mit Eifer. »Und vor allem rechtzeitig. Nur dadurch konnte eigentlich eine Katastrophe vermieden werden. Es ist einfach nicht auszudenken, was passiert wäre, wenn ich nicht rechtzeitig eingegriffen hätte.«

»Sie schmeicheln sich«, sagte Asch bissig.

»Ich weiß genau, was Sie beabsichtigt hatten«, sagte Wedelmann. »Natürlich vermag ich das niemals zu billigen, aber ich glaube, ich kann Sie verstehen. Sie haben einige Leute bis aufs Blut gereizt und sich darüber amüsiert, wie schnell sie zum Kochen gebracht werden konnten. Aber ganz genau besehen, haben Sie sich kaum jemals strafbar gemacht. Auf alle Fälle wird Ihnen nur schwer etwas nachzuweisen sein. Das war Ihr Trick. Aber er hat Ihnen nicht allzuviel geholfen. Sie erreichten nicht, was Sie wollten.«

»Immerhin stapeln sich die Meldungen. Lindenberg wird durch nichts zu beruhigen sein, und Schulz schreit nach seinem Opfer. Der Hauptmann kann nicht anders, wird dastehen, Gott helfe mir und Amen sagen. Außerdem bin ich hier. Und ganz gleich, was auch immer gegen mich unternommen wird – und es muß etwas gegen mich unternommen werden! –, ob Disziplinarstrafe oder Tatbericht, es wird immer, so oder so, ein nicht restlos zu begründendes Urteil sein, also ein Fehlurteil. Und dagegen werde ich mich wehren!«

»Und ich werde es dazu erst gar nicht kommen lassen«, versicherte Wedelmann. »Bei mir ziehen Ihre Tricks nicht. Denn genau besehen, lieber Freund, haben Sie weder einen Befehl verweigert noch zur Meuterei aufgerufen; und Sie haben auch keinen Vorgesetzten tätlich angegriffen.«

»Das kann ja noch kommen«, sagte der Gefreite Asch.

»Dazu werden Sie es nicht kommen lassen, denn Sie sind kein Idiot. So plump gehen Sie nicht vor, denn dann hätten ja Ihre Gegner ein kinderleichtes Spiel. Und die Demonstration, die Sie bezwecken, wäre nichts weiter als eine brutale Gewalttat. Aber das ist nicht Ihr Ziel.«

»Lassen Sie mich in Ruhe«, sagte Asch. »Ich bin in ärztlicher Beobachtung; jede Aufregung ist verboten.«

»Hören Sie mir zu, lieber Asch«, sagte der Leutnant Wedelmann freundlich und rückte den Stuhl, auf dem er saß, dicht an das Bett des Gefreiten. »Ich weiß nicht, ob Ihnen aufgefallen ist, daß ich eine Schwäche für Sie habe. Als Mensch sind Sie mir außerordentlich sympathisch. Aber selbst dann, wenn das nicht so wäre, könnte ich Sie verstehen. Sie haben recht – es ist vieles faul; ich weiß das auch nicht erst seit heute. Denn der Soldat ist keine Maschine; und eine Kaserne ist keine Fabrik für Vaterlandsverteidiger. So, wie es jetzt ist, ist es nicht nur falsch, es ist gefährlich. Aber diese himmelschreienden Methoden aus dem vorfriderizianischen Zeitalter sind die bequemsten. Jeder, der eine Armee in Kriegsbereitschaft bringen will, weiß das. Die Knochenmühlen arbeiten vorzüglich, sie pulverisieren den starken Charakter und zermahlen jedes Eigenleben.«

»Mir brauchen Sie das nicht zu sagen!« rief Asch. »Ich weiß, daß es so ist; und eben weil ich das weiß, habe ich alles das getan, was Sie jetzt ungeschehen machen wollen.«

»Sie werden diese Mühlen nicht niederreißen können.«

»Aber wenigstens habe ich ein wenig Sand in das Getriebe gestreut. Es knirscht. Und vielleicht wird sich der eine oder andere fragen, warum es knirscht.«

»Lieber Asch«, sagte Wedelmann, »Sie werden, ganz gleich, was Sie tun, nicht weit kommen. Auch ich bin dafür, daß diese Mühlen abgerissen werden – aber etwas anderes muß an deren Stelle entstehen. Etwas grundlegend anderes – eine Reformation.«

»Bravo!« rief Asch ironisch. »Dann lassen Sie sich durch mich nicht aufhalten. Gehen Sie an Ihre Arbeit. Es eilt!«

»Seien Sie doch vernünftig«, sagte der Leutnant eindringlich. »Machen Sie Schluß. Ich will versuchen, Sie einigermaßen heil aus der ganzen total verfahrenen Angelegenheit herauszubringen.«

»Ich warte hier«, erklärte Asch, »bis man sich bei mir entschuldigt.«

»Auch das noch!« rief Wedelmann aufrichtig betrübt. »Seien Sie doch vernünftig. Und wenn Sie schon nicht auf mich hören wollen, dann nehmen Sie doch wenigstens Rücksicht auf Fräulein Freitag!«

»Was hier geschieht«, erklärte Asch, »hat nicht das geringste mit Fräulein Freitag zu tun. Sagen Sie ihr das, bitte, wenn sie wieder einmal den Versuch unternehmen sollte, Sie zu menschlichen Anwandlungen zu verleiten.«

Wedelmann war nicht gekränkt, er war nur besorgt. Er hatte sich seine Mission wesentlich leichter vorgestellt. Dieser Gefreite Asch war ein fürchterlicher Querkopf; er wollte einfach nicht einsehen, daß kein System vollkommen war und daß es zur Klugheit, zur Vernunft gehörte, diese Unvollkommenheiten als gegebene Tatsachen hinzunehmen. »Auch Ihr Herr Vater ist, gleich mir, besorgt.«

»Woher wissen Sie das?«

»Ich habe mit ihm telefoniert.«

»Ihre Fürsorge macht offenbar vor nichts halt. Und was hat er gesagt?«

»Ihr Herr Vater läßt Ihnen sagen, er erwartet von Ihnen, daß Sie ihn nicht enttäuschen.«

»Guter alter Vater«, sagte Asch leise.

»Leider konnte er nicht selbst kommen, um mit Ihnen zu reden. Aber Ihre Schwester ist hier.«

Asch sah überrascht hoch. Dann sagte er ruhig: »Schicken Sie sie weg.«

Wedelmann gab sich alle Mühe, seine Mission erfolgreich zu gestalten. »Warum wollen Sie nicht mit ihr sprechen?« fragte er zuredend. »Sie wollen ihr doch nicht etwa ausweichen?«

»Sie gehört an den Kochtopf und nicht in einen Hexenkessel.«

»Sie wartet auf dem Korridor.« Wedelmann erhob sich. »Ich werde sie hereinbitten.« Er ging zur Tür. »Bitte sehr, Fräulein Asch. Ihr Bruder freut sich, Sie zu sehen.«

Ingrid Asch betrat die Isolierstation. Sie betrachtete neugierig ihren Bruder und war ein wenig schockiert, weil der sie ausgedehnt und ohne jede Herzlichkeit angrinste. Das hatte sie nicht erwartet.

»Ich lasse Sie jetzt allein«, sagte Wedelmann zuvorkommend. »Normalerweise gehört es zu meinen Aufgaben, diese Unterredung zu überwachen. Das soll auch geschehen. Ich muß nur Papier und Bleistift holen. Ich nehme an, es wird eine halbe Stunde dauern, ehe ich das Gesuchte gefunden habe.«

»Herbert«, sagte Ingrid Asch, nachdem der Leutnant gegangen war, »das hättest du nicht tun dürfen!«

»Misch dich gefälligst nicht in meine Angelegenheiten«, sagte Asch unfreundlich. »Ich leiste mir das schließlich auch nicht, obwohl ich weit mehr Veranlassung dazu hätte.«

»Ich verstehe dich nicht«, sagte Ingrid.

»Das erwarte ich auch gar nicht von dir.«

»Du hast nie Rücksicht auf uns genommen. Als Vater von Leutnant Wedelmann gehört hatte, was hier passiert sein soll, nahm er eine Kognakflasche, ging in sein Arbeitszimmer und schloß sich dort ein.«

»Prost!« sagte Herbert Asch. »Und dir ließ dein Gewissen keine Ruhe, ehe du nicht deinem geliebten Bruder in die trauten Augen sehen konntest.«

»Bitte, rede nicht so mit mir. Wenn du irgendwo alleine wärst, könntest du machen, was du wolltest. Aber du darfst nicht vergessen, daß du hier in dieser Stadt bist, wo dich jeder kennt, wo dein Vater ein Geschäft hat, wo auch ich lebe. Alles, was du dir hier leistest, fällt auf uns zurück. Wir haben das Gerede auszuhalten, auf uns wird man mit Fingern zeigen, unser Geschäft wird man meiden.«

»Ich spüre immer mehr, wie sehr du mir in schwesterlicher Liebe zugetan bist.«

»Hast du dich denn immer wie ein Bruder benommen? Ich brauche nur an Johannes Vierbein zu denken. Auch den hast du beinahe auf dem Gewissen gehabt.«

»Ach nein!« sagte Asch kalt. »Hat der Kleine dir das gesagt?«

»Ich habe schließlich Augen im Kopf«, sagte die Schwester erregt. »Und ich habe dich kennengelernt. Du machst vor nichts halt, dir ist nichts heilig. Du hast Johannes Vierbein völlig aus dem Gleichgewicht gebracht. Er wußte kaum noch, was er tat. Du hast ihn aufgehetzt und ihn zu Dingen verführen wollen, wie du sie getan hast. Gott sei Dank hat er sich gefangen. Er ist jetzt endgültig vernünftig. Er weiß jetzt, was Pflicht ist.«

»Und ich weiß endlich, was eine dumme Pute ist«, sagte Asch heftig. »Daß du verbohrt bist, Ingrid, war mir schon immer klar, daß du aber ganz einfach einen Tick hast, weiß ich erst jetzt. Du hast den Heldenfimmel, liebes Kind. Dein kleines Gehirn hält für Ehre, was gerade zur Ehre erklärt wird. Du verwechselst Führer mit Anführer. Wer gerade an der Macht ist, der ist in deinen Kalbsaugen ein Auserwählter. Alles, was Uniform trägt, ist ehrenwerter Vaterlandsverteidiger. Wer im Gefängnis sitzt, ist grundsätzlich ein Schwein; wer im Mercedes sitzt, ein Charakterkopf. Laß dich begraben!«

»Ich schäme mich für dich«, sagte Ingrid betrübt.

»Das ist ein Wort!« rief Asch. »Du schämst dich für mich, und du kannst dich auch für Vierbein schämen. Du hast allen Grund dazu. Denn was sind wir schon! Der Mann, der dein Bruder ist, und der andere Mann, den du vielleicht einmal heiraten wirst, wir beide und einige Hunderttausend andere, werfen uns in den Dreck, wenn es befohlen wird, rutschen auf dem Bauch oder stecken den Kopf in die Latrine. Wir lassen uns beschimpfen und schikanieren, wir stehen stramm dabei, wenn man uns Sauhund, Schweinekerl oder Arschloch nennt. Wir brüllen ›jawohl‹, wenn man Anstalten dazu trifft, uns das Kreuz zu zerbrechen. Unser Ehrgefühl heißt kriechen, und unser Charakter äußert sich durch Lecken von Stiefeln. Das ist dein Bruder, und das ist der Mann, den du liebst. Schäme dich für uns!«

»Herbert«, sagte Ingrid verstört.

»Geh jetzt!« sagte der. »Mach, daß du hier 'rauskommst. Geh zu deinem Vierbein, diesem Gartenzwerg, und wirf dich an seine Heldenbrust! Dort kannst du heulen über diese Männerattrappe, die man dir übriggelassen hat.«

Der Gefreite Asch stand auf, ergriff seine Schwester an den Schultern, öffnete die Tür und schob sie, die sich nicht zu wehren vermochte, auf den Korridor hinaus. Dort stand Stabsarzt Dr. Sämig.

»Sie kommen gerade im richtigen Augenblick«, sagte Asch. Er ging zu seinem Bett zurück und warf sich darauf.

»Ein Beweis mehr«, sagte Dr. Sämig überlegen und schloß die Tür hinter sich. »Wie Sie Ihre Schwester behandeln – das ist ein Beweis mehr für mich.«

»Wofür? Was wollen Sie beweisen?«

Dr. Sämig war erstarkt im Glauben an die Richtigkeit, zumindest an die Notwendigkeit seiner nunmehr getroffenen Diagnose. Aufschlußreiche Gespräche mit Derna, dem liebenswürdigen Offizierskameraden, mit dem braven Hauptwachtmeister Schulz, mit dem vorbildlichen Unteroffizier Lindenberg, hatten ihn davon überzeugt, daß es sich bei Asch um einen Fall handelte, der derartig kraß war, daß man ihm mit behutsamer Psychoanalyse allein nicht beikommen konnte.

»Haben Sie Ihre Diagnose schriftlich niedergelegt?« fragte Asch. »Ist ein anderer Arzt verständigt? Ist meine Beschwerde weitergeleitet worden?«

Dr. Sämig gab sich überlegen. »So spricht man nicht mit einem Vorgesetzten«, sagte er, »merken Sie sich das gefälligst für die Zukunft.«

Asch nahm dieses ihm völlig neuartige Verhalten des Stabsarztes mit Verwunderung auf. Er setzte sich erwartungsvoll zurecht. Die Aufregung über das, was er seiner Schwester hatte sagen müssen, wollte sich noch nicht in ihm legen. Seine Augen funkelten kalt.

»Hier«, sagte Dr. Sämig und zog ein Papier aus seinem Ärmelaufschlag, »habe ich niedergelegt, was niederzulegen war. Sie können froh sein – es ist sehr günstig für Sie. Es spricht Sie gewissermaßen frei.«

»Was ist darunter zu verstehen?« fragte Asch lauernd.

»Sie sind für das, was Sie getan haben, nicht verantwortlich, nicht voll verantwortlich. Das ist die beste Lösung. Damit sind Sie fein 'raus, und die Angelegenheit ist erledigt.«

»Was heißt das? Heißt das etwa, daß Sie mich für nicht zurechnungsfähig erklären?«

»Genau das«, sagte Dr. Sämig zufrieden. »Sie sind für Ihre Handlungen nicht verantwortlich.«

»Und das haben Sie schriftlich? Sie haben es schriftlich, daß ich für meine Handlungen nicht voll verantwortlich bin? Das heißt also: Ich bin geistesgestört!«

»So ist es«, sagte Dr. Sämig und nickte befriedigt.

»Darf ich das nachlesen?« wollte Asch wissen. Er hielt den Zettel, las ihn aufmerksam durch und gab ihn zurück. »Das ist doch ein Witz«, sagte er. »Das kann man doch nicht machen.«

»Und ob man das kann!« sagte Sämig. »Und wenn Sie klug sind, werden Sie sofort kapieren, was für ein Glücksfall dieser Wisch für Sie ist.«

»Sie halten das, was Sie geschrieben haben, voll aufrecht?«

»In Ihrem Interesse!«

»Na schön«, sagte Asch. »Wie Sie wollen.«

Er erhob sich langsam. Dann fiel er über den Stabsarzt her, riß ihn zu Boden und begann ihn zu verprügeln. Er riß ihn wieder hoch, warf ihn wie ein Bündel von einer Ecke in die andere. Es war nicht sonderlich anstrengend, denn er war körperlich eindeutig überlegen.

Der Stabsarzt keuchte, japste nach Luft und schrie dann gurgelnd. In seinen weit aufgerissenen Augen war panische Angst. Schnaufend kroch er zur Tür.

»So ist das«, sagte Asch und trocknete sich die Hände ab. »Da kann man nichts machen. Laut Ihrer Diagnose bin ich geistesgestört und für meine Handlungen nicht verantwortlich.«

Der zweite Schuß fiel am Freitagabend. Wieder zeigten die Uhren der Kaserne zwanzig Uhr und achtzehn Minuten an. Eine dunkle Nacht kroch langsam herauf.

Auf Hauptwachtmeister Schulz, der gerade in der Schreibstube saß, rieselte der Kalk nieder. Er bedeckte Teile des Schriftstückes, durch das der Gefreite

Asch fertiggemacht werden sollte. Das Tintenfaß war umgestoßen worden; die Tinte sickerte über das Papier.

Schulz hatte sich zur Erde geworfen. An die Fensterwand geschmiegt, hockte er da und verfluchte seine vertrauensvolle Angewohnheit, bei vollem Licht und weitgeöffneten Fenstern zu arbeiten. Um nicht in das Schußfeld des ihm unzweifelhaft nach dem Leben trachtenden Schützen zu geraten, kroch er vorsichtig auf allen vieren quer durch die Schreibstube zum Lichtschalter.

Die Beleuchtung erlosch. Schulz rannte zu einem der beiden Fenster und spähte vorsichtig hinaus. Der Appellplatz war leer, wenn ihn seine Augen nicht täuschten. »Feiger Hund«, murmelte er. Offenbar hatte er erwartet, daß der Schütze so lange stehenbleiben würde, bis der Hauptwachtmeister dazu kam, ihn zu identifizieren.

Schulz spürte, daß er zitterte; das kam von der Angst, die ihn nachträglich gepackt hatte, und von der Wut, die er in sich auflodern fühlte. Er durchlief die Schreibstube mit drei Sätzen, riß die Tür auf und brüllte in den Korridor hinaus: »Alarm! Alle Unteroffiziere sofort zu mir. Die Mannschaften treten vor ihren Stuben an!«

Er brüllte diese Befehle fast automatisch, ohne sonderlich viel nachzudenken. Aber allein schon das Brüllen verschaffte ihm Erleichterung. Doch geschah nichts Entscheidendes. Einzelne Soldaten schauten interessiert aus ihren Stuben heraus und schienen freudig erregt zu sein.

Dann nahm der Unteroffizier vom Dienst den Vollzug der Hauptwachtmeisterbefehle in die Hand. Seine Trillerpfeife ertönte auf allen drei Korridoren. »Unteroffiziere zum Hauptwachtmeister auf Schreibstube. Mannschaften im Korridor antreten!«

Inzwischen fanden sich die ersten Unteroffiziere ein. Schulz beschäftigte sie sofort. »Sie riegeln den Eingang ab. Wer hinaus oder herein will, wird angehalten. – Sie überwachen die Rückseite des Batterieblocks, damit niemand aus dem Fenster kann. – Sie traben zur Wache und greifen alle Soldaten unserer Batterie auf, die eventuell noch ausgehen wollen. – Sie und Sie suchen das Gelände um den Batterieblock ab; Sie durchstöbern das Hallengelände, Sie kämmen den Exerzierplatz durch. Verstärkung erfolgt, sobald mehr Unteroffiziere eintreffen.«

Der Batterieblock glich jetzt einem aufgeregten Bienenhaus, dessen Eingänge blockiert worden waren. Die Mannschaften stauten sich in den Korridoren und sprachen angeregt miteinander. Sie hatten sich korporalschaftsweise in zwei Gliedern aufgestellt und warteten, was noch passieren würde.

Der Spieß stürzte sich auf den Telefonapparat und ließ sich mit dem Krankenrevier verbinden. »Sehen Sie sofort nach«, rief er, »ob sich der Gefreite Asch auf der Isolierstation befindet.« Er wartete unruhig auf eine Antwort und beobachtete dabei den Unteroffiziersposten, der befehlsgemäß aus dem Fenster der Schreibstube sah.

»Irren Sie sich auch nicht?« fragte der Spieß am Telefon lautstark. »Sind Sie sicher, absolut sicher, daß sich der Gefreite Asch auf der Isolierstation befindet? – Kann er sie in der letzten Viertelstunde verlassen haben? – Das weiß ich selbst, daß die Tür dort Riegel und Sicherheitsschloß besitzt und die Fenster vergittert sind, darüber brauchen Sie mich nicht aufzuklären. Aber schließlich kann er austreten gewesen sein! – Was macht er? Er spielt mit dem Sanitätsfeldwebel Siebzehnundvier, und schon deshalb kann er nicht . . Saustall!«

Schulz knallte den Hörer in die Gabel. Er ballte seine Hände, damit niemand sah, wie sie flatterten. Er schnappte sich einen der Unteroffiziere, die sich um ihn versammelt hatten. »Fliegen Sie 'rüber zum Krankenrevier«, sagte er, »und überprüfen Sie dort, ob die Angaben dieser Jodhengste stimmen.«

Hierauf stand der Spieß einige Sekunden lang breitbeinig da und schien nachzudenken. Er wandte sich an Oberwachtmeister Waber, den Schirrmeister. »Wir müssen den Chef holen«, sagte er. »Hauptmann Derna muß wissen, was hier passiert ist. Am besten, du nimmst einen Kübelwagen und fährst selbst hin. Unterwegs kannst du ihm berichten, was du weißt.«

»Das mache ich«, sagte Oberwachtmeister Waber und trabte davon.

Der Spieß zählte die Häupter, die ihm noch geblieben waren. »Je ein Wachtmeister und ein Unteroffizier«, ordnete er an, »übernehmen je drei Korporalschaften. Es ist herauszufinden, was jeder während der letzten Stunde getan hat. Wer auch nur im geringsten verdächtig ist, so gegen zwanzig Uhr den Block verlassen zu haben, ob nun, um den Mülleimer auszuschütten oder in die Kantine zu gehen, wird mir vorgeführt. Auch die Gewehre sind nachzuprüfen, aber sorgfältiger als das letztemal.«

Die Wachtmeister und Unteroffiziere verteilten sich auf die Korridore. Der Spieß ging aufgeregt in der Schreibstube herum; er glich einem Löwen im engen Käfig bei quälender Hitze und nagendem Hunger. Der Unteroffizier, der dazu eingeteilt war, aus dem Fenster zu spähen, stand unbeweglich.

Leutnant Wedelmann erschien im Bademantel. »Was ist los?«

»Es ist schon wieder auf mich geschossen worden, Herr Leutnant«, berichtete Schulz mit abweisender Sachlichkeit.

»Und schon wieder vorbeigeschossen?«

»Die Kugel hat mich beinahe gestreift. Ich saß gerade hier am Tisch. Das Geschoß pfiff dicht an mir vorbei.«

Wedelmann betrachtete die Einschußstelle; sie befand sich hoch an der Wand. Dann sah er hinaus. Draußen, viel tiefer als die Schreibstube gelegen, befanden sich nur der Appellplatz und ein Teil der Fahrbahn. »Merkwürdige Dinge passieren«, sagte der Leutnant grinsend. »Entweder schwebte der Schütze zwei Meter über dem Erdboden, oder er hatte sich eine Klappleiter mitgebracht, oder aber die Kugel hatte in der Tat einen großen Bogen geschlagen, um Sie beinahe streifen zu können.«

Schulz schwieg feindselig. Er war zu gerissen, um gegen die nicht ganz von der Hand zu weisende Theorie des Leutnants Stellung zu nehmen. »Das kommt alles daher«, sagte er nur, »weil die Kerle behandelt werden wie rohe Eier. Die müssen ja auf dumme Gedanken kommen.«

»Ich finde«, sagte der Leutnant, »der Schuß auf Sie ist ein sicheres Zeichen für den Grad Ihrer Beliebtheit.«

»Es soll auch schon mal vorgekommen sein«, sagte Schulz anzüglich, »daß versucht wurde, mit dieser Methode Menschen aus dem Weg zu räumen, die bei gewissen Liebesabenteuern hinderlich sind.«

»Was Sie nicht sagen!« Leutnant Wedelmann tat, als habe er den Hauptwachtmeister falsch verstanden. »Nach wem haben Sie denn Ihre Finger ausgestreckt? Aber das vereinfacht die Sache vermutlich. Allzu viele werden ja wohl kaum in Frage kommen. Wie dem auch sei; immerhin fällt jetzt Ihre Theorie ins Wasser, nach welcher Ihnen angeblich der Gefreite Asch nach dem Leben getrachtet hat. Ich aber habe gleich gesagt, daß der sich mit solchen Kleinigkeiten überhaupt nicht abgibt.«

Wedelmann ging zufrieden hinaus; das Gefühl, daß ihm der Hauptwachtmeister Schulz wuterfüllt nachstarrte, bereitete ihm Wonne. Kurz erwog er, schnell mal bei Lore Schulz hineinzuschauen, ohne weitgreifende Absichten, nur so, gewissermaßen zum Spaß, um Schulz noch mehr zu ärgern. Aber er unterließ das; und er lobte sich deswegen.

Der Leutnant begab sich dann in den mittleren Korridor, wo sich auch die Korporalschaft Lindenberg befand. Die Soldaten, die sich versammelt hatten, machten ihm Platz und schrien »Achtung!« Ein Wachtmeister stürzte herbei und meldete.

»Bitte weitermachen!« ordnete der Leutnant an. »Lassen Sie sich nicht stören.« Dann ging er auf Unteroffizier Lindenberg zu, der seine Korporalschaft systematisch durchfilzte. »Wenn Sie nichts dagegen haben, Lindenberg, dann schaue ich Ihnen ein wenig zu.«

»Jawohl, Herr Leutnant!« rief Lindenberg stolz.

Unteroffizier Lindenberg krempelte seine Korporalschaft um. Er bewegte sich wie ein Spürhund auf heißer Fährte. Sein Eifer und seine Ausdauer waren ohne Beispiel. Er durchwühlte die Schränke, ließ die Betten abrücken, stülpte den Tisch um; er kroch auf das Fensterbrett und befingerte die Gardinenstange, er tastete die Soldaten ab und verschwand dann für längere Zeit im Besenschrank.

»Was suchen Sie eigentlich?« fragte der Leutnant freundlich.

»Munition, Herr Leutnant«, antwortete Lindenberg prompt.

»Glauben Sie denn, daß Sie Munition bei Ihren Leuten finden werden?« fragte Wedelmann voller Neugierde.

»Natürlich nicht, Herr Leutnant.«

»Und dann suchen Sie trotzdem?«

»Jawohl, Herr Leutnant«, sagte Lindenberg mit bemerkenswerter Überzeugungskraft. »Es ist doch befohlen!«

»Lassen Sie sich durch mich nicht aufhalten«, sagte der Leutnant und sah sich weiter um. Er zählte die Anwesenden. Die Korporalschaft Lindenberg, das wußte er, bestand aus zwölf Mann: nur sieben waren anwesend. Er ließ Lindenberg weiterwühlen und unterhielt sich mit den Soldaten.

»Wer fehlt eigentlich?« wollte er wissen.

Der angesprochene Kanonier Vierbein klärte ihn eifrig auf. »Fünf Mann fehlen. Einer ist kommandiert, zwei haben Ausgang und sind bereits seit sieben Uhr in der Stadt, der Gefreite Asch befindet sich im Krankenrevier, der Obergefreite Kowalski ist noch nicht vom Arbeitsdienst zurück.«

»Wo arbeitet er denn?« fragte Wedelmann.

»Auf der Waffenkammer, Herr Leutnant.«

Wedelmann gab sich uninteressiert und zog sich zurück. »Machen Sie ruhig so weiter, Lindenberg«, rief er noch. Dann ging er in seine Wohnung und goß sich einen großen Kognak ein. Grinsend trank er ihn aus.

Hauptwachtmeister Schulz hatte inzwischen die an der Eingangstür angehaltenen Soldaten examiniert. Sie waren harmlos. Zwei davon hatten in der Kantine Bier getrunken, seit neunzehn Uhr dreißig. Um zwanzig Uhr zwanzig Minuten bezahlten sie ihre Zeche, also zwei Minuten, nachdem der Schuß gefallen war. Der Kantinenpächter Bandurski war bereit, das zu beeiden. Drei andere wollten ausgehen; sie hatten ihre Stuben erst kurz vor zwanzig Uhr dreißig Minuten verlassen, die gesamte Belegschaft konnte bezeugen, daß sie vorher herumgesessen oder sich rasiert hatten. Ein sechster Soldat sollte für Wachtmeister Platzek Zigaretten holen; auch er hatte sich erst in Marsch gesetzt, nachdem der Schuß gefallen war.

Schulz fluchte. Auch der Unteroffizier, der auf der Wache gewesen war, kam ergebnislos zurück. Schulz fluchte. Die Unteroffiziere, die die Umgebung des Batterieblocks, das Hallengelände und den Exerzierplatz durchkämmt hatten, meldeten ebenfalls Fehlanzeige. Schulz fluchte.

Langsam war die ganze Kaserne unruhig geworden. Die Pfadfinder des Hauptwachtmeisters schienen sich wie Elefanten im Porzellanladen benommen zu haben. In kurzer Zeit wußte die ganze Kaserne, daß bei der 3. Batterie ein Schuß gefallen war, und zwar in der Absicht, den Hauptwachtmeister zu töten. In der 5. Batterie wurde bereits von einer schweren Verwundung gesprochen, und in der Kantine ging das Gerücht, bei der 3. Batterie liege eine Leiche.

Zuerst rief der Wachhabende an, dann das Krankenrevier, später der Offizier vom Dienst, ganz spät der Abteilungsadjutant. Schulz fluchte in das Telefon hinein und wurde pampig. Der Adjutant verbat sich das. Schulz, der einem Irrtum zum Opfer gefallen war, winselte kleinlaut. Der Adjutant forderte eingehenden Bericht. Schulz versprach das mit bebenden Knien.

In dieser Stimmung lief dem Hauptwachtmeister der Wachtmeister Platzek über den Weg. »Platzek«, sagte Schulz, »jetzt ist meine Geduld am Ende.«

»Das kann ich verstehen«, versicherte Platzek.

»Jetzt muß endlich aufgeklärt werden, woher die Munition kam, mit der auf mich geschossen wurde, und vor allem, an wen sie ging.«

»Aber ...«, stotterte Platzek.

»Keine Widerrede«, sagte Schulz erbarmungslos. »Einer von den Leuten, die auf deinem Stand geschossen haben, muß es gewesen sein. Hier müssen die Nachforschungen ansetzen.«

»Aber dann bin ich erledigt!«

»Wenn du erledigt bist, ist das immer noch nicht so schlimm, als wenn ich tot bin«, sagte Schulz. »Oder glaubst du etwa, ich warte hier in Ruhe ab, bis diese Schweine die restliche Munition auf mich verschossen haben!«

Schulz ließ den restlos zerstörten Platzek stehen und trabte nach draußen. Er hatte den Kübelwagen des Chefs kommen hören. Er wollte Hauptmann Derna so früh wie möglich Meldung erstatten.

Hauptmann Derna sah trotz der Dunkelheit bleich aus. Schulz hatte das Gefühl, ihm beim Aussteigen behilflich sein zu müssen, aber sein ausgeprägtes Taktgefühl maßgeblichen Vorgesetzten gegenüber ließ ihm das nicht ratsam erscheinen.

»Wie ist denn das nur möglich?« fragte Derna.

Schulz sprudelte seine umfangreiche Meldung hervor.

»Gehen wir in mein Dienstzimmer«, sagte Derna.

Und hier angekommen, sah er seinen Hauptwachtmeister ratlos an und fragte: »Was machen wir jetzt?«

Major Luschke, der Abteilungskommandeur, wurde nicht nur von seinen unmittelbaren Untergebenen für völlig unberechenbar gehalten. Knollengesicht kam, wann er wollte, ging, wenn er es für richtig hielt, tat, was ihm gerade einfiel. Aber was planlos schien, war höchste Zielstrebigkeit: Luschke verbreitete mit Erfolg und nicht ohne Genuß Unruhe; er konnte jeden Augenblick, zu jeder Tages- und Nachtzeit auftauchen und eingreifen.

Völlig folgerichtig hierzu legte Luschke gesteigerten Wert auf die Pünktlichkeit seiner Untergebenen. Die von ihm genehmigten Dienstpläne und deren präzise Zeitangaben mußten wie ein Heiligtum verehrt werden. Er selbst trug am Körper zwei Uhren, eine dritte stand vor ihm auf dem Schreibtisch, eine vierte hing an der Wand.

Luschke hatte am Freitagnachmittag frühzeitig die Kaserne verlassen, natürlich ohne den Adjutanten davon zu verständigen. Am Freitagabend war er bei irgendeinem Sägewerksbesitzer zur Jagd eingeladen. Das aber könnte bedeuten, daß erfahrungsgemäß Major Luschke am Samstag entweder in aller Herrgottsfrühe oder aber mit reichlicher Verspätung eintreffen würde. Doch auch bei dieser Kombination handelte es sich lediglich um eine Vermutung; genausogut könnte Luschke pünktlich, auf die Sekunde genau, um acht Uhr erscheinen, zu dem Zeitpunkt also, wo befehlsgemäß die Arbeit des Kommandostabs zu beginnen hatte.

Der Abteilungsadjutant, der es sich schnell abgewöhnt hatte, das Erscheinen oder Verschwinden seines Majors an Hand von Wahrscheinlichkeitsberechnungen feststellen zu wollen, erschien wie üblich um acht Uhr in den Geschäftszimmern der Abteilung. Luschke war natürlich nicht da. Aber davon war er überzeugt: Würde er auch nur drei Minuten zu spät kommen, wäre Luschke bereits dagewesen und hätte mit süffisanter Miene auf ihn gewartet.

Während der Adjutant mit niemals nachlassender gelinder Unruhe auf das plötzliche Auftauchen seines Kommandeurs wartete, ordnete er die eingegangenen Befehle, Anweisungen, Meldungen, Berichte und Aufstellungen. Es befand sich nichts Besonderes darunter. Der Adjutant hatte kaum etwas anderes erwartet; wer einigermaßen normal veranlagt war, mußte ehrlich bestrebt sein, die Aufmerksamkeit des Majors nicht herauszufordern. Und da noch keine schriftliche Meldung darüber vorlag, was gestern abend bei der 3. Batterie passiert sein sollte, beschloß er erprobterweise, von nichts zu wissen; es sei denn, Luschke würde ausdrücklich danach fragen, was gar nicht einmal so ausgeschlossen war.

Um acht Uhr fünfzehn betrat dann Hauptmann Derna das Abteilungsgeschäftszimmer. Er sah überarbeitet aus. Mit schlaffem Händedruck begrüßte er den Adjutanten. Dann begann er zu berichten und zog einen Stapel Meldungen aus seiner Aktentasche.

»Was meinen Sie wohl, wird der Abteilungskommandeur dazu sagen?«

Der Adjutant war noch um Grade unruhiger geworden. Er zuckte mit den Schultern: »Bin ich ein Hellseher?«

Dann warteten sie nahezu wortlos auf das Erscheinen des Majors. Der Adjutant erledigte nervös die anlaufende Tagesarbeit. Hauptmann Derna stand am Fenster, von wo aus er den Eingang der Kaserne genau beobachten konnte. Er spähte nach Luschke aus.

Plötzlich wurde die Tür des Arbeitszimmers des Kommandeurs von innen geöffnet. Major Luschke steckte seine Knollennase in den Adjutantenraum. Er war also, wie schon oft, auf Umwegen eingetroffen.

»Bei der 2. Batterie«, sagte Luschke, »ist im Waschraum eine Fensterscheibe zerbrochen, und zwar seit drei Tagen. Das erste Hallentor der 5. Batterie hat schwere Kratzer und eine Einbuchtung. Die Schlösser an den Munitionsbunkern sind nicht geölt. Im Krankenrevier ist vergessen worden, die Lampe über dem Eingang auszuschalten. Haben Sie sich das notiert? Eine Meldung der Verantwortlichen hierüber liegt um zwölf Uhr auf meinem Tisch. Verstanden?«

»Jawohl, Herr Major. Schriftliche Meldung bis zwölf Uhr.«

Luschke, das Knollengesicht, nickte. Er war ein kleiner, gedrungener Mann, mit ruhigen, wohlabgerundeten Bewegungen. Seine Stimme klang sanft, was geradezu erschreckend wirkte. Seine kleinen, scharfen, kalten Augen funkelten listig. »Was führt Sie zu mir, Herr Hauptmann Derna? Oder sollte ich Sie zu mir bestellt haben – ich entsinne mich nicht?«

»Eine äußerst peinliche Angelegenheit, Herr Major.«

»Peinlich – für wen? Außerdem hat alles, was peinlich genannt wird, irgend etwas mit einer Sauerei zu tun. Es gibt aber keine Sauerei in meiner Abteilung, Herr Hauptmann Derna.«

Derna, der sich in Gegenwart des Majors noch weit unsicherer fühlte als sonst, hielt es für das beste, nicht erst lange zu reden, sondern die Tatsachen sprechen zu lassen. Er legte dem Abteilungskommandeur Meldung um Meldung vor.

Luschke las sie langsam und zunächst völlig kommentarlos durch. Er stand wie angewurzelt neben dem Schreibtisch des Adjutanten. Sein Knollengesicht, das er über die Meldungen gebeugt hielt, sah rötlich aus; aber das hatte nicht das mindeste mit seiner inneren Verfassung zu tun, das war von Sonnenstrahlen verursacht worden, denen es zufällig gelungen war, mit Teilen seines Gesichtes, trotz der riesigen Mütze, die er gewöhnlich trug, in Berührung zu kommen.

Der Major las Blatt um Blatt, ohne mit der Wimper zu zucken. Der Adjutant betrachtete ihn gottergeben. Hauptmann Derna fieberte danach, eine Regung des Majors, irgendeine, gleich welche, zu erspähen. Luschke blieb unbewegt. Atemlose Stille lag im Raum. Nur von Zeit zu Zeit, wenn der Major eine Meldung nach der anderen umblätterte, knisterte das Papier aufregend.

Dann sagte der Major sanft: »Idioten!«

Er sah Hauptmann Derna mit seinen kleinen, kaltglitzernden Augen lange an. Derna war blutrot angelaufen. Er stand stramm, aber seine Ehrenbezeigung wirkte unglücklich verkrampft.

Major Luschke warf die Meldungen auf den Schreibtisch seines Adjutanten. »Das«, sagte er und schlug mit der flachen Hand darauf, »das gibt es nicht. Verstehen Sie das, Herr Hauptmann Derna? So etwas gibt es nicht, schon gar nicht in meiner Abteilung.«

»Jawohl, Herr Major«, stotterte Derna, »auch ich bin ganz der Meinung von Herrn Major, aber ...«

»Wo gibt es denn ein Aber, wenn wir der gleichen Meinung sind, Herr Hauptmann?«

»Die Unteroffiziere, Herr Major, besonders Hauptwachtmeister Schulz.«

»In Ihrer Batterie bestimmen die Unteroffiziere, was zu geschehen hat?« In Luschkes Knollengesicht hoben sich voller Verwunderung die Augenbrauen.

Seine Augen funkelten. Er hatte das Kinn vorgestoßen und lächelte süffisant. Der Adjutant, der diesen beklemmenden Gesichtsausdruck des Kommandeurs genau kannte, sah schwarz für Hauptmann Derna.

Der verstörte Chef der 3. Batterie fand keine Antwort. Er sah erbärmlich aus, fast wie zerknittert. Sein wienerischer Charme, seine k. u. k. österreichische Liebenswürdigkeit waren zerschellt an dem steinharten Luschke.

»Wenn ich Sie also recht verstehe«, sagte der Major, »werden Sie mit Ihren Leuten nicht fertig.«

»Ich darf Herrn Major versichern, daß ich alles versucht habe ...«

»Ich zweifle nicht daran, Herr Hauptmann Derna«, sagte Luschke mit vernichtender Sanftmut. »Man könnte das Unfähigkeit nennen. Jedenfalls kommen Sie jetzt mit diesen Affären zu mir. Nun gut, ich werde Ihnen zeigen, wie man solche – Bagatellen erledigt.«

Der Abteilungsadjutant erlaubte sich eine Bemerkung: »Auch Leutnant Wedelmann vertrat gestern abend am Telefon mir gegenüber die Ansicht, daß es sich hier um Bagatellen handele.«

»Interessant«, sagte Major Luschke. »Wahrscheinlich hat der Leutnant genau begriffen, was ein Hauptmann nicht erfaßt. Aber Wedelmann kommt aus meiner Schule. Sie aber, Herr Hauptmann Derna, sind mir nur zugeteilt.«

Luschke griff wieder nach den Meldungen; dabei schoß er einen verächtlichen Blick auf Derna ab. »Also dann wollen wir mal«, sagte er. »Es melden sich bei mir: Unteroffizier Lindenberg, Wachtmeister Platzek, Hauptwachtmeister Schulz, Stabsarzt Dr. Sämig. Auch Leutnant Wedelmann soll kommen.«

Der Adjutant stürzte sich sofort auf seinen Telefonapparat und gab die Anordnungen des Kommandeurs weiter. Derna stand herum wie ein überflüssiges Möbelstück. Der Major blätterte noch einmal die Meldungen durch, wobei er sein Kinn genußvoll schabte.

»Asch«, sagte er dann und appellierte an sein vorzügliches Gedächtnis, »Gefreiter Asch. Der Name ist mir doch in diesen Tagen schon einmal begegnet?« Dann blitzten seine Augen auf. »Haben Sie ihn nicht zur Beförderung zum Unteroffizier vorgeschlagen, Herr Hauptmann Derna?«

»Jawohl, Herr Major«, stammelte der.

Luschke wandte sich von ihm ab und murmelte: »Niete.« Dann befahl er, zuerst Leutnant Wedelmann hereinzuführen.

Der Leutnant erschien. Und wie alle, die das Zimmer betraten, in dem sich der Major aufhielt, blieb er an der Tür stehen, machte eine exakte Ehrenbezeigung und meldete: »Leutnant Wedelmann, wie befohlen, zur Stelle.«

»Kommen Sie doch näher, lieber Wedelmann«, schnurrte Luschke sanft. »Ich stand in der vorigen Woche am Fenster und beobachtete den Exerzierplatz. Es war Infanteriedienst, und Sie hatten die Aufsicht. In einer Gruppe wurde ein Mann derartig geschliffen, daß er die Beherrschung verlor und offenbar eine Art epileptischen Anfall bekam; er schien sich auf den Unteroffizier stürzen zu wollen. Und was taten Sie? Nun?«

»Ich entfernte mich sofort, Herr Major«, sagte Wedelmann wahrheitsgemäß.

»Und warum?«

»Es gibt Dinge, die man einfach nicht zur Kenntnis nimmt, wenn man klug ist, Herr Major. Sie bereinigen sich dann meistens von selbst. Kniet man sich aber hinein, dann bauscht man sie meistens nur auf!«

»Meine Schule!« sagte Luschke hochbefriedigt. Dann wollte er wissen: »Kennen Sie, lieber Wedelmann, die Meldungen gegen den Gefreiten Asch, und was halten Sie davon?«

»Ich kenne sie alle, Herr Major, und ich halte nichts von ihnen. Warum der Lärm, wenn es anders auch geht?«

Luschke blitzte zerschmetternd zu Derna hinüber. Dann schlug er Leutnant Wedelmann auf den Oberarm. Der Adjutant atmete erleichtert auf und distanzierte sich nunmehr auch räumlich vom unglückseligen Chef der 3. Batterie.

Der Major ließ sich von Wedelmann Einzelheiten über die Soldaten berichten, die er vorgeladen hatte. Wedelmann gab kurze, erschöpfende Auskünfte. Der Kommandeur nickte befriedigt. »Unteroffizier Lindenberg«, sagte er.

Lindenberg baute sich auf und sah seinem Kommandeur, wie es die Vorschrift erheischt, offen in die Augen. Er war überzeugt, einen großen Augenblick zu erleben und sicher, daß er ihn würdig bestehen würde.

»Unteroffizier Lindenberg«, sagte Major Luschke, »Sie gelten als zuverlässig und korrekt. Um so mehr wundere ich mich, daß Sie sich mit Ihren Untergebenen in lange Gespräche, um nicht zu sagen Diskussionen einlassen. Das ist in den Vorschriften nicht vorgesehen. Sie haben zu befehlen, klar und unmißverständlich, Ihre Untergebenen haben zu gehorchen. Tun Sie das nicht, ist das Befehlsverweigerung. Dann erst schreiben Sie eine Meldung. Sich durchsetzen, ist eine Frage der Persönlichkeit. Haben Sie mich verstanden, Unteroffizier Lindenberg?« – »Jawohl, Herr Major.«

»Und wenn Sie mich richtig verstanden haben, werden Sie wissen, daß Ihre Meldung glatter Unsinn ist. Papierkorb! Sie können abtreten, Unteroffizier Lindenberg.«

Lindenberg knallte die Hacken zusammen und verschwand wie ein Komet. Luschke fand das selbstverständlich; er hielt es nicht einmal für angebracht, überlegen um sich zu blicken. Er nahm sich die nächste Meldung vor. »Wachtmeister Platzek.«

Platzek stand da wie ein Felsbrocken, der innen hohl ist. Er sah seiner letzten Stunde entgegen. Von hier aus, so glaubte er fest, würde ihn sein Weg in ein Militärgefängnis führen.

»Ich lese da, Wachtmeister Platzek«, sagte Luschke, »daß Ihnen Munition verschwunden sein soll. Aber das ist natürlich Unsinn. Es gibt keinen Wachtmeister, dem Munition verschwindet, schon gar nicht in meiner Abteilung. Von einer Urkundenfälschung wollen wir erst gar nicht reden. Das ist Irrsinn. Oder habe ich unrecht?«

»Nein, Herr Major«, beeilte sich Wachtmeister Platzek zu versichern.

»Es fehlt also keine Munition, und die Schießkladde wurde vorschriftsmäßig geführt. Ist das so?«

»Jawohl, Herr Major.«

»Dann ist diese Meldung überholt und kommt in den Papierkorb. Sie können abtreten, Wachtmeister.«

Wachtmeister Platzek wußte nicht, wie ihm geschah. Sein Drang ins Freie war enorm. Er schoß durch die Tür und machte ein außerordentlich dummes, aber überglückliches Gesicht.

»Dieser Mann wird bei der nächsten Gelegenheit versetzt«, ordnete Luschke an. »Jetzt soll Hauptwachtmeister Schulz kommen.«

Schulz fuhr herein wie ein Panzerwagen. Er hielt ruckartig, stand blokkierend im Raum, schnurrte seine Meldung herunter und wartete.

Luschke sah ihn prüfend an und überlegte kurz, wie der wohl am besten zu knacken wäre. Aber er ließ sich nicht erst auf kühne Kombinationen ein, er wählte die gängigste Methode. »Haben Sie eigentlich die Absicht«, erkundigte er sich sanft, »Ihren Posten als Hauptwachtmeister aufzugeben?«

Schulz erschrak sichtlich. Er wurde abwechselnd bleich und rot, starrte seinen Kommandeur an und schwieg.

»Es wäre eigentlich schade«, sagte Luschke sanft. »Sie sind ein ganz brauchbarer Hauptwachtmeister gewesen, wenigstens bis vorgestern. Ich verliere Sie nicht gerne, aber Ersatz ist da. Und Sie wissen doch, daß Hauptwachtmeister kein Rang, sondern nur eine Dienststellung ist. Sie legen Ihre Streifen ab, geben Ihre Dienstwohnung auf und werden Oberwachtmeister. Ganz einfach.«

Hauptmann Derna wagte sich hier einzumischen. »Herr Major ...«

»Herr Hauptmann«, sagte Luschke, »ich entsinne mich nicht, um Ihre Meinung gebeten zu haben!«

Derna klappte den Mund wieder zu und zog sich zurück. Schulz war im Augenblick gerade wieder blutrot angelaufen. Wedelmann und der Adjutant grinsten sich vorsichtig an. Luschke beherrschte das Feld souverän.

»Ein Hauptwachtmeister«, sagte der Major, »muß eine Persönlichkeit sein. Eine Persönlichkeit aber setzt sich durch. Eine Meldung wie diese ist aber immer nur ein Zeichen von Hilflosigkeit.«

»Bitte, Herrn Major darauf aufmerksam machen zu dürfen, daß auf mich geschossen wurde«, sagte Schulz mit Anstrengung.

Luschke schüttelte ein wenig den Kopf. Das war die Klippe, er verhehlte sich das nicht; aber auch sie mußte überwunden werden. »Wie wollen Sie denn beweisen, daß ausgerechnet auf Sie geschossen wurde? Irgendwo muß der Schuß ja landen. Und sie saßen zufällig in der Schußlinie. Das kann schon vorkommen. Ein richtiger Mann macht dabei nicht gleich in die Hosen. Außerdem, wo soll die Munition hergekommen sein? Von Platzeks Schießstand bestimmt nicht; das hat der mir gerade vorhin versichert. Also woher denn sonst?«

»Wir haben gestern abend auch geschossen, Herr Major, hinter dem Offizierskasino.«

Luschke sah Leutnant Wedelmann überrascht an. Diese völlig unerwartete Bemerkung des Leutnants hatte die gefährliche Klippe dieser Verhandlung mühelos überwinden lassen. Der Major blinzelte erfreut; er empfand nicht so sehr Dankbarkeit für diese willkommene Hilfestellung, denn am Ende hätte er es auch alleine geschafft, vielmehr bereitete ihm das Verhalten von Wedelmann Genugtuung. Seine Schule! Er fühlte sich verstanden.

»Herr Leutnant Wedelmann«, sagte Luschke mit unverhülltem Wohlgefallen, »ich ersuche Sie und die anderen Herren des Offizierskorps, in Zukunft bei Ihren Übungen mit scharfer Munition vorsichtiger zu sein und möglichst den Schießstand zu benutzen.« – »Jawohl, Herr Major«, sagte Wedelmann.

Luschke wandte sich wieder Hauptwachtmeister Schulz zu. »Damit ist auch diese Angelegenheit geklärt. Ich habe zwar durchaus nichts gegen Diensteifer, aber diesmal sind Sie bestimmt zu voreilig gewesen. Sehen Sie das ein, oder legen Sie keinen Wert mehr darauf, auch weiter Hauptwachtmeister zu bleiben?«

»Jawohl, Herr Major!«

»Was – jawohl?«

»Ich sehe das ein, Herr Major.«

»Warum nicht gleich?« Luschke ergriff die Meldungen des Hauptwachtmeisters, hielt sie mit zwei Fingern über den Papierkorb und ließ sie dann fallen. »Erledigt«, sagte er. »Sie können abtreten.«

Schulz schaltete sofort und rollte hinaus. Draußen schnaufte er. »Donnerwetter«, sagte er laut zu sich, »um ein Haar hätte das schiefgehen können.« Ach, er war heilfroh, diese Sache hinter sich zu haben. Und sein Respekt vor Luschke war ins Grenzenlose gestiegen.

Major Luschke hatte sich inzwischen mit Dr. Sämig, dem Stabsarzt, beschäftigt. Er gab sich streng dienstlich und vermied es geschickt, seinem Besucher die Hand zu reichen. Auch wies er ihm keinen Platz an; aber es machte beinahe den Eindruck, als habe der Kommandeur das vergessen.

Luschke wußte genau, daß er mit Dr. Sämig nicht herumspringen konnte, wie er wollte. Der Stabsarzt war ihm lediglich zugeteilt; als Offizier unterstand er ihm, als Arzt nicht. Aber in Sämig wucherte der Respekt vor dem aktiven Offizier; und nicht zuletzt war es eben dieser Major Luschke, der derartige Gefühle in ihm mit Macht gefördert hatte.

»Was höre ich da«, sagte Luschke betont freundlich, »Sie führen mit Ihren Patienten fröhliche Ringkämpfe auf?«

»Ich bin überfallen worden«, sagte Dr. Sämig bitter.

»Ihre Worte sind nicht richtig gewählt«, sagte Luschke, und plötzlich klang seine Stimme ganz kalt und bedrohlich leise. »Ein Offizier wird nicht überfallen. Das gibt es nicht. Merken Sie sich das. Denn wenn es wirklich soweit kommen sollte, ist der Überfallene ein toter Mann, oder der Offizier ist ein elender Waschlappen.«

Dr. Sämig riß seine blaßblauen Augen weit auf. Er sah hilfesuchend um sich, aber niemand kümmerte sich um ihn.

»Manchmal«, sagte Luschke, »höre ich Geschichten, bei denen sich mir die Haare sträuben, aber ich glaube sie nicht. Mein gesunder Menschenverstand sagt mir, daß ich sie nicht glauben darf. Sollte es etwa einen Arzt geben, der, aus wer weiß was für Gründen, einen normalen Menschen für geisteskrank erklärt – wissen Sie, was dem fehlt? Prügel! Eine tüchtige Portion Prügel. Und ein Soldat, der das fertigbringt – wissen Sie, was ich mit dem machen würde? Ich würde ihm gratulieren! Von ganzem Herzen. Aber so etwas gibt es nicht. Und wenn es das gäbe, würde sich das ganze Offizierskorps krank lachen, soweit es überhaupt Verstand hat. Sagten Sie was, Dr. Sämig?«

»Nein, Herr Major.«

»Und diese Meldung, die ich hier habe – die kann doch nur ein Witz sein! Nun gut, wir haben darüber gelacht. In den Papierkorb damit.«

Und der Major Luschke warf auch das letzte Blatt Papier weg. Er rieb sich die Hände und sah sich mit funkelnden Augen um. Aber noch immer war nicht erkennbar, daß er triumphierte.

»Leutnant Wedelmann«, sagte der Kommandeur, »die 3. Batterie bedarf offenbar einer klügeren, geschickteren Organisation. Sie braucht einen Mann, aber keine Marionette. Vorschriften allein genügen nie, etwas Verstand muß auch dabei sein. Glauben Sie, daß wir vor weiteren ähnlichen Überraschungen sicher wären?«

»Bestimmt, Herr Major.«

»Und der Gefreite Asch?«

»Ich lege meine Hand für ihn ins Feuer.«

»Trotz allem?«

»Gerade deshalb, Herr Major.«

»Nun gut«, sagte der Kommandeur. »Dann übernehmen Sie die Batterie, Leutnant Wedelmann. Hauptmann Derna wird seinen Urlaub antreten; ich drücke das schon beim Regiment durch. Und wissen Sie, was wir jetzt machen werden, Leutnant Wedelmann?«

»Nein, Herr Major.«

»Wir gehen jetzt beide zum Gefreiten Asch. Wir werden ihm seine Beförderung zum Unteroffizier mitteilen.«

Alles geschah, wie geplant. Der Gefreite Herbert Asch, ein wenig müde geworden von einem Kampf, den er für aussichtslos hielt, nahm seine Beförderung an. Naiv, wie er manchmal war, dachte er daran, als Unteroffizier so leben zu können, wie er sich als Gefreiter die Unteroffiziere gewünscht hatte. Aber bald mußte er einsehen, daß es nicht zuletzt immer wieder die dienstbereite Ergebenheit gewisser Teile der Mannschaft war, die empfängliche Vorgesetzte größenwahnsinnig machte, ob sie es wollten oder nicht.

Leutnant Wedelmann übernahm die 3. Batterie nur für eine kurze Zeitspanne. Denn damals war er dem Ranglistenalter nach zu jung, um eine selbständige Funktion ausüben zu können. Aber schon bei Beginn des zweiten Weltkrieges wurde er Batteriechef. Er war an allen Frontabschnitten gut zu gebrauchen. Die Soldaten liebten ihn, und die Vorgesetzten waren froh, wenn sie ihn nicht sahen. Und das ist ja auch das Beste, was man von einem Offizier sagen kann.

Der Unteroffizier Lindenberg, der unentwegt seiner Überzeugung treu blieb und sich geschworen hatte, dem Vaterlande allzeit furchtlose und stets gut durchtrainierte Verteidiger zu schaffen, füllte jede Minute des ihm noch verbleibenden kurzen Lebens mit Arbeit aus. Er fiel am dritten Tag des Krieges in Polen, bei einem Dorf, das nur Spezialkarten verzeichneten. Er fiel durch eine Maschinengewehrgarbe, wie sonst gewöhnlich nur Helden in Lesebüchern fallen: mitten im Kampf um einzelne Häuser, das Gewehr in der linken, in der rechten Hand die gerade abgezogene Handgranate, die detonierte, als er mit dem Gesicht darauffiel.

Wachtmeister Platzek, der Schleifer-Platzek, starb ebenfalls den Heldentod, allerdings unter wesentlich anderen Umständen und lange Jahre danach. Bis 1943 war er Ausbilder in der heimatlichen Garnison und Träger des Kriegsverdienstkreuzes I. Klasse. Einige hundert Soldaten waren durch seine Hände gegangen und, wie Platzek mehrfach stolz behauptet hatte, durch ihn »zum Manne gemacht worden«. Als ihn sein Schicksal ereilte, war er gerade dabei, sich vom Atlantikwall abzusetzen. Unaufhaltsam eilte er seiner Truppe voraus. In einem Weinkeller bei Dreux wurde er durch Bomben verschüttet. Ein mächtiges Rotweinfaß platzte über ihm.

Wachtmeister Werktreu, der Frauenfreund und Kammerbulle, kam mühelos durch den Krieg. Er hielt sich zumeist dort auf, wo gerade nicht geschossen wurde. Er war der geborene Verwalter von Bekleidung, Munition und Menschen. Kurz nach dem Feldzug tauchte er im eroberten Polen auf und war dort bei der Landbevölkerung als Aufkäufer ein ganz fester Begriff. Später ging er mit einer Nachschubeinheit nach Frankreich und soll sich dort als Begründer mehrerer gut organisierter Freudenhäuser einen Namen gemacht haben. Kurz vor Kriegsschluß ließ er sich in der Normandie überrollen und arbeitete dann dort eine Zeitlang als Aushilfskellner in einem Landgasthaus, das einer schon etwas verbrauchten Wirtin gehörte, was ihn aber nicht weiter störte. Kurz nach dem Krieg betrieb er dann in Hamburg einen gutgehenden Schwarzhandel mit Seidenstrümpfen. Vier Jahre später besaß er eine eigene Fabrik.

Hauptmann Derna wurde zunächst, nach längerem Urlaub, wieder aus der Wehrmacht entlassen. Er zog nach Wien und arbeitete dort bei einer Lebensversicherung. Später »rief ihn das Vaterland« erneut. Er wurde Kommandant eines Barackenlagers voller Kriegsgefangener in der Nähe einer Munitionsfabrik. Der Ortskommandant, dem er unterstellt war, ein Reserveoffizier aus Stettin, behandelte ihn, wie eben ein Preuße einen Österreicher behandelt, wenn beide die gleiche Uniform tragen. Derna litt entsetzlich darunter. Er verfluchte heimlich, jemals »Heim ins Reich« gebrüllt zu haben. Als der Krieg zu Ende war, atmete er auf. Die Lebensversicherungsgesellschaft in Wien hatte ihn wieder. Auf seiner Visitenkarte steht: Major a. D.

Hauptwachtmeister Schulz machte, wie zu erwarten gewesen war, seinen Weg. Er wurde, da das Offizierskorps dringend guten Nachwuchs brauchte, auf eine Kriegsschule geschickt und absolvierte sie mit zäher Beharrlichkeit und verbissenem Ehrgeiz als Lehrgangsbester. Schulz beendete den Krieg mit vier Koffern und zwei Lastwagen voll sorgfältig ausgewählter Bekleidungsgegenstände und konzentrierter Lebensmittel. Irgendwo in Hessen wurde er Gemeindediener, dann Angestellter beim Arbeitsamt, schließlich Leiter desselben. Lore, seine Frau, ließ sich von ihm scheiden. Sie heiratete einen Amerikaner und wanderte nach Texas aus.

Allein der Obergefreite Kowalski war, als der Krieg zu atmen aufhörte, immer noch Obergefreiter. Seine Ernennung zum Unteroffizier hatte er einfach nicht zur Kenntnis genommen, und die Vorgesetzten kamen überein, so zu tun, als sei sie gar nicht erfolgt. Er stand dreimal vor dem Kriegsgericht, und niemals konnte man ihm irgend etwas beweisen. Nach dem Krieg schloß er sich einer sozialen Partei an und wurde Stadtrat in einem Industriezentrum. Er ist von seiner Fraktion als Polizeipräsident vorgesehen.

Ja, und was geschah mit dem Unteroffizier Asch?

Solange noch ein Zustand herrschte, der Frieden genannt wurde, gelang es ihm, wie zuvor eine ruhige Kugel zu schieben. Im Krieg aber wurde auch für ihn scharf geschossen. Wie er dennoch immer wieder eine gute Deckung fand, ohne dabei an Haltung zu verlieren, wie er dank seiner Liebe zu

Elisabeth auch den weiblichen Versuchungen widerstand, die in Gestalt von Wehrmachtsbetreuerinnen zeitweise an der Front auftauchten und wie er schließlich sogar einen Batteriechef fertigmachte, der vom Ersatztruppenteil mit ausgesprochenen Halsschmerzen an die Front kam – das steht in einem neuen Buch, das der Verfasser zur Freude so mancher Obersten, Generale und Bundesminister geschrieben hat.

Major Luschke, der im sogenannten Frieden Asch vor dem Kriegsgericht gerettet hatte, avancierte im Kriege zum Oberst und war zeitweise Regimentskommandeur von Herbert Asch. Er war nicht der Mann, der unüberlegte Dinge tat. Aber immerhin gehörte er zu den wenigen, die eine eigene Meinung hatten und die es auch als ihre Offizierspflicht betrachteten, von ihrer Meinung Gebrauch zu machen und die ihnen anvertrauten Soldaten nicht sinnlos verheizen zu lassen.

In dem nächsten Buch »Null-acht-fünfzehn im Krieg« wird man auch lesen, wie Luschke dem Kanonier Johannes Vierbein zu einem unverhofften Wiedersehen mit der Heimat verhalf, mit Ingrid Asch, seiner einstigen Braut, und der im Bombenkrieg erst recht lebenshungrig gewordenen Lore Schulz ...

Man wird dann auch Näheres über das Schicksal von Elisabeth Freitag hören, der Braut des Gefreiten Asch, über ihren handfesten Vater und seinen Freund, den Cafetier Asch. Die beiden Alten wurden, wie man sich denken kann, gute Freunde. Sie bastelten zusammen, schimpften sich zusammen durch den Krieg und leerten gemeinsam so manche Flasche. Als der alte Freitag wegen seiner sozialistischen Vergangenheit kurz vor Kriegsschluß in arge Bedrängnis geriet, war es der alte Asch, der ihn herauspaukte. Als dann der alte Asch seiner nationalsozialistischen Vergangenheit wegen kurz nach Kriegsschluß in arge Bedrängnis geriet, war es der alte Freitag, der Himmel und Hölle in Bewegung setzte, um seinem liebgewonnenen Freund alle Unannehmlichkeiten zu ersparen. Sie hatten wahrlich recht verschiedenartige Anschauungen, aber sie verstanden sich dennoch vorzüglich. Und in einem Punkt waren sie sich völlig einig: alles, was das Militär betraf, wie sie es kennengelernt hatten, forderte bei ihnen Wortgebilde heraus, die in keinem Lexikon standen.

Die Kaserne steht aber immer noch. Ihr ist nichts geschehen. Sie hat die bösen Jahre gut überstanden, und so behauptet sie auch heute noch ihren Platz, störrisch und eigensinnig. Ein Fremdkörper jetzt, mitten in den neuen Wohnvierteln der Vorstadt, die sich bis an ihre kantigen Mauern herangeschoben haben. Ja, sie ist in der neuen Wohngegend sogar zum Stein des Anstoßes geworden. Sie hat etwas von einem Gefängnis an sich, das in diese Gegend gar nicht paßt.

Als die Artillerieabteilung des Major Luschke, die dort gehaust hatte, in den Krieg gezogen war, stauten sich Reserveabteilungen darin. Ein Reservelazarett wurde zusätzlich hineingezwängt. Baracken für Gefangene engten die Kaserne abermals ein. Dann plötzlich, bei Kriegsschluß, war sie wie leergefegt. Aber schon wenige Tage darauf wurden dort die Soldaten von gestern die Gefangenen von heute. DP's lösten sie ab. Dann machten sich Besatzungstruppen breit. Und jetzt wird die Kaserne wieder geräumt, gereinigt und ausgebessert.

Möge den Soldaten, die hier Dienst tun müssen, erspart bleiben, was fünfzehn Jahre vorher dort geschah! Es muß sich manches ändern. Nur dann sind Kasernen mit verläßlichen Menschen zu füllen.

Ein ostpreußischer Schwejk unter Bauern, Bonzen und Braunhemden als Parteigenosse wider Willen.
352 Seiten

Der große zeitgeschichtliche Roman über die Affäre Blomberg/Fritsch.
379 Seiten

Der schonungslose Roman über eine schonungslose Zeit – Deutschlands wilde, wirre Jahre nach dem Kriege.
400 Seiten

Ein Geschenk von Hans Hellmut Kirst an seine Leser, an alle Tierfreunde und – an alle Tiere (denn das Honorar stiftet der Autor dem Tierschutzverein).
100 Seiten

Die 08/15-Welterfolge: über 3 Millionen Exemplare

Hans Hellmut Kirst – der weltweit erfolgreichste deutsche Autor nach 1945.
245 Auslandsausgaben in 26 Sprachen. Zahlreiche internationale Ehrungen und Auszeichnungen.

Hans Hellmut Kirst
08/15 in der Kaserne
Teil 1 der '08/15'-Trilogie

Eine Kleinstadtgarnison in Deutschland um 1938. Hauptwachtmeister Schulz und Wachtmeister Platzek – Schleifer-Platzek – sind die zwei gefürchtesten Ausbilder, Kanonier Vierbein und Gefreiter Asch ihre beliebtesten Opfer, da sie aufbegehren gegen stumpfen Drill und sinnlosen Zwang . . .

Roman. (3497)

08/15 im Krieg
Teil 2 der '08/15'-Trilogie

1942. Asch, inzwischen zum Wachtmeister befördert, und Unteroffizier Vierbein, der erfolgreichste Panzerknacker des Regiments, kämpfen in Rußland. Ihre Batterie gerät in schwere Abwehrkämpfe, in deren Verlauf Vierbein fällt . . .

Roman. (3498)

08/15 bis zum Ende
Teil 3 der '08/15'-Trilogie

Frühjahr 1945 – der Zusammenbruch ist unaufhaltsam. Asch's Regiment löst sich auf, er selbst schlägt sich in seine Heimat, die Garnisonsstadt, durch. Auch hier geht es drunter und drüber. Der Kommißhengst Schulz schwingt als Kampfkommandant das Zepter . . .

Roman. (3499)

08/15 – Im Spiegel der Weltpresse:

Ein großartiges Buch, das durch seine literarische Qualität der Schriftstellergeneration seines Landes Ehre macht.

Les Lettres Francaises

Goldmann Verlag München

Das Buch zeigt den Militärapparat und den schäbigen Kampf um kleine Vorteile, und das Leiden inmitten der Ziellosigkeit und Sinnlosigkeit des Krieges.

New York Times

Obgleich es mit bemerkenswerter Zurückhaltung und mit sehr viel satirischem Humor geschrieben ist, bedeutet 08/15 eine furchtbare Anklage gegen den Militarismus. Die Hauptcharaktere sind virtuos gezeichnet, der Dialog ist lebendig und die oft verblüffenden Situationen werden meisterhaft gestaltet.

German Book News

Kirst will zeigen, daß die entscheidende Schuld im überlebten Drillsystem liegt. Die abenteuerliche Revolte gegen die Schinder wird nur dadurch möglich, daß der Gefreite Asch, dieser geborene Skeptiker, gerade die Mängel dieses hirnlosen Systems weidlich ausnutzt.

Frankfurter Rundschau

Weiterhin erschienen bei Goldmann folgende Titel:

Glück läßt sich nicht kaufen.
Roman. (2321)

Die Nacht der Generale.
Roman. (3538)
(April 1978)

08/15 heute. Der Roman der Bundeswehr.
Roman. (1345)

Heinz G. Konsalik die Weltauflage seiner Bücher beträgt über 25 Millionen.

Morgen ist ein neuer Tag

Eines der berüchtigten Schweigelager in der Sowjetunion hat ihn zwölf Jahre lang festgehalten. Jetzt kehrt er in seine Heimat zurück, wo ihn seine Familie schon vor Jahren für tot erklären ließ und fordert sein Recht, seine Frau, sein Kind, ringt alle Widerstände nieder, die sich ihm entgegenstellen . . .

Roman. (3517)

Die schöne Ärztin

Dr. Waltraud Born arbeitet als Ärztin der Zeche Emma II in der Industriesiedlung Buschhausen. Trotz ihrer wiederholten Warnungen stellt Bergwerksdirektor Dr. Ludwig Sassen kein Geld für Ausbau- und Sicherungsarbeiten in Emma II zur Verfügung – bis es zur Katastrophe kommt . . .

Roman. (3503)

Weiterhin sind im Goldmann Verlag erschienen:

Das Lied der schwarzen Berge.
Roman. (2889)

Manöver im Herbst.
Roman. (2550)

Ein Mensch wie du.
Roman. (2688)

Schicksal aus zweiter Hand.
Roman. (2714)

Das Schloß der blauen Vögel.
Roman. (2755)

Die schweigenden Kanäle.
Roman. (2579)

Henry Pahlen – der Spitzenautor, wenn es um Spannung geht!

Schwarzer Nerz auf zarter Haut

Beschützt von einer hinreißend schönen Agentin, begibt sich der deutsche Physiker Dr. Franz Hergarten, Erfinder eines neuartigen Raketentreibstoffes, an Bord des Luxusdampfers Ozeanic, um die Unterlagen seiner Entdeckung in die USA zu bringen. Er ist Geheimnisträger Nr. 1 und wird mit sämtlichen zur Verfügung stehenden Mitteln abgeschirmt.

An alles hatte man gedacht, nur nicht an die unberechenbaren Gefühle zweier Frauen, die schließlich sämtliche Sicherheitsmaßnahmen zunichte machen.

Während die ahnungslosen Passagiere in ihren luxuriösen Kabinen dem Dolce vita frönen, in den Salons und Restaurants rauschende Bordfeste feiern und keiner von Ihnen an das Gestern und Morgen, an die Wirklichkeit denkt, stehen sich die beiden Frauen als erbitterte Rivalinnen gegenüber und kämpfen Agenten verschiedener Mächte erbarmungslos miteinander – alle mit dem einen Ziel: Dr. Hergarten!

Roman. (2624)

Veiterhin sind im
Goldmann Verlag erschienen:

Der Gefangene der Wüste.
Roman. (2545)

n den Klauen des Löwen.
Roman. (2581)

Liebe auf dem Pulverfaß.
Roman. (3402)

Schlüsselspiele für drei Paare.
Roman. (3367)

Aktuell. Informativ. Vielseitig. Unterhaltend...

Große Reihe
Romane
Erzählungen
Filmbücher

Eine Love-Story

Regionalia
Literatur der deutschen Landschaften

Moderne Literatur

Klassiker
mit Erläuterungen

Goldmann Schott
Taschenpartituren
Opern der Welt
Monographien

Goldmann Dokumente
Bücher zum aktuellen Zeitgeschehen

Sachbuch
Zeitgeschehen, Geschichte
Kulturgeschichte, Kunst
Biographien
Psychologie, Pädagogik
Medizin, Naturwissenschaften

Grenzwissenschaften

Rote Krimi

Science Fiction

Western

Jugendbücher

Ratgeber, Juristische Ratgeber

Gesetze

Goldmann Magnum
Großformat 21 x 28 cm

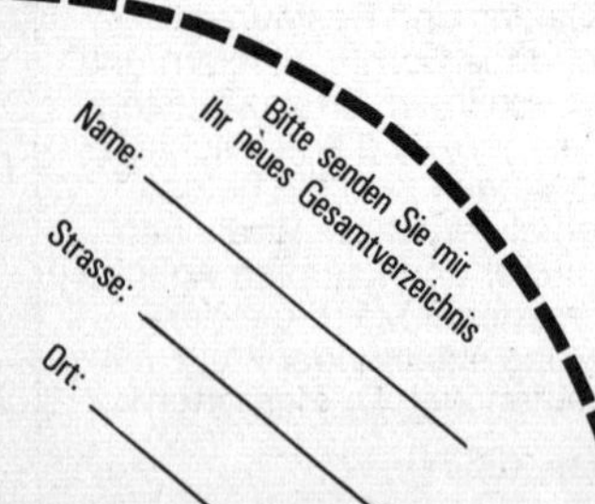

Goldmann Verlag
Neumarkter Str. 22

8000 München 80